測量士補 問題解説集

市ケ谷出版社

はじめに

測量士補の国家試験は，国土地理院が毎年実施しております。

「測量士補」として，専門的技術を有するかどうかを判定するための試験ですから，測量のエキスパートを目指す方々にとっての登竜門となっております。また，測量士補は土地家屋調査士の筆記試験午後の部が免除されるため，土地家屋調査士を目指す方々にとっても，取得しておきたい資格です。

しかし，この試験は，出題の範囲が，測量に関する法規，多角測量，汎地球測位システム（GNSS）測量，水準測量，地形測量，写真測量，地図編集，応用測量と多岐にわたっており，必ずしも容易なことではありません。

何を，どの程度まで，学習すれば合格できるのか，がつかみにくい試験です。

本書ではこのことを踏まえて，これだけは学習しなければならないという必要最小限の内容を，理解しやすくまとめることを編修方針としました。

試験に合格するためには，本書に収録されている過去問題を数多く解き，丁寧に解説を読むことが大切です。そして，間違えた問題はできるまで何度も解いてみて下さい。何度も繰り返し解くことによって，実力が着実に身につくことでしょう。なお，測量士補試験では，電卓の使用はできませんが，巻末の関数表が問題用紙に含まれています。計算問題は電卓を使用しないで解けるようにしてください。

試験は択一式で，出題数は28問です。1問当たり25点の700点満点で，450点（18問正答）以上が合格です。

本書は，令和6年度・令和5年度の問題を中心に測量の基本が理解できる基本問題で構成されております。まず，アミのかかっている問題から解いてみて下さい。

皆様のご健闘を祈念しております。

令和6年10月

著者一同

目次

本書の使い方

測量士補試験をはじめて学習される方のために，本書ではさまざまな工夫をしています。

各章では，最新８年間に出題された測量士補試験問題を分析し，一目で**出題内容**と出題の要点がわかるようにまとめてあります。さらに，問題には，出題年度・難易度・頻出度・チェック欄などを設けてあります。

基本問題は，同じ出題内容の問題を解くうえで基本となる問題です。必ずマスターしておきましょう。

出題年度を表示しています。「元年」は令和元年度となります。

難易度を５段階で表示しています。
難しい→難
やや難しい→やや難
普通→普
やや易しい→やや易
易しい→易

基本問題　5年　4年　3年　2年　元年　30年　29年　28年

問題　測量法の概要　難易度 普

頻出度 低 ■■■■■■■■■ 高

チェック欄に○×を入れてください。苦手な問題が明確になります。

×
×
○

4　次のa～eの文は，測量法（昭和24年法律第188号）に規定された事項について述べたものである。**明らかに間違っているもの**だけの組合せはどれか。次の中から選べ。

a.　測量計画機関とは，「公共測量」又は「基本測量及び公共測量以外の測量」を計画する者をいい，測量計画機関が，自ら計画を実施する場合には，測量作業機関となることができる。

b.　測量業とは，「基本測量」，「公共測量」又は「基本測量及び公共測量以外の測量」を請け負う営業をいう。

c.　公共測量は，「基本測量」，「公共測量」又は「基本測量及び公共測量以外の測量」の測量成果に基づいて実施しなければならない。

d.　公共測量を実施する者は，当該測量において設置する測量標に，公共測量の測量標であること及び測量作業機関の名称を表示しなければならない。

e.　測量業者としての登録を受けないで測量業を営んだ者は，懲役又は罰金に処される。

1.　a，b
2.　a，c
3.　b，d
4.　c，d
5.　d，e

頻出度の高い問題は，試験で出題される可能性が高いです。まずは，頻出度の高い問題が全問正解できるように学習を進めましょう。

解く　本問は，測量法に規定されている基本的な事項を問う問題である。ここでは，測量法に規定されている「第32条（公共測量の基準）」，「第37条（公共測量の表示等）」などの規定内容を理解しておく。測量法は，国土地理院のウェブサイトからも無料でダウンロードできる。

☞ 要点1 参照

問題を解くための基礎的な知識が章のはじめに要点としてまとめてあります。

問題を解くうえでカギとなる点や理解しておかなければならない点がまとめてあります。

112

解説

図や表を入れて解答をわかりやすく解説しています。
また，計算の過程もわかりやすく解説しています。

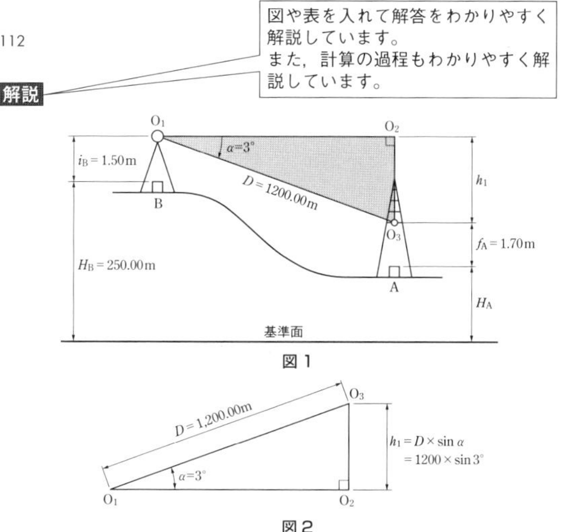

図1

O3
D = 1,200.00m
h1 = D × sin α
= 1200 × sin 3°
α=3°
O1
O2

図2

図2の三角形 $O_1O_2O_3$ において，三角関数の sinα を求めると，

$\sin\alpha = \frac{h_1}{D}$　から　　$h_1 = D \times \sin\alpha$

ここで，$D = 1{,}200.00$ m，$\alpha = 3°$ を代入すると，

$h_1 = 1{,}200.00\ \text{m} \times \sin 3° \ = 1{,}200 \times 0.05234 = 62.81$ m

図1において，基準面から点 O_1 および点 O_2 までの高さを考えると，次式が成り立つ。

$H_B + i_B = H_A + i_B - f_A - h_1$ から，　$H_A = H_B + i_B - f_A - h_1$

既知点から未知点の片方向観測による両差 k の補正の符号は，（+）となるので，両差を考慮した新点 A の標高 H_A は，次式で求める。

$H_A = H_B + i_B - f_A - h_1 + k$

ここで，上式に $H_B = 250.00$ m，$i_B = 1.50$ m，$f_A = 1.70$ m，$h_1 = 62.81$ m，$k = 0.10$ m を代入すると，

$H_A = 250.00 + 1.50 - 1.70 - 62.81 + 0.10 = 187.09$ m

以上より，3. の 187.09 が最も近い。

解答　3.

受験ガイダンス（令和６年度の場合）

（令和７年度の場合は，令和７年１月初旬公表予定）

◎受験資格

年令，性別，学歴，実務経験等に関係なく受験できます。

◎試験日時

令和６年５月19日（日曜日）：午後１時30分から午後４時30分まで

◎受験願書受付期間・受験願書用紙等の交付

令和６年１月５日（金）から１月30日（火）まで

◎合格発表

令和６年６月27日（木曜日）午前９時

◎合格基準など

出題形式：５肢択一式マークシート，出題数：28問

配点：１問25点の700点，合格基準：450点以上

◎試験実施地

北海道，宮城県，秋田県，東京都，新潟県，富山県，愛知県，大阪府，島根県，広島県，香川県，福岡県，鹿児島県，沖縄県

◎試験手数料

書面による場合（収入印紙による）　　2,850円

◎受験願書交付先

国土地理院本院および各地方測量部，沖縄支所，（公社）日本測量協会および各支部，各都道府県の土木関係部局（東京都は都市整備局）の主務課

◎問い合わせ先

〒305-0811　茨城県つくば市北郷１番

国土地理院　総務部総務課　試験登録係

TEL 029-864-8214，8248（直通）

（平日　8:30〜12:00，13:00〜17:15）

◎過去３年間の測量士補受験者等の状況

測量士補	受験者数（名）	合格者数（名）	合格率
令和４年	12,556	5,540	44.1%
令和５年	13,480	4,342	32.2%
令和６年	13,633	4,276	31.4%

第 1 章
測量法と測量の基準

「測量法と測量の基準」の概要

測量法とは，わが国の国土の開発・利用・保全等を担う土地の測量に関する基本的な法律のことである。

また，測量の基準とは，基本測量および公共測量を実施する場合に従わなければならない基準のことである。測量の基準には，位置，距離および面積などがある。

●測量法と測量の基準　最新8年間の出題状況●

No.	年度／出題内容	基本問題	令和6	5	4	3	2	元	平成30	29
1	測量法の概要		1	2	3	4	□	□	□	□
2	法の遵守，モラル，安全		5	6	7	8	□	□	□	□
3	測量の基準の概要		9	10	□	□	□	□	□	□
4	度とラジアンの関係，辺長等の計算		11	12	13	14	□	□	□	□
5	平面直角座標系		15					□		
6	地心直交座標系			16	□	□				□
7	基準点成果表	18					17			

注）□は，その年度に出題された問題で，番号は，本書に掲載された問題番号を示す。

◆測量法と測量の基準　令和6年度出題の特徴◆

関連No.	形　式	具体的な出題内容（特徴）	難易度
1	文　章	測量法の概要	普
2	文　章	公共測量に従事する技術者の留意事項	易
3	文　章	地球の形状および位置の基準	普
4	計　算	ラジアン単位と三角形の辺長の計算	普
5	計　算	平面直角座標系の座標値の計算	普
		合　計	5問

出題の要点

要点1　測量法の概要

(1)　測量法の目的

測量法は，国や地方公共団体などが行う測量について，① 実施の基準（測量の等級，精度など），② 必要な権能（実施機関，土地の立ち入りなど）を定める，③ 測量の重複を排除する，④ 測量の正確さを確保する，⑤ 測量業を営む者の登録，業務の規制等により，測量業の適正な運営と健全な発達をはかるために制定されたものである。（昭和 24 年 6 月　法律第 188 号）

(2)　測量の種類（分類）

測量には，測量法に規定されている「基本測量」，「公共測量」，「基本測量および公共測量以外の測量」と，局地的な測量や高い精度を必要としない「その他の測量」の 4 つに分類される。なお，「測量」とは，土地の測量をいい，地図の調製および測量用写真の撮影を含む。

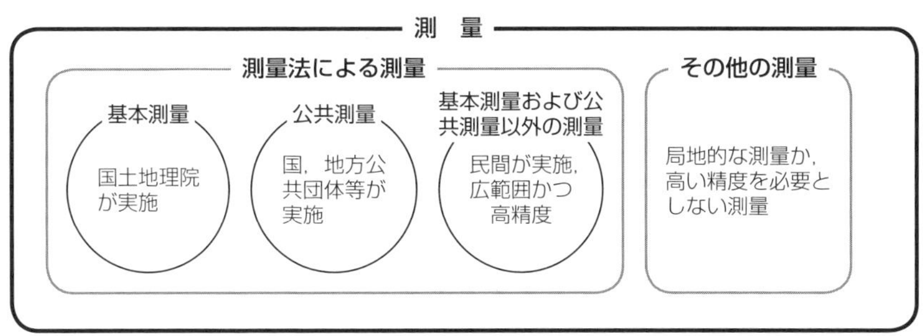

図１　測量の種類

(3)　測 量 機 関

「測量」を実施する者には，測量計画機関と測量作業機関がある。

測量計画機関とは，国土地理院などのように測量を計画する者をいう。測量作業機関とは，測量計画機関の指示または委託を受けて測量作業を実施する者で，一般的には登録して測量業を営んでいる測量業者である。

(4) 測 量 標

地上に設置する測量標には，永久標識，一時標識および仮設標識がある。

① 永久標識：三角点標石，図根点標石，方位標石，水準点標石，磁気点標石，基線尺検定標石，基線標石，験潮儀，験潮場

② 一時標識：測標，標杭

③ 仮設標識：標旗，仮杭

(5) 測量士と測量士補

技術者として基本測量または公共測量に従事する者は，測量士または測量士補として国土地理院の名簿に登録されている必要がある。

測量士は，測量に関する計画を作製し，または実施する。測量士補は，測量士の作製した計画に従い測量に従事する者である。

(6) 測 量 業 者

測量業を営もうとする者は，測量業者としての登録をしなければならない。1回の登録の有効期間は5年であり，更新可能である。

(7) 基本測量と公共測量

① 基本測量とは，すべての測量の基礎となる測量で，国土地理院が行う。

② 国土交通大臣は，基本測量に関する長期計画を定める。

③ 公共測量は，基本測量または公共測量の測量成果に基づいて実施しなければならない。

④ 測量計画機関は，公共測量を実施するときは，観測機械の種類，観測法，計算法などの作業規程を定め，事前に国土交通大臣の承認を得なければならない。変更しようとするときも，同様である

⑤ 国土交通大臣は，作業規程の規範となる準則を定めることができる。

(8) 測 量 成 果

① 基本測量の成果は，測量の種類，精度，実施の時期，地域などを官報で公告する。

② 基本測量の測量成果のうち地図などは刊行し，不特定多数の者が提供を受けることができる状態に置く。

③ 測量計画機関は，公共測量の測量成果を得たときは，遅滞なく，その写を国土地理院の長に送付しなければならない。

(9)　基本測量および公共測量以外の測量

① 基本測量および公共測量以外の測量を実施しようとする者は，あらかじめ，国土交通大臣に届け出なければならない。

② 国土交通大臣は，届出をした者に対し，測量の正確さを確保するため必要な勧告をすることができる。

要点2　公共測量における測量作業機関の対応

公共測量に従事する測量作業機関は，以下の点について留意しなければならない。

① 測量作業着手前に，測量作業の方法，使用する主要機器，要員，日数などについて作業計画を立案し，測量計画機関に提出して承認を得る。

② 現地での作業において，作業者の安全の確保について適切な措置を講じる。

③ 土地に立ち入る場合において，測量計画機関が発行する身分証明書を携帯し，関係人の請求があったときは，これを呈示する。

④ 道路において，工事もしくは作業をしようとする者は，あらかじめ所轄警察署に道路使用許可申請書を提出して許可を受ける。

要点3　測量の基準の概要

(1)　測量の原点

測量には，おおまかに ① 平面的な原点と，② 高さ的な原点と，③ 特別に承認された任意の原点，の３種類の原点がある。また，その原点数値がゼロであるとは限らない。

① 日本経緯度原点（平面的な原点）

経緯度原点の座標値は，VLBI や GNSS 等の宇宙測地技術により構築された世界測地系の値として定められている。

② 日本水準原点（高さ的な原点）

③ 特別の事情により，国土地理院長が承認した場合の原点

状況に応じて場合ごとに設定し，承認される。

(2)　地球の形状（世界測地系）

測量法では，地球の形状を数学的な回転楕円体と見なしている。楕円体としては国際的に認められた複数の準拠楕円体（地球の模擬形状）のうち GRS80 楕円体を，また座標系としては ITRF94（国際地球基準）座標系を採用している。

(3) 位置の表示方法

測量法では，位置の表示方法として，① 経度と緯度と高さでの表示を原則とするが，その他に，② 平面直角座標（平面の XY 座標値）と高さ，③ 極座標（方向 θ と長さ S）と高さ，④ 地心直交座標（3 次元の XYZ 座標値），の方法を用いることができる。

(4) 距離と面積の表示方法

日本の測量法では，準拠楕円体（地球を模擬した形状）に GRS80 楕円体を採用している。地表面で得られる距離や面積は，この楕円体表面上に投影した長さ〔m〕や面積〔m^2〕で表示し，地表で得られた値や，海面上に投影した値を用いないことに注意する。

(5) 標高・楕円体高・ジオイド高の関係

ジオイドは，海水面を陸地まで延長したときにできる仮想の面である。ジオイドは，重力の方向に垂直であり，地球の形状と大きさに近似した回転楕円体に対して凹凸がある。

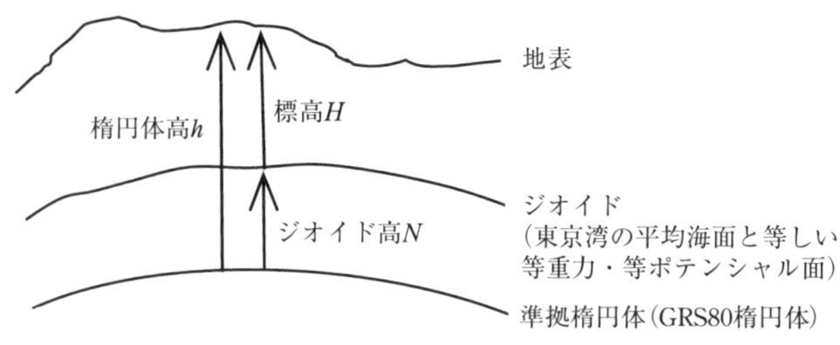

図 2　標高・楕円体高・ジオイド高の関係

基本問題 | **6年** | 5年 | 4年 | 3年 | 2年 | 元年 | 30年 | 29年

問題　測量法の概要

難易度 **普**

頻出度 低 ■■■■■■■■ 高

1　次のａ～ｅの文は，測量法（昭和24年法律第188号）について述べたものである。**明らかに間違っているもの**だけの組合せはどれか。次の１～５の中から選べ。

a.　公共測量とは，基本測量以外の測量で，その実施に要する費用の全部又は一部について国又は公共団体が負担して実施する測量をいう。ただし，国又は公共団体からの補助を受けて行う測量を除く。

b.　基本測量とは，すべての測量の基礎となる測量であり，国土地理院の行うものをいう。

c.　測量計画機関が自ら計画を実施する場合には，測量作業機関となることができる。

d.　基本測量の測量成果を使用して基本測量以外の測量を実施しようとする者は，あらかじめ，国土地理院の長の承認を得なければならない。

e.　測量計画機関は，公共測量を実施しようとするときは，当該公共測量に関し作業規程を定め，あらかじめ，国土地理院の長の承認を得なければならない。

1.　a，c
2.　a，e
3.　b，d
4.　b，e
5.　c，d

本問は，測量法に規定されている基本的な事項を問う問題である。ここでは，測量法に規定されている「第5条（公共測量）」，「第30条（測量成果の使用）」，「第33条（作業規程）」などの規定内容を理解しておく。

測量法は，国土地理院のウェブサイトからも無料でダウンロードできる。☞ 要点1 参照

解説

a.　**間違い**　測量法第5条（公共測量）に，「公共測量とは，基本測量以外の測量で，その実施に要する費用の全部又は一部を国又は公共団体が負担し，**又は補助して実施する測量**をいう。」と規定されている。

b. **正しい**　測量法第4条（基本測量）に，「基本測量とは，すべての測量の基礎となる測量で，国土地理院の行うものをいう。」と規定されている。

c. **正しい**　測量法第7条（測量計画機関）に，「測量計画機関とは，測量を計画する者をいう。測量計画機関が，自ら計画を実施する場合には，測量作業機関となることができる。」と規定されている。

d. **正しい**　測量法第30条（測量成果の使用）に，「基本測量の測量成果を使用して基本測量以外の測量を実施しようとする者は，国土交通省令で定めるところにより，あらかじめ，国土地理院の長の承認を得なければならない。」と規定されている。

e. **間違い**　測量法第33条（作業規程）に，「測量計画機関は，公共測量を実施しようとするときは，当該公共測量に関し観測機械の種類，観測法，計算法その他国土交通省令で定める事項を定めた作業規程を定め，あらかじめ，**国土交通大臣の承認**を得なければならない。」と規定されている。

よって，明らかに間違っているものはa，eであり，その組合せは2．である。

解答　2.

基本問題　6年　**5年**　4年　3年　2年　元年　30年　29年

問題　測量法の概要

難易度 **普**

頻出度 低 ■■■■■■■■ 高

2 次の文は，測量法（昭和 24 年法律第 188 号）に規定された事項について述べたものである。**明らかに間違っているもの**はどれか。次の中から選べ。

1.　測量業とは，基本測量，公共測量又は基本測量及び公共測量以外の測量を請け負う営業をいう。
2.　測量成果とは，当該測量において最終の目的として得た結果をいい，測量記録とは，測量成果を得る過程において得た作業記録をいう。
3.　基本測量の永久標識の汚損その他その効用を害するおそれがある行為を当該永久標識の敷地又はその付近でしようとする者は，理由を記載した書面をもって，国土地理院の長に当該永久標識の移転を請求することができる。この移転に要した費用は，国が負担しなければならない。
4.　公共測量は，基本測量又は公共測量の測量成果に基づいて実施しなければならない。
5.　測量計画機関は，公共測量を実施しようとするときは，あらかじめ，当該公共測量の目的，地域及び期間並びに当該公共測量の精度及び方法を記載した計画書を提出して，国土地理院の長の技術的助言を求めなければならない。

本問は，測量法に規定されている基本的な事項を問う問題である。ここでは，測量法に規定されている「第 9 条（測量成果及び測量記録）」，「第 24 条（測量標の移転の請求）」，「第 32 条（公共測量の基準）」などの規定内容を理解しておく。測量法は，国土地理院のウェブサイトからも無料でダウンロードできる。☞ 要点1 参照

解説

1.　**正しい**　測量法第 10 条の 2（測量業）に，「測量業とは，基本測量，公共測量又は基本測量及び公共測量以外の測量を請け負う営業をいう。」と規定されている。

2.　**正しい**　測量法第 9 条（測量成果及び測量記録）に，「測量成果とは，当該測量において最終の目的として得た結果をいい，測量記録とは，測量成果を得る過程において得た作業記録をいう。」と規定されている。

3. **間違い** 測量法第 24 条第 1 項（測量標の移転の請求）に,「基本測量の永久標識又は一時標識の汚損その他その効用を害するおそれがある行為を当該永久標識若しくは一時標識の敷地又はその付近でしようとする者は，理由を記載した書面をもつて，国土地理院の長に当該永久標識又は一時標識の移転を請求することができる」と規定されている。しかし，測量法第 24 条第 4 項に,「永久標識又は一時標識の移転に要した費用は，**移転を請求した者が負担しなければならない**。」と規定されている。

4. **正しい** 測量法第 32 条（公共測量の基準）に,「公共測量は，基本測量又は公共測量の測量成果に基づいて実施しなければならない。」と規定されている。

5. **正しい** 測量法第 36 条（計画書についての助言）に,「測量計画機関は，公共測量を実施しようとするときは，あらかじめ，当該公共測量の目的，地域及び期間並びに当該公共測量の精度及び方法を記載した計画書を提出して国土地理院の長の技術的助言を求めなければならない。」と規定されている。

よって，明らかに間違っているものは，3. である

解答 3.

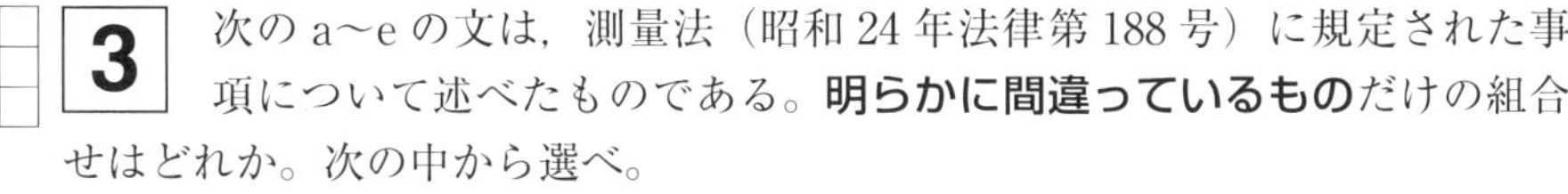

問題　測量法の概要

難易度　普

頻出度　低 ■■■■■■■■ 高

3　次のa～eの文は，測量法（昭和24年法律第188号）に規定された事項について述べたものである。**明らかに間違っているもの**だけの組合せはどれか。次の中から選べ。

a.　「測量」とは，土地の測量をいい，地図の調整や測量用写真の撮影は測量には含まれない。

b.　測量計画機関は，公共測量を実施しようとするときは，あらかじめ，当該公共測量の目的，地域及び機関並びに当該公共測量の精度及び方法を記載した計画書を提出して，国土地理院の長の技術的助言を求めなければならない。

c.　「基本測量」とは，国土地理院が実施する測量をいうため，測量業者は基本測量を請け負うことはできない。

d.　測量士は，測量に関する計画を作製し，又は実施する。測量士補は，測量士の作製した計画に従い測量に従事する。

e.　国土地理院の長の承諾を得ないで，基本測量の測量標を移転してはならない。

1.　a，c
2.　a，d
3.　b，d
4.　b，e
5.　c，e

本問は，測量法に規定されている基本的な事項を問う問題である。ここでは，測量法に規定されている「第３条（測量)」，「第４条（測量標の使用)」，「第10条２（測量業)」などの規定内容を理解しておく。測量法は，国土地理院のウェブサイトからも無料でダウンロードできる。

☞ 要点1 参照

解説

a.　**間違い**　測量法第３条（測量）に，「測量とは，土地の測量をいい，**地図の調製及び測量用写真の撮影を含む**ものとする。」と規定されている。

b.　**正しい**　測量法第36条（計画書についての助言）に,「測量計画機関は,公共測量を実施しようとするときは，あらかじめ，当該公共測量の目的，地域及び期間並びに当該公共測量の精度及び方法を記載した計画書を提出して，国土地理院の長の技術的助言を求めなければならない。」と規定されている。

c.　**間違い**　測量法第4条（測量標の使用）に,「基本測量とは，すべての測量の基礎となる測量で，国土地理院の行うものをいう。」と規定されている。また，測量法第10条2（測量業）に,「測量業とは，基本測量，公共測量又は基本測量及び公共測量以外の測量を請け負う営業をいう。」と規定されているので，測量業者は**基本測量を請け負うことができる**。

d.　**正しい**　測量法第48条（測量士及び測量士補）に,「測量士は，測量に関する計画を作製し，又は実施する。測量士補は，測量士の作製した計画に従い測量に従事する。」と規定されている。

e.　**正しい**　測量法第22条（測量標の保全）に,「何人も，国土地理院の長の承諾を得ないで，基本測量の測量標を移転し，汚損し，その他その効用を害する行為をしてはならない。」と規定されている。

よって，明らかに間違っているものはa，cであり，その組合せは1．である。

解答　**1.**

基本問題　6年　5年　4年　**3年**　2年　元年　30年　29年

問題　測量法の概要

難易度 **普**

頻出度 低 ■■■■■■■■ 高

4 次のa～eの文は，測量法（昭和24年法律第188号）に規定された事項について述べたものである。**明らかに間違っているもの**だけの組合せはどれか。次の中から選べ。

a.　公共測量は，基本測量又は公共測量の測量成果に基いて実施しなければならない。

b.「基本測量及び公共測量以外の測量」とは，基本測量及び公共測量を除くすべての測量をいう。ただし，建物に関する測量その他の局地的測量及び小縮尺図の調製その他の高度の精度を必要としない測量は除く。

c.　基本測量以外の測量を実施しようとする者は，国土地理院の長の承認を得て，基本測量の測量標を使用することができる。

d.「基本測量及び公共測量以外の測量」を計画する者は，測量計画機関である。

e.「測量記録」とは，当該測量において最終の目的として得た結果をいい，「測量成果」とは，測量記録を得る過程において得た結果をいう。

1.　a，c
2.　a，d
3.　b，d
4.　b，e
5.　c，e

本問は，測量法に規定されている基本的な事項を問う問題である。ここでは，測量法に規定されている「第6条（基本測量及び公共測量以外の測量）」，「第9条（測量成果及び測量記録）」などの規定内容を理解しておく。測量法は，国土地理院のウェブサイトからも無料でダウンロードできる。 ☞要点1参照

解説

a.　**正しい**　測量法第32条（公共測量の基準）に，「公共測量は，基本測量又は公共測量の測量成果に基いて実施しなければならない。」と規定されている。

b.　**間違い**　測量法第6条（基本測量及び公共測量以外の測量）に，「基本測量及び公共測量以外の測量とは，**基本測量又は公共測量の測量成果を使用して実施する基本測量及び公共測量以外の測量**をいう。ただし，建物に関する測量その他の局地的測量又は小縮尺図の調製その他の高度の精度を必要としない測量を除く。」と規定されている。

c.　**正しい**　測量法第26条（測量標の使用）に，「基本測量以外の測量を実施しようとする者は，国土地理院の長の承認を得て，基本測量の測量標を使用することができる。」と規定されている。

d.　**正しい**　測量法第7条（測量計画機関）に，「測量計画機関とは，基本測量及び公共測量以外の測量計画する者をいう。」と規定されている。

e.　**間違い**　測量法第9条（測量成果及び測量記録）に，「**測量成果**とは，当該測量において最終の目的として得た結果をいい，**測量記録**とは，測量成果を得る過程において得た作業記録をいう。」と規定されている。

よって，明らかに間違っているものはb，eであり，その組合せは4. である。

解答　4.

基本問題 6年 5年 4年 3年 2年 元年 30年 29年

公共測量に従事する技術者の留意事項

難易度 易

頻出度 低 ■■■■■■■■ 高

5 次のａ～ｅの文は，公共測量における測量作業機関の対応について述べたものである。**明らかに間違っているもの**だけの組合せはどれか。次の１～５の中から選べ。

a.　局地的な大雨による災害が増えていることから，現地作業に当たっては，気象情報に注意するとともに，作業地域のハザードマップを携行した。

b.　測量計画機関から貸与された測量成果などのデータを格納したUSBメモリを紛失した後の対応として，会社にデータのバックアップがあり作業には影響がないことを確認するとともに，速やかに測量計画機関に報告し，その指示を求めた。また，再発防止の措置を講じた。

c.　二つの測量計画機関Ａ，Ｂから同時期に同じ地域での作業を受注した。作業効率を考慮し，Ａから貸与された空中写真などの測量成果をＢの作業にも使用した。その旨の報告は，Ａ，Ｂそれぞれの成果納品時に行った。

d.　基準点測量を実施する際，観測の支障となる樹木があった。現地作業を予定どおりに終わらせるため，所有者の承諾を得ずに伐採した。現地作業終了後，速やかに所有者に連絡した。

e.　現地作業中は，測量計画機関から発行された身分証明書とともに，自社の身分証明書も携帯した。

1.　a，b
2.　a，e
3.　b，d
4.　c，d
5.　c，e

解く　本問は，公共測量に従事する技術者が留意しなければならない基本的な事項を問う問題である。ここでは，作業規程の準則に規定されている第４条（関係法令等の遵守等），測量法に規定されている第16条（障害物の除去）などの規定内容を理解しておく。☞ 要点2 参照

解説

a. **正しい** 作業規程の準則第 10 条に,「作業機関は,特に現地での測量作業において,作業者の安全の確保について適切な措置を講じなければならない。」と規定されている。したがって,局地的な大雨による災害が予想される場合は,現地作業に当たり,気象情報に注意するとともに,作業地域のハザードマップを携行しなければならない。

b. **正しい** 測量計画機関から貸与された測量成果などのデータを格納した USB メモリを紛失した場合は,速やかに測量計画機関に報告し,その指示を求め,再発防止の措置を講じなければならない。

c. **間違い** 作業規程の準則第 4 条に,「計画機関及び作業機関並びに作業者は,作業の実施に当たり,財産権,労働,安全,交通,土地利用規制,環境保全,個人情報の保護等に関する法令を遵守し,かつ,これらに関する社会的慣行を尊重しなければならない。」と規定されている。二つの測量計画機関 A,B から同時期に同じ地域での作業を受注した場合は,**A から貸与された空中写真などの測量成果を,B の作業にも使用してはならない**。

d. **間違い** 測量法第 16 条に,「基本測量を実施するためにやむを得ない必要があるときは,あらかじめ所有者又は占有者の承諾を得て,障害となる植物又はかき,さく等を伐除することができる。」と規定されている。したがって,基準点測量を実施する際,観測の支障となる樹木があったときは,**あらかじめ,所有者の承諾を得て,伐採しなければならない**。

e. **正しい** 測量法第 15 条に,「国土地理院の長またはその命を受けた者もしくは委任を受けた者が,土地に立ち入る場合において,その身分を示す証明書を携帯し,関係人の請求があったときは,これを呈示しなければならない。」と規定されている。したがって,現地作業中は,測量計画機関から発行された身分証明書とともに,自社の身分証明書も携帯する。

よって,明らかに間違っているものはc,dあり,その組合せは4.である。

解答 **4.**

基本問題　6年　**5年**　4年　3年　2年　元年　30年　29年

公共測量に従事する技術者の留意事項

難易度　易

頻出度　低 ■■■■■■■■ 高

6　次のa～eの文は，公共測量における対応について述べたものである。その対応として**明らかに間違っているもの**だけの組合せはどれか。次の中から選べ。

a.　道路上で水準測量を実施するため，あらかじめ所轄警察署長に道路使用許可申請書を提出し，許可を受けて水準測量を行った。

b.　空中写真測量において，対空標識設置完了後に，使用しなかった材料は現地で処分せず全て持ち帰ることにして，作業区域の清掃を行った。

c.　水準測量における新設点の観測を速やかに行うため，永久標識設置から観測までの工程を同一の日に行った。

d.　夏季に行う現地作業に当たり，熱中症対策としてこまめに水分補給等をして，休憩を取りながら作業を行った。

e.　現地測量に当たり，近傍の四等三角点の測量成果を国土地理院のウェブサイトで閲覧できたため，国土地理院の長の使用承認は得ずに，出典の明示をして使用した。

1.　a，c
2.　a，d
3.　b，d
4.　b，e
5.　c，e

本問は，公共測量に従事する技術者が留意しなければならない基本的な事項を問う問題である。ここでは，作業規程の準則に規定されている第64条（水準測量の観測の実施），測量法に規定されている第30条（測量成果の使用）などの規定内容を理解しておく。☞要点2参照

解説

a.　**正しい**　道路交通法第77条（道路の使用の許可）に，「道路において工事若しくは作業をしようとする者などは，管轄警察署長の許可を受けなければならない。」と規定されている。したがって，道路上で水準測量を実施するときは，あらかじめ所轄警察署長に道路使用許可申請書を提出し，許可を受けて水準測量を行う。

b.　**正しい**　空中写真測量において，対空標識設置完了後に，使用しなかった材料をみだりに捨てることは，「廃棄物の処理及び清掃に関する法律第16条（投棄禁止）」で禁止されている。したがって，使用しなかった材料は現地で処分せず全て持ち帰り，作業区域の清掃を行う。

c.　**間違い**　作業規程の準則第64条第4項に，「水準測量における新設点の観測は永久標識の設置後24時間以上経過してから行うものとする。」と規定されている。したがって，新設点の観測は，永久標識設置から観測までの工程を**同一の日に行うことができない**。

d.　**正しい**　作業規程の準則第10条に，「作業機関は，特に現地での測量作業において，作業者の安全の確保について適切な措置を講じなければならない。」と規定されている。したがって，夏季に行う現地作業では，熱中症対策としてこまめに水分補給などをして，休憩を取りながら作業を行う。

e.　**間違い**　測量法第30条に，「基本測量の測量成果を使用して基本測量以外の測量を実施しようとする者は，国土交通省令で定めるところにより，あらかじめ，国土地理院の長の承認を得なければならない。」と規定されている。したがって，国土地理院のウェブサイトで公開している三角点の測量成果を使用して行う現地測量は，**国土地理院の長の承認を得た上で，作業を行わなければならない**。

よって，明らかに間違っているものはc，eであり，その組合せは5. である。

解答　**5.**

基本問題　6年　5年　**4年**　3年　2年　元年　30年　29年

公共測量に従事する技術者の留意事項

難易度 易

頻出度 低 ■■■■■■■■■ 高

7 次の a～e の文は，公共測量に従事する技術者が留意しなければならないことについて述べたものである。**明らかに間違っているもの**だけの組合せはどれか。次の中から選べ。

a.　水準測量作業中に，標尺が駐車中の自動車に接触しドアミラーを破損してしまった。警察に連絡するとともに，直ちに測量計画機関へも事故について報告した。

b.　局地的な大雨による災害や事故が増えていることから，現地作業に当たっては，気象情報に注意するとともに，作業地域のハザードマップを携行した。

c.　測量計画機関が発行した身分を示す証明書は大切なものであるから，私有の土地に立ち入る作業において，証明書の原本ではなく証明書のカラーコピーを携帯した。

d.　基準点測量を実施する際，所有者に伐採の許可を得てから観測の支障となる樹木を伐採した。

e.　測量計画機関から貸与された測量成果などのデータをコピーした USB メモリを紛失したが，会社にバックアップがあり作業には影響が無かったため，測量計画機関には USB メモリを紛失したことを報告しなかった。

1.　a，c
2.　a，d
3.　b，d
4.　b，e
5.　c，e

本問は，公共測量に従事する技術者が留意しなければならない基本的な事項を問う問題である。ここでは，作業規程の準則に規定されている第４条（関係法令等の遵守等），測量法に規定されている第15条（土地の立入及び通知）などの規定内容を理解しておく。☞要点2参照

解説

a.　**正しい**　水準測量作業中に，標尺が駐車中の自動車に接触しドアミラーを破損してしまったときは，警察に連絡するとともに，直ちに測量計画機関へも事故について報告する。

b.　**正しい**　作業規定の準則第 10 条に，「測量作業機関は，特に現地での作業において，作業者の安全の確保について適切な措置を講じなければならない。」と規定されている。設問のように現地作業に当たっては，気象情報に注意し，作業地域のハザードマップを携行する。

c.　**間違い**　測量法第 15 条（土地の立入及び通知）に，「国土地理院の長またはその命を受けた者もしくは委任を受けた者が，土地に立ち入る場合において，その身分を示す証明書を携帯し，関係人の請求があったときは，これを呈示しなければならない。」と規定されている。したがって，私有の土地に立ち入る作業においては，証明書のカラーコピーではなく，**測量計画機関が発行した身分を示す証明書の原本を携帯**する。

d.　**正しい**　測量法第 16 条に，「基本測量を実施するためにやむを得ない必要があるときは，あらかじめ所有者または占有者の承諾を得て，障害となる植物またはかき，さく等を伐除することができる。」と規定されている。

e.　**間違い**　作業規程の準則第 4 条に，「計画機関及び作業機関並びに作業者は，作業の実施に当たり，財産権，労働，安全，交通，土地利用規制，環境保全，個人情報の保護等に関する法令を遵守し，かつ，これらに関する社会的慣行を尊重しなければならない。」と規定されている。したがって，測量計画機関から貸与された測量成果などのデータをコピーした USB メモリを紛失した場合は，**紛失に気づいた時点で測量計画機関へ報告**する。

よって，明らかに間違っているものはc，eであり，その組合せは5. である。

解答　**5.**

基本問題 | 6年 | 5年 | 4年 | **3年** | 2年 | 元年 | 30年 | 29年

問題　測量作業機関の対応

難易度 易

頻出度 低 ■■■■■■■■■ 高

8 次の a〜e の文は，公共測量における測量作業機関の対応について述べたものである。その対応として**明らかに間違っているもの**だけの組合せはどれか。次の中から選べ。

a.　新型コロナウイルス感染症の拡大防止対策として，トータルステーションによる基準点測量の現地作業において，マスクを着用し，近い距離での大声の会話を避けて観測を行った。

b.　基本測量成果を使用して行う基準点測量において，国土地理院のホームページで公開している基準点閲覧サービスから測量成果が閲覧できたため，それを印刷して既知点座標の数値として使用し作業を行った。

c.　測量士補の資格を有していたため，測量士が立案した作業計画に従い，測量技術者として公共測量に従事した。

d.　GNSS 観測で得られたデータで基線解析を実施したところ，観測データの後半で不具合がおき，計画していた観測時間よりも短い時間のデータしか解析ができなかった。それでも作業規程に規定された観測時間は満たしており，FIX 解が得られ，点検計算でも問題はなかったので，そのまま作業を続けた。

e.　測量計画機関から貸与された空中写真を，別の測量計画機関から同じ地域の作業を受注した場合に活用できるかもしれないと考え，社内で複写して保管した。

1.　a，b
2.　a，c
3.　b，e
4.　c，d
5.　d，e

本問は，公共測量における測量作業機関の対応を問う問題である。ここでは，作業規程の準則に規定されている第 4 条（関係法令等の遵守等），測量法に規定されている第 30 条（測量成果の使用）などの規定内容を理解しておく。☞ 要点2 参照

解説

a.　**正しい**　新型コロナウイルス感染症の拡大防止対策として，トータルステーションによる基準点測量の現地作業において，マスクを着用し，近い距離での大声の会話を避けて観測を行わなければならない。

b.　**間違い**　測量法第30条に，「基本測量の測量成果を使用して基本測量以外の測量を実施しようとする者は，国土交通省令で定めるところにより，あらかじめ，国土地理院の長の承認を得なければならない。」と規定されている。国土地理院のホームページで公開している基準点の測量成果を使用して行う基準点測量は，**国土地理院の長の承認を得た上**で，作業を行わなければならない。

c.　**正しい**　測量法第48条3に，「測量士補は，測量士の作製した計画に従い測量に従事する。」と規定されている。測量士補は，測量士が立案した作業計画に従い，測量技術者として公共測量に従事することができる。

d.　**正しい**　GNSS観測による基線解析において，観測データの後半で不具合がおき，計画していた観測時間よりも短い時間のデータしか解析ができなかった場合でも，作業規程に規定された観測時間・データ取得間隔・使用衛星数・衛星の最低高角度等を満たし，FIX解が得られ，点検計算に問題がなければ，そのまま作業を続けることができる。

e.　**間違い**　作業規程の準則第4条に，「計画機関及び作業機関並びに作業者は，作業の実施に当たり，財産権，労働，安全，交通，土地利用規制，環境保全，個人情報の保護等に関する法令を遵守し，かつ，これらに関する社会的慣行を尊重しなければならない。」と規定されている。測量計画機関から貸与された空中写真は，作業が終了したとき，速やかに返却し，別の測量計画機関から同じ地域の作業を受注した場合に活用するために，**社内で複写して保管してはならない**。

よって，明らかに間違っているものはb，eであり，その組合せは3．である。

解答　**3.**

基本問題 6年 5年 4年 3年 2年 元年 30年 29年

問題　地球の形状および位置の基準

難易度 普

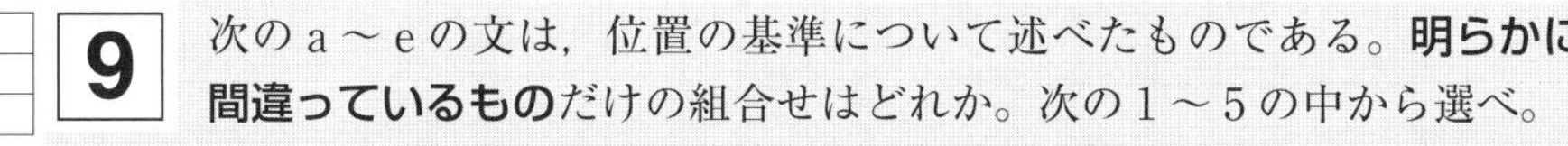

頻出度 低 ■■■■■■■■ 高

9 次のａ～ｅの文は，位置の基準について述べたものである。**明らかに間違っているもの**だけの組合せはどれか。次の１～５の中から選べ。

a. 地心直交座標系（平成 14 年国土交通省告示第 185 号）における任意の地点の座標値から，ジオイド高を用いなくても，緯度，経度及び標高に変換できる。

b. 基本測量及び公共測量では，標高は平均海面からの高さで表す。

c. ジオイドは重力の方向と直交であり，地球の表面に対して一様に平行である。

d. 基本測量及び公共測量において位置を緯度及び経度で表す場合は，地球を扁平な回転楕円体と想定する。

e. 標高，楕円体高，ジオイド高には，「標高＝楕円体高－ジオイド高」の関係が成立している。

1. a，c
2. a，d
3. b，d
4. b，e
5. c，e

解く

本問は，地球の形状および位置の基準を問う問題である。ここでは，測量の基準となる座標系および標高・楕円体高・ジオイド高の関係を理解しておく。☞ 要点3 参照

解説

a. **間違い**　地心直交座標系とは，地心を原点（0, 0, 0）とする X, Y, Z の三次元の直交座標系をいう。地心直交座標系の任意の地点の座標値から，ジオイドを用いなくても緯度，経度に変換することができるが，**標高に変換することはできない**。地心直交座標系の座標値を用いて標高を求めるには，ジオイドが必要になる。

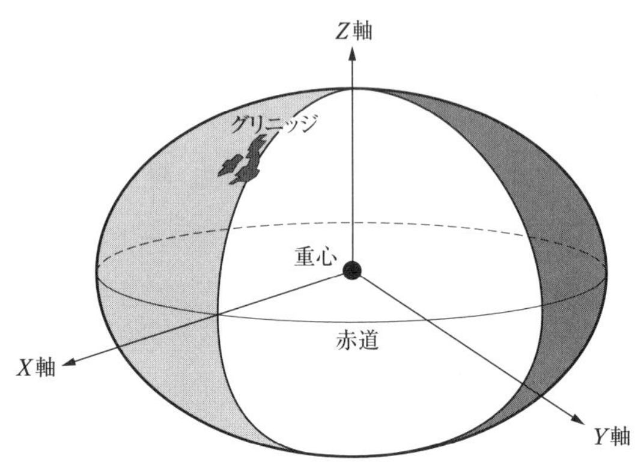

図１　３次元直交座標系

b.　**正しい**　標高とは，ある地点において，平均海面を陸地内部まで仮想的に延長してできる面（ジオイド）から地表面までの高さである。基本測量及び公共測量では，標高は平均海面からの高さ（ジオイド高）で表す。

c.　**間違い**　ジオイドとは，平均海面を陸地内部まで延長したと仮定したときにできる仮想の面のことをいう。ジオイドは，重力の方向に直交であり，**地球の表面に対して凹凸がある**。

d.　**正しい**　基本測量及び公共測量において，位置を緯度及び経度で表す場合は，地球を扁平な回転楕円体と想定して行う。

e.　**正しい**　標高 H，楕円体高 h，ジオイド高 N には，図２のような関係がある。したがって，標高は，「標高 H＝楕円体高 h －ジオイド高 N」の式を用いて計算することができる。

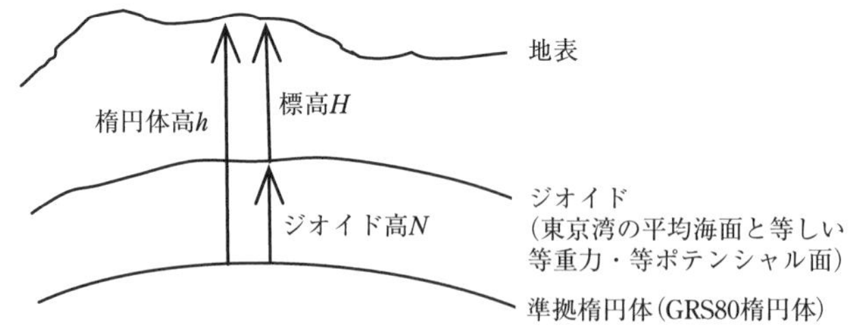

図２　標高・楕円体高・ジオイド高の関係

よって，明らかに間違っているものはａ，ｃあり，その組合せは１．である。

解答　1.

基本問題 | 6年 | 5年 | 4年 | 3年 | 2年 | 元年 | 30年 | 29年

問題　地球の形状および位置の基準

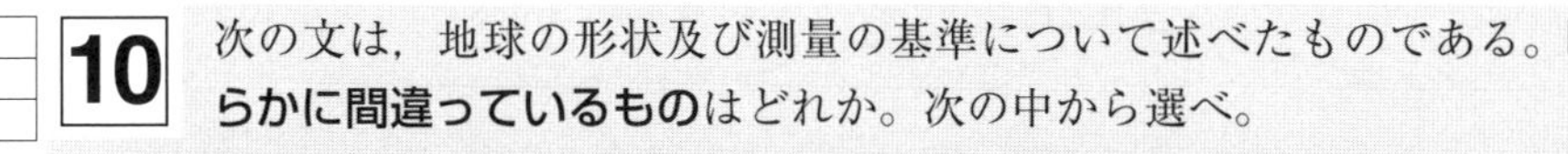

10 次の文は，地球の形状及び測量の基準について述べたものである。**明らかに間違っているもの**はどれか。次の中から選べ。

1.　地球上の位置を緯度，経度で表すための基準として，地球の形状と大きさに近似した回転楕円体が用いられる。
2.　世界測地系において，回転楕円体はその中心が地球の重心と一致するものであり，その長軸が地球の自転軸と一致するものである。
3.　GNSS 測量で直接得られる高さは，楕円体高である。
4.　ジオイド高は，楕円体高と標高の差から計算できる。
5.　地心直交座標系（平成 14 年国土交通省告示第 185 号）の座標値から，当該座標の地点における緯度，経度及び楕円体高を計算できる。

本問は，地球の形状および位置の基準を問う問題である。ここでは，測量の基準となる座標系および地球の形状を表す回転楕円体を理解しておく。☞要点3参照

解説

1.　**正しい**　測量法では，地球上の位置を緯度，経度で表すための基準として，地球の形状と大きさに近似した回転楕円体が用いられる。
2.　**間違い**　世界測地系では，回転楕円体は，その長半径及び扁平率が国際的な決定に基づき政令で定める値であり，その中心が地球の重心と一致するものであり，その**短軸**が地球の自転軸と一致するものであると想定している。
3.　**正しい**　GNSS 測量で直接求められる高さは，楕円体高である。楕円体高は，準拠楕円体から地表までの高さである。
4.　**正しい**　ジオイドとは，平均海面を陸地内部まで延長したと仮定したときにできる仮想の面のことをいう。したがって，ジオイド高は，「ジオイド高 N＝楕円体高 h－標高 H」の式を用いて計算することができる。

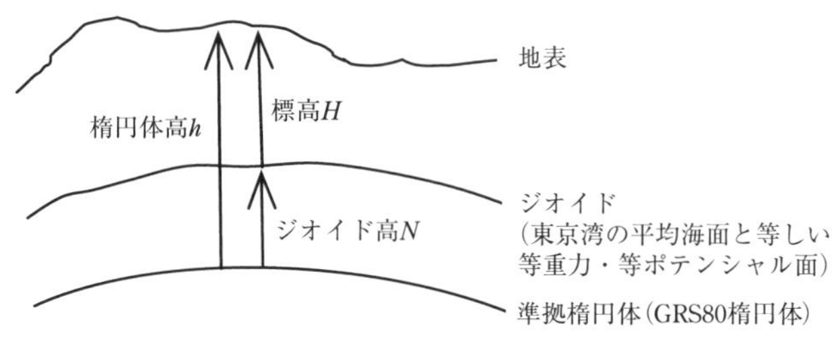

図１　標高・楕円体高・ジオイド高の関係

5.　**正しい**　地心直交座標系とは，回転楕円体の中心を原点とし，原点から経度０度の子午線と赤道との交点を通る直線をＸ軸，東経 90 度の子午線と赤道の交点を通る直線をＹ軸，回転楕円体の短軸をＺ軸とした３次元直交座標系のことである。地心直交座標系の座標系から，当該座標の地点における緯度，経度及び楕円体高を計算することができる。

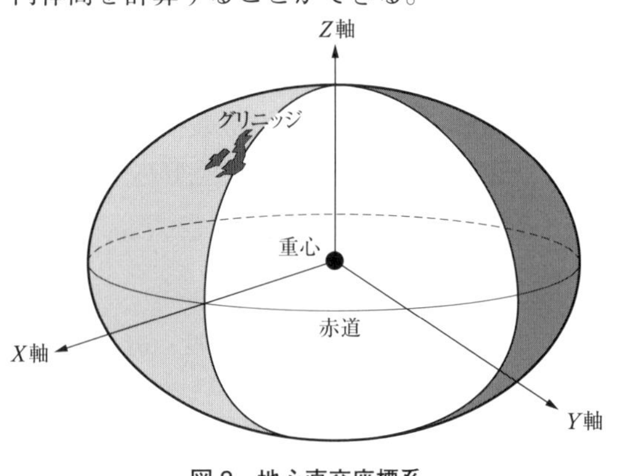

図２　地心直交座標系

よって，明らかに間違っているものは，2. である。

解答　**2.**

基本問題　6年　5年　4年　3年　2年　元年　30年　29年

ラジアン単位と三角形の辺長の計算

難易度　普

頻出度　低 ■■■■■■■■ 高

11　次のａ及びｂの各問の答えとして**最も近いものの組合せ**はどれか。次の１～５の中から選べ。

ただし，円周率 $\pi = 3.14$ とする。

なお，関数の値が必要な場合は，巻末の関数表を使用すること。

a.　84° 15′ 36″ をラジアンに換算すると幾らか。

b.　三角形 ABC で辺 AC＝8.0 m，∠BCA＝70°，∠ABC ＝ 30° としたとき，辺 BC の長さは幾らか。

	a	b
1.	0.73 ラジアン	4.1 m
2.	0.73 ラジアン	15.8 m
3.	1.47 ラジアン	15.0 m
4.	1.47 ラジアン	15.8 m
5.	4.83 ラジアン	15.0 m

本問は，度で示された角度をラジアン単位に換算する問題，三角形の２つの角とそれぞれの角に向かい合う辺の１辺の長さがわかっているときに残りの１辺の長さを計算する問題である。ここでは，三角形の正弦定理を理解しておく。☞〔付録１〕要点2，要点3参照

解説

a.　84° 15′ 36″ をラジアン単位に換算する。

1ラジアンとは，図1に示すように，円弧$\overset{\frown}{AP}$の長さlが半径rに等しいときの中心角θをいう。中心角θは，円弧の長さlによって決定し，半径をrとすると，中心角$\theta = \dfrac{弧の長さ\,l}{半径\,r}$（ラジアン）となる。

円周の長さの公式は$2\pi r$であり，これを上式に代入すると，

$$360° = \frac{2\pi r}{r}\text{ラジアンより，}$$

$$360° = 2\pi\text{ラジアン，}\ 180° = \pi\text{ラジアン}$$

$$1\text{ラジアン} = \frac{180°}{\pi} = \frac{180°}{3.14} = 57.32°$$

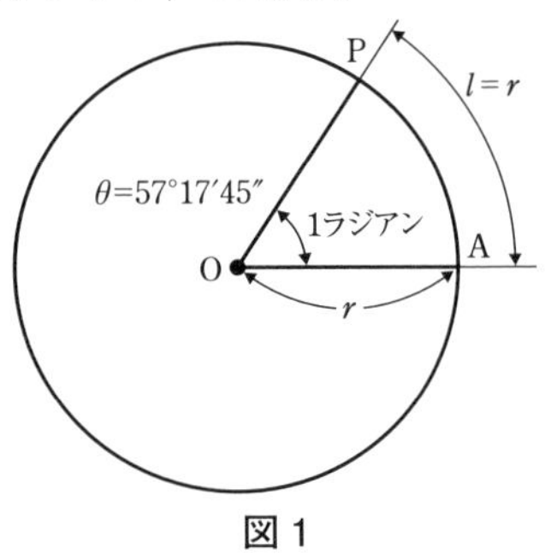

図1

$$84°\,15'\,36'' = 84° + \left(\frac{15}{60}\right)^{\circ} + \left(\frac{36}{3600}\right)^{\circ} = \left(84 + \frac{1}{4} + \frac{1}{100}\right)^{\circ}$$

$$= (84 + 0.25 + 0.01)^{\circ} = 84.26°$$

上のラジアンの計算式より，

$$84.26° = \frac{84.26°}{57.32°}\text{ラジアン} = 1.469\text{ ラジアン} \fallingdotseq 1.47\text{ ラジアン}$$

b.　三角形ABCで，辺AC＝8.0 m，∠BCA＝70°，∠ABC＝30°の条件を図に描いて，辺BCの長さを求める。

三角形ABCにおいて，∠A，∠Bとそれぞれの角に向かい合う辺BC，辺ACの間には，正弦定理という関係が成り立つ。

$$\frac{\text{辺BC}}{\sin A} = \frac{\text{辺AC}}{\sin B}$$

$$\frac{\text{辺BC}}{\sin 80°} = \frac{8.0}{\sin 30°}$$

$$\text{辺BC} = \frac{\sin 80°}{\sin 30°} \times 8.0 = \frac{0.98481}{0.50000} \times 8.0 = 15.756 \fallingdotseq 15.8\text{ m}$$

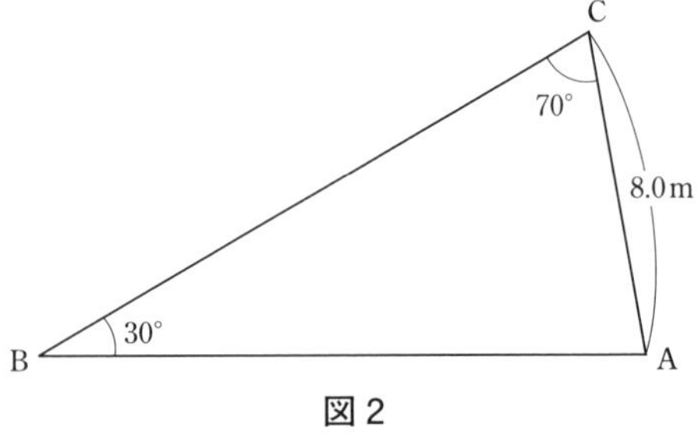

図2

よって，a：1.47 ラジアン，b：15.8 mとなり，最も近い組合せは4. である。

解答　4.

角の最確値の標準偏差と三角形の辺長の計算

難易度　普

頻出度　低 ■■■■■■■■ 高

12 次の文の［ア］及び［イ］に入る数値の組合せとして**最も適当なもの**はどれか。次の中から選べ。

なお，関数の値が必要な場合は，巻末の関数表を使用すること。

三角形 ABC で∠ABC の角度を同じ条件で 5 回測定し，表の結果を得た。このとき，∠ABC の角度の最確値の標準偏差の値は［ア］となる。

また，表の測定値の最確値を∠ABC の角度とし，辺 AB の辺長を 3.0 m，辺 BC の辺長を 8.0 m としたとき，辺 CA の辺長は［イ］となる。

	ア	イ
1.	1.4″	7.0 m
2.	1.4″	9.8 m
3.	2.8″	5.6 m
4.	2.8″	9.8 m
5.	3.2″	7.0 m

表

測定値
59° 59′ 57″
60°　0′　1″
59° 59′ 59″
60°　0′　5″
59° 59′ 58″

解く

本問は，∠ ABC の角度の測定結果をもとに，∠ ABC の角度の最確値の標準偏差を計算する問題と，三角形の 2 辺の長さとその 2 辺にはさまれる角度がわかっているときに残りの 1 辺の長さを計算する問題である。ここでは，角度を同じ条件で測定したときの最確値，最確値の標準偏差が求められるようにしておく。また，与えられた条件を図に描き，三角関数を利用して辺の長さが求められるようにしておく。☞付録 1 要点3 参照

解説

① ∠ABC の角度の最確値 x_0 を求める。

$$x_0 = 60°\,00' + \frac{-3''+1''-1''+5''-2''}{5} = 60°\,00' + \frac{0''}{5} = 60°\,00'\,00''$$

② ∠ABC の角度の最確値の標準偏差 M を求める。

測定値 l'	最確値 l	残差 $v=l-l'$	vv
59° 59′ 57″	60° 00′ 00″	−3	9
60° 00′ 01″	60° 00′ 00″	+1	1
59° 59′ 59″	60° 00′ 00″	−1	1
60° 00′ 05″	60° 00′ 00″	+5	25
59° 59′ 58″	60° 00′ 00″	−2	4
		$[v]=0$	$[vv]=40$

$$M=\sqrt{\frac{[vv]}{n(n-1)}}$$

ここで，$[vv]=40$，$n=5$

$$M=\sqrt{\frac{40}{5\times 4}}=\sqrt{\frac{40}{20}}=\sqrt{2}=1.414\fallingdotseq 1.4''$$

③　三角形 ABC で，∠ABC＝60°，辺 AB＝3.0 m，辺 BC＝8.0 m の条件を図に描いて，辺 AC の長さを求める。

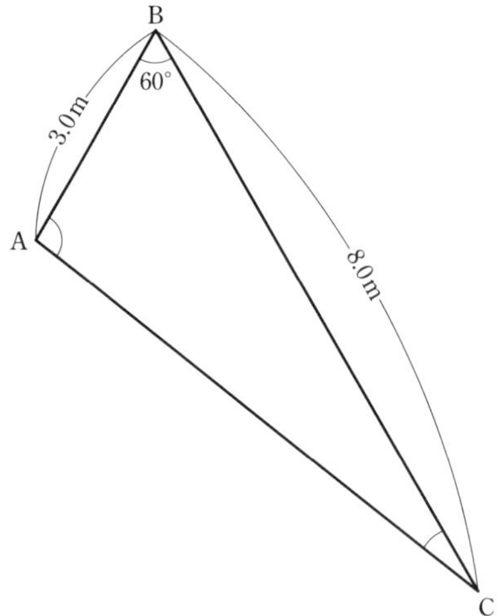

三角形 ABC において，∠B をはさむ辺 AB，辺 BC の間には余弦定理という関係が成り立つ。

$$(\text{辺 AC})^2=(\text{辺 BC})^2+(\text{辺 AB})^2-2\times(\text{辺 BC})\times(\text{辺 AB})\times\cos B$$

$$=8^2+3^2-2\times 8\times 3\times\cos 60^\circ=64+9-48\times(1/2)=73-24=49$$

$$(\text{辺 AC})=\sqrt{49}=7.0\text{ m}$$

よって，ア：1.4″，イ：7.0 m となり，最も適当な組合せは 1. である。

解答　1.

基本問題 | 6年 | 5年 | **4年** | 3年 | 2年 | 元年 | 30年 | 29年

測量の誤差と水平角の最確値等の計算

難易度 **普**

頻出度 低 ■■■■■■■■ 高

13 次の文は，測量の誤差について述べたものである。[ア]～[エ]に入る語句及び数値の組合せとして**最も適当なもの**はどれか。次の中から選べ。

なお，関数の値が必要な場合は，巻末の関数表を使用すること。

[ア]は，測定の条件が変わらなければ大きさや現れ方が一定している誤差である。一方，[イ]は，原因が不明又は原因が分かってもその影響を除去できない誤差である。

このように測定値には誤差が含まれ，真の値を測定することは不可能である。

しかし，ある長さや角度に対する[イ]だけを含む測定値の一群を用いて，理論的に，真の値に最も近いと考えられる値を求めることは可能であり，このようにして求めた値を，最確値という。

ある水平角について，トータルステーションを用いて同じ条件で5回測定し，表の結果を得たとき，[ア]が取り除かれているとすれば，最確値は[ウ]，最確値の標準偏差の値は[エ]となる。

	ア	イ	ウ	エ
1.	系統誤差	偶然誤差	45° 22′ 23″	0.8″
2.	系統誤差	偶然誤差	45° 22′ 25″	0.8″
3.	系統誤差	偶然誤差	45° 22′ 25″	1.7″
4.	偶然誤差	系統誤差	45° 22′ 23″	1.7″
5.	偶然誤差	系統誤差	45° 22′ 25″	1.7″

表

測定値
45° 22′ 25″
45° 22′ 28″
45° 22′ 24″
45° 22′ 25″
45° 22′ 23″

本問は，測量における誤差を問う問題と，水平角の測定結果をもとに，最確値及び最確値の標準偏差を計算する問題である。ここでは，測量誤差の種類である系統誤差（定誤差），偶然誤差（不定誤差）の内容を理解しておく。また，水平角を同じ条件で測定したときの最確値，最確値の標準偏差が求められるようにしておく。

解説

① ［ア　系統誤差］は，測定の条件が変わらなければ，大きさや現れ方が一定していて，測定値が加算されるに従って累積していく誤差である。

② ［イ　偶然誤差］は，原因が不明又は原因が分かってもその影響を除去できない誤差である。また，偶然誤差は，測定者がいかに注意しても避けられない誤差で，系統誤差のように補正することができない誤差である。

③ ［イ　偶然誤差］だけを含む測定値の一群を用いて，理論的に，真の値に最も近いと考えられる値を求めることは可能である。このようにして求めた値を，最確値という。

④ ウ．水平角の最確値 x_0 を求める。

$$x_0 = 45°\,22' + \frac{25''+28''+24''+25''+23''}{5} = 45°\,22' + \frac{125''}{5} = \boxed{ウ\quad 45°\,22'\,25''}$$

⑤ エ．水平角の最確値の標準偏差 M を求める。

測定値 l'	最確値 l	残差 $v=l-l'$	vv
45° 22′ 25″	45° 22′ 25″	0	0
45° 22′ 28″	45° 22′ 25″	−3	9
45° 22′ 24″	45° 22′ 25″	+1	1
45° 22′ 25″	45° 22′ 25″	0	0
45° 22′ 23″	45° 22′ 25″	+2	4
		$[v]=0$	$[vv]=14$

$$M = \sqrt{\frac{[vv]}{n(n-1)}}$$

ここで，$[vv]=14$，$n=5$

$$M = \sqrt{\frac{14}{5\times4}} = \sqrt{\frac{7}{10}} = \sqrt{\frac{70}{100}} = \frac{\sqrt{70}}{10} = 0.837 = \boxed{エ\quad 0.8''}$$

よって，ア：系統誤差，イ：偶然誤差，ウ：45° 22′ 25″，エ：0.8″ となり，最も適当な組合せは2. である。

解答　2.

基本問題 | 6年 | 5年 | 4年 | **3年** | 2年 | 元年 | 30年 | 29年

問題　三角形の辺長と四角形の面積の計算

難易度 **普**

頻出度 低 ■■■■■■■■ 高

14 次の文の［ア］及び［イ］に入る数値の組合せとして**最も適当なもの**はどれか。次の中から選べ。

なお，関数の値が必要な場合は，巻末の関数表を使用すること。

点 A，B，C，D で囲まれた四角形の平たんな土地 ABCD について，幾つかの辺長と角度を観測したところ，$\angle ABC = 90°$，$\angle DAB = 105°$，$AB = BC = 20$ m，$AD = 10$ m であった。

このとき AC =［ア］m であり，土地 ABCD の面積は［イ］m^2 である。

	ア	イ
1.	28.284	270.711
2.	28.284	322.475
3.	34.641	150.000
4.	34.641	286.603
5.	34.641	350.000

本問は，三角形の二辺の長さと二辺に挟まれた角がわかっているときに他の一辺の長さを計算する問題，四角形の三辺の長さと二角がわかっているときに四角形の面積を計算する問題である。ここでは，与えられた条件を図に描き，三角関数を利用して辺の長さが求められるようにしておく。☞〔付録 1〕要点3参照

解説

ア．　辺 AC の長さを求める。

△ABC は直角三角形であるので，

$AC^2 = AB^2 + BC^2$ より，$AC = \sqrt{AB^2 + BC^2}$

ここで，AB = BC = 20 m であるから，

$$AC = \sqrt{20^2 + 20^2} = \sqrt{800} = \sqrt{2 \times 4 \times 100} = \sqrt{2} \times 20$$
$$= 1.4142 \times 20 = \mathbf{28.284}\ \text{m}$$ となる。

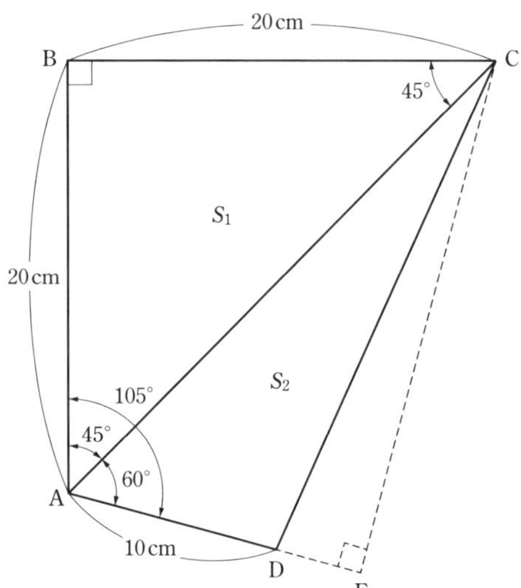

イ．　土地 ABCD の面積 S を求める。

①　△ABC の面積 S_1 を求める。

$$S_1 = \frac{1}{2}\,\overline{AB}\cdot\overline{BC} = \frac{1}{2} \times 20 \times 20 = 200\ \mathrm{m}^2$$

②　△ACD の面積 S_2 を求める。

$$S_2 = \frac{1}{2}\,\overline{AD}\cdot\overline{CE} = \frac{1}{2}\,\overline{AD}\cdot\overline{AC}\cdot\sin 60^\circ$$

ここで，$\overline{AD} = 10$，$\overline{AC} = 20\sqrt{2}$，$\sin 60^\circ = \dfrac{\sqrt{3}}{2}$

$$S_2 = \frac{1}{2} \times 10 \times 20\sqrt{2} \times \frac{\sqrt{3}}{2} = 50\sqrt{6} = 50 \times 2.44949 \fallingdotseq 122.475\ \mathrm{m}^2$$

③　土地 ABCD の面積 S を求める。

$S = S_1 + S_2 = 200 + 122.475 =$ **322.475** m^2

よって，ア：28.284 m，イ：322.475 m^2　となり，最も適当な組合せは 2. である。

解答　2.

基本問題 | 6年 | 5年 | 4年 | 3年 | 2年 | 元年 | 30年 | 29年

問題　平面直角座標系の座標値の計算

難易度 普

頻出度 低 ■■□□□□□□ 高

15 平面直角座標系（平成 14 年国土交通省告示第 9 号）において，点 B は，点 A からの方向角が 305° 00′ 00″，平面距離が 1,000.00 m の位置にある。点 A の座標値を，$X_A = -800.00$ m，$Y_A = +1{,}100.00$ m とする場合，点 B の座標値（X_B，Y_B）は幾らか。**最も近いもの**を次の 1 ～ 5 の中から選べ。

なお，関数の値が必要な場合は，巻末の関数表を使用すること。

	X_B	Y_B
1.	−1,619.15 m	+1,673.58 m
2.	−1,507.11 m	+1,807.11 m
3.	−1,373.58 m	+1,919.15 m
4.	−226.42 m	+280.85 m
5.	+19.15 m	+526.42 m

本問は，点 A ～点 B までの方向角 305° と水平距離 1,000 m の観測結果を基に，点 B の座標値を求めるものである。ここでは，図 1 のように平面直角座標系における点 A および点 B の位置関係を図示できるようにしておく。

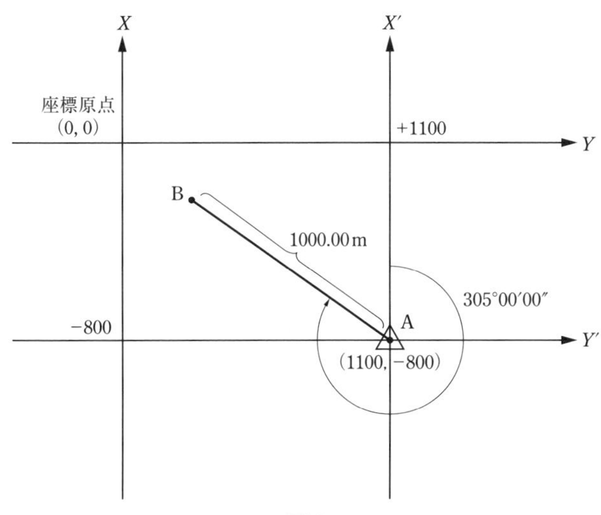

図 1

解説

① 方向角 θ と水平距離 S を用いて，点 A から点 B までの X 成分および Y 成分を求める。

三角関数表の角度数値は 90° までであるため，図 2 のように 1 つの内角が 35°，もう 1 つの内角が 55° となるような直角三角形を考える。ここで，内角 35° は 305° から 270° を引くことで求まり，内角 55° は三角形の内角の和 180° から，既知の内角の和（90° + 35° = 125°）を引くことで求まる。

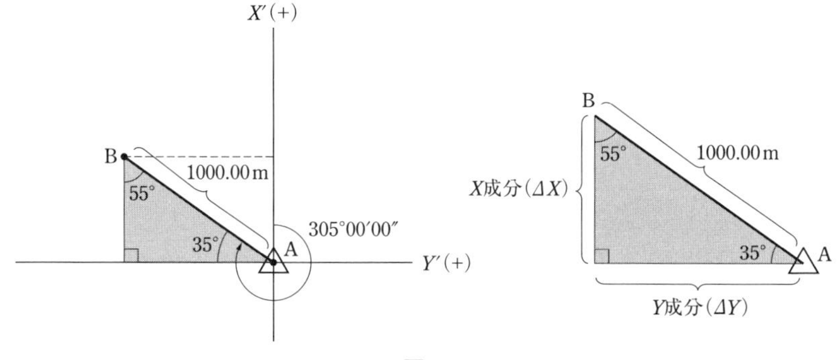

図 2

1) 緯距と経距の公式により求める方法

点 A から点 B までの X 成分（ΔX）$= +1{,}000\ \mathrm{m} \times \sin(305° - 270°)$

$= +1{,}000\ \mathrm{m} \times \sin 35°$

$= +1{,}000\ \mathrm{m} \times 0.57358 = +573.58\ \mathrm{m}$

点 A から点 B までの Y 成分（ΔY）$= -1{,}000\ \mathrm{m} \times \cos(305° - 270°)$

$= -1{,}000\ \mathrm{m} \times \cos 35°$

$= -1{,}000\ \mathrm{m} \times 0.81915 = -819.15\ \mathrm{m}$

2) 三角関数の公式により求める方法

点 A から点 B までの X 成分（ΔX）$= +1{,}000\ \mathrm{m} \times \sin 35°$

$= +1{,}000\ \mathrm{m} \times 0.57358 = +573.58\ \mathrm{m}$

点 A から点 B までの Y 成分（ΔY）$= -1{,}000\ \mathrm{m} \times \cos 35°$

$= -1{,}000\ \mathrm{m} \times 0.81915 = -819.15\ \mathrm{m}$

② 点 B の座標値を求める。

点 B の X 座標値 X_B = 点 A の X 座標値 X_A + 点 A から点 B までの X 成分 ΔX

$= -800.00 + 573.58 = -226.42\ \mathrm{m}$

点 B の Y 座標値 Y_B = 点 A の Y 座標値 Y_A + 点 A から点 B までの Y 成分 ΔY

$= +1{,}100.00 + (-819.15) = +280.85\ \mathrm{m}$

よって，点Ｂの座標値は $X_B = -226.42$ m，$Y_B = +280.85$ m となり，最も近い組合せは 4. である。

解答　4.

参考：角度（度分秒）について

直角三角形の直角以外の 1 角が決定すれば，三角形の内角の和は 180° であることから残りの 1 角も決定する。また，三角形の内角が決定すれば，各辺の長さの比が決定する。測量においては，図 1 や図 2 のような 2 つの三角形が用いられるが，いずれの場合も図形的には同じことを表している。

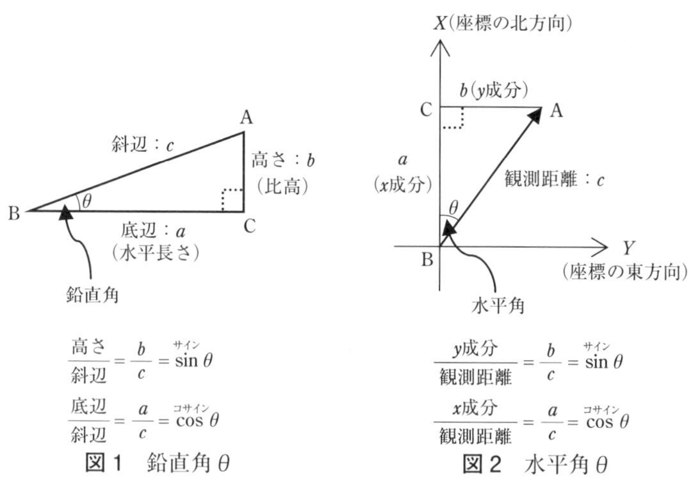

$$\frac{高さ}{斜辺}=\frac{b}{c}=\overset{サイン}{\sin}\,\theta \qquad \frac{y成分}{観測距離}=\frac{b}{c}=\overset{サイン}{\sin}\,\theta$$

$$\frac{底辺}{斜辺}=\frac{a}{c}=\overset{コサイン}{\cos}\,\theta \qquad \frac{x成分}{観測距離}=\frac{a}{c}=\overset{コサイン}{\cos}\,\theta$$

図 1　鉛直角 θ　　**図 2**　水平角 θ

各図において，観測角 θ と斜辺 c がわかっていれば，b と a は上式を変形して

$$a=c\times\cos\theta,\quad b=c\times\sin\theta$$

のように求められる。

$\angle C=90°$，$\angle B=\theta=30°$ の直角三角形では，各辺の比が，

$$高さ\ b：斜辺\ c：底辺\ a=1：2：\sqrt{3}$$

である。三角関数を用いて表現すると，次のようになる。

$$\sin 30°=\frac{b}{c}=\frac{1}{2}=0.5$$

$$\cos 30°=\frac{a}{c}=\frac{\sqrt{3}}{2}=\frac{1.732}{2}=0.866$$

A　2　1　B　30°　C　$\sqrt{3}$

これは，「高さ：斜辺：底辺＝1：2：$\sqrt{3}$ の直角三角形」という別の表現方法である。

基本問題 | 6年 | **5年** | 4年 | 3年 | 2年 | 元年 | 30年 | 29年

地心直交座標系の基線ベクトルの計算

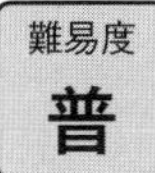

難易度 普

頻出度 低 ■■■■□□□□ 高

16 GNSS 測量機を用いた基準点測量を行い，基線解析により基準点 A から基準点 B 及び基準点 C から基準点 B までの基線ベクトルを得た。

表は，地心直交座標系（平成 14 年国土交通省告示第 185 号）における X 軸，Y 軸，Z 軸方向について，それぞれの基線ベクトル成分（$\varDelta X$，$\varDelta Y$，$\varDelta Z$）を示したものである。基準点 A から基準点 C までの斜距離は幾らか。**最も近いもの**を次の中から選べ。

なお，関数の値が必要な場合は，巻末の関数表を使用すること。

表

区間	基線ベクトル成分		
	$\varDelta X$	$\varDelta Y$	$\varDelta Z$
A → B	＋400.000 m	＋100.000 m	＋300.000 m
C → B	＋200.000 m	−500.000 m	＋500.000 m

1.　489.898 m
2.　663.325 m
3.　720.912 m
4.　870.179 m
5.　1,077.032 m

本問は，基準点 A から基準点 B，基準点 C から基準点 B までの基線ベクトル成分の解析結果を基に，基準点 A から基準点 C までの斜距離を求める問題である。

ここでは，図 1 のように，基準点 A を原点として地心直交座標系における基準点 B および基準点 C の位置関係を図示できるようにしておく。

解説

①　区間 C→B の基線ベクトル成分 $\varDelta X$，$\varDelta Y$，$\varDelta Z$ を求める。

区間 A→B の基線ベクトルを $\overrightarrow{AB}$，区間 C→B の基線ベクトルを $\overrightarrow{CB}$，区間 B→C の基線ベクトルを $\overrightarrow{BC}$，区間 A→C の基線ベクトルを $\overrightarrow{AC}$ とする。$\overrightarrow{AC}$ は次式となる。

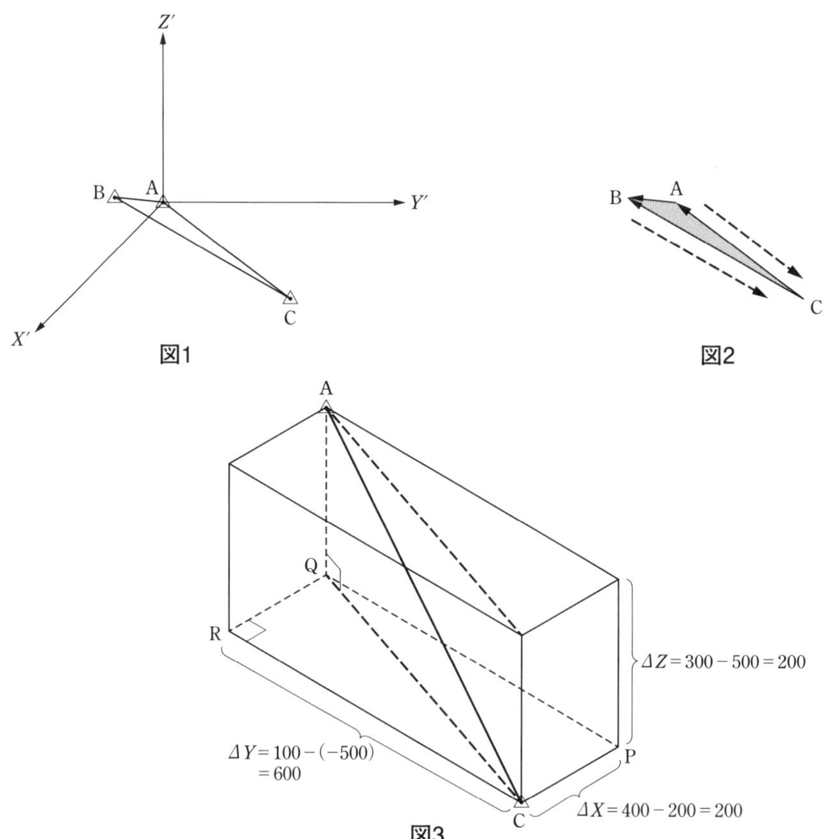

図1

図2

図3

$\overrightarrow{AC} = \overrightarrow{AB} + \overrightarrow{BC} = \overrightarrow{AB} - \overrightarrow{CB}$

上式を用いて，区間 A→C の基線ベクトル成分 ΔX，ΔY，ΔZ を求める。

$\Delta X = +400.000 - (+200.000) = +200.000$ m

$\Delta Y = +100.000 - (-500.000) = +600.000$ m

$\Delta Z = +300.000 - (+500.000) = -200.000$ m

② **三平方の定理を用いて，三角形 QBR の線分 QB の長さを求める。**

$(QB)^2 = (QR)^2 + (RB)^2$ より，$QB = \sqrt{(QR)^2 + (RB)^2}$

ここで，QR＝＋200.000 m，RB＝＋600.000 m　であるので，

$QB = \sqrt{(200.000)^2 + (600.000)^2} = \sqrt{40000 + 360000} = \sqrt{400000}$

③ **三平方の定理を用いて，三角形 CBQ の線分 CB の長さを求める。**

$(CB)^2 = (QB)^2 + (CQ)^2$ より，　$CB = \sqrt{(QB)^2 + (CQ)^2}$

ここで，$QB = +\sqrt{400000}$ m，$CQ = -200.000$ m　であるので，

$$QB = \sqrt{400000 + (-200.000)^2} = \sqrt{400000 + 40000} = \sqrt{440000} = 100\sqrt{44}$$

ここで，$\sqrt{44} = 6.63325$　であるので，

$$QB = 100 \times 6.63325 = 663.325 \text{ m}$$

よって，最も近いものは2. である。

解答　2.

基本問題 6年 5年 4年 3年 **2年** 元年 30年 29年

問題 方向法による水平角の観測

難易度 普

頻出度 低 ■■□□□□□□ 高

17 公共測量における1級基準点測量において，トータルステーションを用いて水平角を観測し，表の観測角を得た。［ア］〜［コ］に入る数値のうち**明らかに間違っているもの**はどれか。次の中から選べ。

表

目盛	望遠鏡	番号	視準点	観測角	結果	倍角	較差	倍角差	観測差
0°	r	1	303	0° 0′ 20″	0° 0′ 0″				
		2	(1)	97° 46′ 19″	ア	オ	キ		
	l	2		277° 46′ 26″	イ				
		1		180° 0′ 28″	0° 0′ 0″				
								ケ	コ
90°	l	1		270° 0′ 21″	0° 0′ 0″				
		2		7° 46′ 20″	ウ	カ	ク		
	r	2		187° 46′ 13″	エ				
		1		90° 0′ 11″	0° 0′ 0″				

1. 結果のアは 97° 45′ 59″ であり，イは 97° 45′ 58″ である。
2. 結果のウは 97° 45′ 59″ であり，エは 97° 46′ 2″ である。
3. 倍角のオは 117″ であり，カは 121″ である。
4. 較差のキは +1″ であり，クは −3″ である。
5. 倍角差のケは 4″ であり，観測差のコは 2″ である。

本問は，方向法による水平角の観測結果から，倍角・較差・倍角差・観測差を求める問題である。ここでは，倍角・較差・倍角差・観測差の計算を理解しておく。

解説

方向法とは，図1のように観測点Oにおいて，望遠鏡を正位（r）の状態で r_1，r_2 の順に視準し，次に望遠鏡を反転し，反位（l）の状態で l_2，l_1 の順に視準し，水平角を求める方法である。

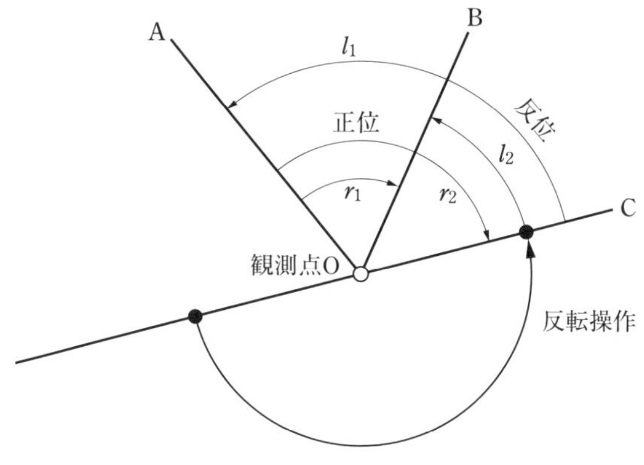

図１　方向法

表は２方向（303，（1）），２対回観測（目盛位置 0°，90°）の結果である。

1. **正しい**　結果のアは 97° 46′ 19″ − 0° 0′ 20" = 97° 45′ 59″ となり，イは 277° 46′ 26″ − 180° 0′ 28″ = 97° 45′ 58″ となる。
2. **正しい**　結果のウは（360° + 7° 46′ 20″）− 270° 0′ 21″ = 97° 45′ 59″ となり，エは 187° 46′ 13″ − 90° 0′ 11″ = 97° 46′ 02″ となる。
3. **正しい**　倍角は，同一視準点の１対回に対する正位（r）と反位（l）の秒数の和（$r+l$）で，同一視準点に対する分の値は，小さいほうの分に合わせる。
倍角のオは 59″ + 58″ = 117″ となり，カは 59″ + 62″ = 121″ となる。
4. **間違い**　較差は，同一視準点の１対回に対する正位（r）と反位（l）の秒数の差（$r-l$）で，同一視準点に対する分の値は，小さいほうの分に合わせる。
較差のキは，59″ − 58″ = +1″ となり，**クは**，62″ − 59″ = **+3″** となる。
5. **正しい**　倍角差のケは，倍角の最大値と最小値の差で，121″ − 117″ = 4″ となる。
観測差のコは，較差の最大値と最小値の差で，3″ − 1″ = 2″ となる。

よって，明らかに間違っているものは，4. である。

解答　4.

基本問題 6年 5年 4年 3年 2年 元年 30年 29年

問題　基準点成果表の読み方

難易度 **普**

頻出度 低 ■■□□□□□□ 高

18 表は，標準的な公共測量作業規程に基づいて実施した1級基準点測量の基準点成果表である。次の文は，この基準点成果表の説明について述べたものである。**間違っているもの**はどれか。次の中から選べ。

ただし，表中のAREA9は，平面直角座標系（平成14年1月10日国土交通省告示第9号）のⅨ系を意味する。

1. 1級基準点(1)は，原点をとおるX軸の東側にあり，原点をとおるY軸の北側にある。
2. 1級基準点(1)と視準点間の平面距離は，球面距離より長い。
3. 1級基準点(1)の地理学的経緯度は，北緯37度34分02.813秒である。
4. 平均方向角は，1級基準点(1)を通るX軸から時計回りに測った角である。
5. 1級基準点(1)における1級基準点(2)の方位角は，平均方向角より大きい。

基準点成果表
（AREA9）
1級基準点　　(1)

							m	
B	37°	34′	02.″	813	X	174	098.	87
L	140	26	10.	746	Y	53	266.	14
							m	
N	−0	22	03.	5	H		198.	73
					ジオイド高		38.	33

視準点の名称		平均方向角		距離 縮尺係数 0.999935		備考
1級基準点 (2) 〃 (3)		44° 36′ 55″ 128 57 30		真数 m 976.54 879.57		
埋標形式	地上	~~地中~~	~~屋上~~	標識番号	金属標	01

本問は，基準点測量の基準点成果表の読み方を問う問題である。ここでは，基準点成果表に記載されている，B・L・X・Y・N・Hなどの記号を理解しておく。

解説

基準点成果表を図示すると，図１のようになる。

基準点成果表に記載されている記号の説明は次のとおりである。

① Bは緯度（Breite），Lは経度（Länge）を意味し，準拠楕円体（GRS80楕円体）上の地理学的経緯度であり，北緯と東経を表す。

② XとYは，平面直角座標系での基準点のXY座標を意味している。

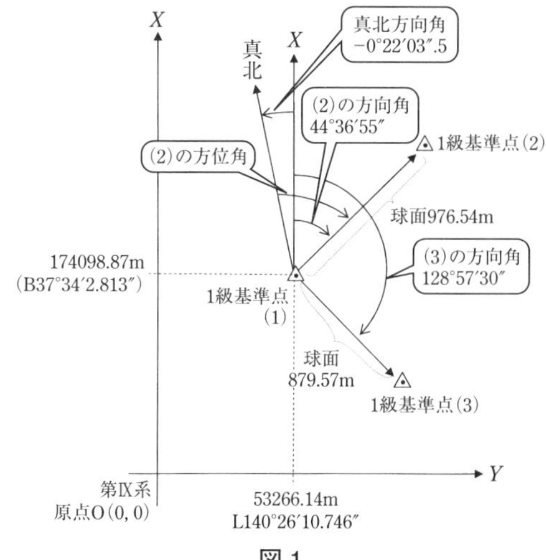

図１

③ Nは真北方向角を意味し，この基準点を通る子午線北側方向からの方向角であり，時計回りに測る角を正とし，反時計回りに測る角を負として表示する。

④ Hは標高で，東京湾の平均海面（ジオイド）からの高さを表している。

⑤ ジオイド高は，準拠楕円体面を基準にした，ジオイドまでの高さを表す。「楕円体高＝標高＋ジオイド高」である。

⑥ 視準点の名称と平均方向角は，この点から実際に視準した点の名称と，観測値を補正し，計算により得られた準拠楕円体面上での視準点までの方向角を表す。

⑦ 距離は１級基準点(1)から視準点までを準拠楕円体上の球面距離で表す。

⑧ 球面距離に縮尺係数を掛けると，その点の属する平面直角座標系上の平面距離になる。

1.　**正しい**　１級基準点(1)は，X＝174098.87 m，Y＝53266.14 m で，原点を通るX軸の北側，原点を通るY軸の東側にある。

2.　**間違い**　縮尺係数が１より小さいので，１級基準点(1)と視準点間の平面直角座標系上における平面距離は，**球面距離より短く**表示される。

3.　**正しい**　測量の経緯度は地理学的経緯度で表示する。B は緯度（北緯）であり，地理学的緯度は北緯 37 度 34 分 02.813 秒である。

4.　**正しい**　方向角は，観測点における X 軸の北方向から右回りに測った角である。

5.　**正しい**　方向角は，観測点 X 軸北方向を基準にした時計回りの角度である。図 1 から 1 級基準点(1)における 1 級基準点(2)の方向角は 44° 36′ 55″。また，方位角は，観測点真北方向を基準にした時計回りの角度である。図 1 から 1 級基準点(1)における 1 級基準点(2)の方位角は，

$$44°\ 36'\ 55'' + 0°\ 22'\ 3.5'' = 44°\ 58'\ 58.5''$$

よって，間違っているものは 2. である。

解答　**2.**

第２章
多角測量

「多角測量」の概要

多角測量とは，既知点の位置情報に基づき，トータルステーション・セオドライト・GNSS 測量機などを用いて，関係点間の距離と角度を測定し，新点である基準点の位置を定める作業のことである。

●多角測量　最新 8 年間の出題状況●

No.	年度 / 出題内容	基本問題	令和6	5	4	3	2	元	平成30	29
1	TS 等による基準点測量		1	2 3	4 6	5		□	□	□
2	GNSS 測量機による基準点測量		8	7	9		□	□ □	□ □	□
3	セミ・ダイナミック補正		11			□	10			
4	TS 等による観測誤差と消去法		14			13	12			□
5	間接水準測量による標高計算			15			□			
6	単路線方式による方向角の計算					16			□	
7	測定距離の補正計算							17	□	
8	偏心補正の計算	18			19					

注）□は，その年度に出題された問題で，番号は，本書に掲載された問題番号を示す。

◆多角測量　令和 6 年度出題の特徴◆

関連 No.	形　式	具体的な出題内容（特徴）	難易度
1	計　算	鉛直角測定における高低角と高度定数の計算	普
2	文　章	GNSS 測量機を用いた基準点測量の特徴	普
3	計　算	元期における新点の Y 座標値の計算	難
4	文　章	TS による角観測誤差	易
		合　計	4 問

出題の要点

要点1　基準点測量の作業工程

基準点測量の作業工程は，次の順序で実施する。

① 作業計画
② 選点
③ 測量標の設置
④ 観測
⑤ 計算
⑥ 品質評価
⑦ 成果等の整理

(1)　作業計画

測量作業着手前に，測量作業の方法，使用機器，要員，日程等について作業計画を立案する。また，地形図上で新点の概略位置を決定し，平均計画図を作成する。

(2)　選　点

平均計画図に基づき，現地で既知点の現況を調査するとともに，新点の「位置」を選定し，選点図と平均図を作成する。

(3)　測量標の設置

新点位置に永久標識を設置する。設置した永久標識には，点の記（点の戸籍：測量年月日，所在地，道順など）を作成する。

(4)　観　測

平均図等に基づき，TS 等観測や GNSS 観測を行う。

(5)　計　算

新点の水平位置および標高を求める。

(6)　品質評価

基準点測量成果について，製品仕様書が規定するデータ品質を満足しているか評価する。評価の結果，品質要求を満足していない項目が発見された場合は，必要な調整を行う。作業機関は，品質評価手順に基づき品質評価を実施する。

(7)　成果等の整理

基準点成果のメタデータ（概要を記述した電子データ）は，製品仕様書に従いファイルの管理および利用において必要となる事項について，作成する。

要点2　基準点測量の区分と方式

(1)　基準点測量の区分

基準点測量は，1級基準点測量から4級基準点測量に区分され，これにより設置された点を1級基準点から4級基準点という。

区分 / 項目	1級基準点測量	2級基準点測量	3級基準点測量	4級基準点測量
既知点の種類	電子基準点 一～四等三角点 1級基準点	電子基準点 一～四等三角点 1～2級基準点	電子基準点 一～四等三角点 1～2級基準点	電子基準点 一～四等三角点 1～3級基準点
既知点間距離(m)	4,000	2,000	1,500	500
新点間距離(m)	1,000	500	200	50

(2)　基準点測量の方式

1級基準点測量および2級基準点測量は，原則として，結合多角方式により行い，3級基準点測量および4級基準点測量は，結合多角方式または単路線方式により行う。

結合多角方式とは，3点以上の既知点が多角路線により結合された多角網をいう。**単路線方式**とは，既知点間を一路線で結ぶ多角方式をいう。

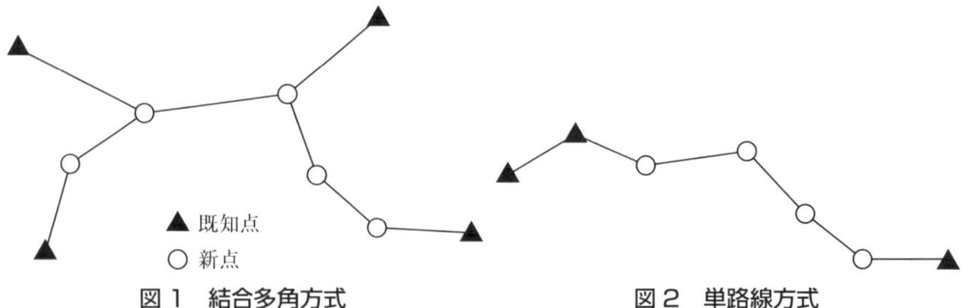

図1　結合多角方式　　図2　単路線方式

①　結合多角方式の作業方法

<table>
<tr><th>区　分
項　目</th><th>１級基準点測量</th><th>２級基準点測量</th><th>３級基準点測量</th><th>４級基準点測量</th></tr>
<tr><td rowspan="2">１個の多角網における既知点数</td><td colspan="2">$2+\frac{新点数}{5}$ 以上（端数切上げ）</td><td colspan="2">３点以上</td></tr>
<tr><td colspan="2">電子基準点のみを既知点とする場合は２点以上とする。</td><td>——</td><td>——</td></tr>
<tr><td>単位多角形の辺数</td><td>10 辺以下</td><td>12 辺以下</td><td>——</td><td>——</td></tr>
<tr><td rowspan="2">路線の辺数</td><td>５辺以下</td><td>６辺以下</td><td rowspan="2">７辺以下</td><td rowspan="2">10 辺以下</td></tr>
<tr><td colspan="2">伐採樹木および地形の状況等によっては，計画機関の承認を得て辺数を増やすことができる。</td></tr>
<tr><td>節点間の距離</td><td>250 m 以上</td><td>150 m 以上</td><td>70 m 以上</td><td>20 m 以上</td></tr>
<tr><td rowspan="2">路線長</td><td>３ km 以下</td><td>２ km 以下</td><td rowspan="2">１ km 以下</td><td rowspan="2">500 m 以下</td></tr>
<tr><td colspan="2">GNSS 測量機を使用する場合は５ km 以下とする。ただし，電子基準点のみを既知点とする場合はこの限りでない。</td></tr>
</table>

②　単路線方式の作業方法

<table>
<tr><th>区　分
項　目</th><th>１級基準点測量</th><th>２級基準点測量</th><th>３級基準点測量</th><th>４級基準点測量</th></tr>
<tr><td>方向角の取付</td><td colspan="4">既知点の１点以上において方向角の取付を行う。ただし，GNSS 測量機を使用する場合は，方向角の取付は省略する。</td></tr>
<tr><td>路線の辺数</td><td>７辺以下</td><td>８辺以下</td><td>10 辺以下</td><td>15 辺以下</td></tr>
<tr><td>新点の数</td><td>２点以下</td><td>３点以下</td><td>——</td><td>——</td></tr>
<tr><td rowspan="2">路線長</td><td>５ km 以下</td><td>３ km 以下</td><td rowspan="2">1.5 km 以下</td><td rowspan="2">700 m 以下</td></tr>
<tr><td colspan="2">電子基準点のみを既知点とする場合はこの限りでない。</td></tr>
</table>

要点3　トータルステーション（TS）等による基準点測量

(1)　観　測

平均図等に基づき，TS・セオドライト・測距儀等を用いて，関係点間の水平角・鉛直角・距離等を観測する作業をいう。

① 器械高，反射鏡高および目標高は，ミリメートル単位まで測定する。

② 水平角観測は，1視準1読定，望遠鏡正および反の観測を1対回とする。

③ 鉛直角観測は，1視準1読定，望遠鏡正および反の観測を1対回とする。

④ 距離測定は，1視準2読定を1セットとして2セットの測定とする。

(2)　計　算

計算は，新点の水平位置および標高を求めることである。

① TS等による基準面上の距離の計算は，楕円体高を用いる。

② 楕円体高は，標高とジオイド高から求める。

要点4　GNSS測量による基準点測量

(1)　GNSS測量

GNSS測量とは，米国のGPS，日本の準天頂衛星，ロシアのGLONASS，欧州連合のGalileoなどの衛星測位システム（Global Navigation Satellite System, 略称GNSS）を用いて，地上の位置関係を求める測量をいう。

GNSS測量の特徴は，次のとおりである。

① GNSS測量では，観測点間の視通が確保できていなくても観測できる。

② GNSS測量の基線解析を行うには，GNSS衛星の軌道情報が必要である。

③ 基準点測量は，2台のGNSS受信機によってGNSS衛星からの電波の位相を測定し，位相の差を利用して受信機間の座標差を求める干渉測位方式で行う。

④ 衛星測位システムの観測により，直接求められる高さは楕円体高である。

⑤ 準天頂衛星は，日本を中心としたアジア・オセアニア地域での利用に特化した衛星測位システムである。

⑥ 準天頂衛星の軌道は，地上へ垂直に投影すると数字の「8」の字を描き，約24時間で軌道を1周する。

(2)　GNSS 測量（干渉測位方式に限る）による観測方法

観測方法	観測時間	データ取得間隔	摘　　要
スタティック法	120 分以上	30 秒以下	1 級基準点測量（10 km 以上：※1）
	60 分以上	30 秒以下	1 級基準点測量（10 km 未満） 2～4 級基準点測量
短縮スタティック法	20 分以上	15 秒以下	3～4 級基準点測量
キネマティック法	10 秒以上：※2	5 秒以下	3～4 級基準点測量
RTK 法	10 秒以上：※3	1 秒	3～4 級基準点測量
ネットワーク型 RTK 法	10 秒以上：※3	1 秒	3～4 級基準点測量
備考（※）	1：観測距離が 10 km 以上の場合，1 級 GNSS 測量機により 2 周波による観測を行う。ただし，節点を設けて観測距離を 10 km 未満にすることで，2 級 GNSS 測量機により観測を行うこともできる。 2：10 エポック以上のデータが取得できる時間とする。 3：FIX 解を得てから 10 エポック以上のデータが取得できる時間とする。		

(3)　GNSS 測量の観測方法による使用衛星数

観測方法 ＼ GNSS 衛星の組合せ	スタティック法	短縮スタティック法 キネマティック法 RTK 法 ネットワーク型 RTK 法
GPS・準天頂衛星	**4 衛星以上**	**5 衛星以上**
GPS・準天頂衛星及び GLONASS 衛星	**5 衛星以上**	**6 衛星以上**
①　GLONASS 衛星を用いて観測する場合は，GPS・準天頂衛星及び GLONASS 衛星を，**それぞれ 2 衛星以上**用いる。 ②　スタティック法による **10 km以上の観測**では，**GPS・準天頂衛星**を用いて観測する場合は **5 衛星以上**とし，**GPS・準天頂衛星及び GLONASS 衛星**を用いて観測する場合は **6 衛星以上**とする。		

(4)　GNSS 測量における誤差

①　マルチパスは，GNSS 衛星から発信された電波が建物等で反射して GNSS アンテナに到着する現象をいう。GNSS アンテナの向きをそろえて整置しても，マルチパスの影響を軽減できない。

②　電離層遅延誤差は，GNSS 測量機の周波数に依存するため，2 周波を受信できる GNSS 測量機を使用して誤差を軽減する。

③　対流圏遅延誤差は，GNSS 測量機の周波数に依存しないため，基線解析ソフトウェアで採用している標準値を用いて近似的に補正する。

要点5 公共測量におけるセミ・ダイナミック補正

① セミ・ダイナミック補正は，定常的な地殻変動による基準点間のひずみの影響を基準点測量で得られた測量結果に補正し，測地成果2011の元期（測量成果の位置情報の基準日）における基準点の測量成果を求めるための補正である。

② セミ・ダイナミック補正の対象は，原則として，電子基準点のみを既知点として用いる基準点測量とする。

③ セミ・ダイナミック補正を適用する基準点測量は，測量法第11条の測量の基準に定める世界測地系に準拠した測量でなければならない。

要点6 セオドライト・TSの器械誤差と消去法

① 望遠鏡の正位・反位の観測で消去できる誤差
　視準軸誤差，水平軸誤差，目盛盤の偏心誤差，視準軸の外心誤差

② 望遠鏡の正位・反位の観測で消去できない誤差
　鉛直軸誤差，目盛盤の目盛誤差

要点7 間接水準測量による標高計算

① **既知点Aより未知点Bを視準して，未知点の標高 H_B を求める場合**

$$H_B = H_A + D \times \sin\alpha_A + (i_A - f_B) + K$$

② **未知点Bより既知点Aを視準して，未知点の標高 H_B を求める場合**

$$H_B = H_A - D \times \sin\alpha_B - (i_B - f_A) - K$$

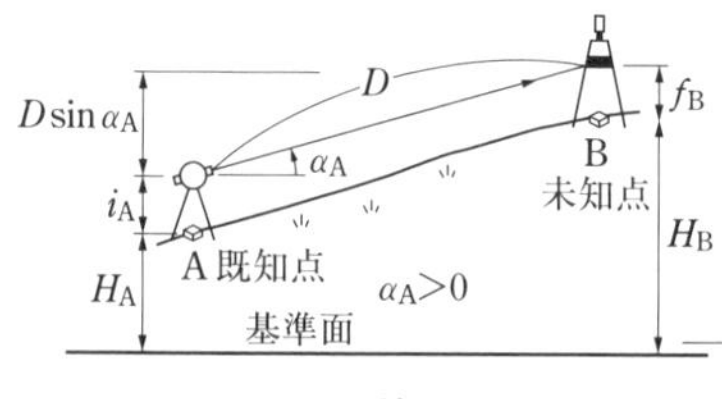

正視

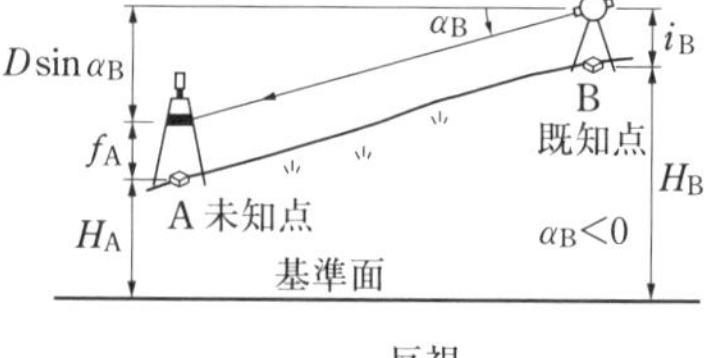

反視

H_A：A点の標高　H_B：B点の標高　i_A：A点の器械高

i_B：B点の器械高　f_A：A点の目標高　f_B：B点の目標高　D：斜距離

α_A：A点における高低角　α_B：B点における高低角

K：両差（気差および球差）＝ $(1-k)D^2/2R$　k：屈折係数（0.13～0.14）

図1

③　**正視と反視の両方を観測して，未知点の標高 H_B を求める場合**

$$H_B = H_A + D\sin\frac{(\alpha_A - \alpha_B)}{2} + \frac{1}{2}(i_A + f_A) - \frac{1}{2}(i_B + f_B)$$

反視・正視して標高を求めたときは，球差・気差の補正量の計算はいらない。

要点8　基準点の偏心計算

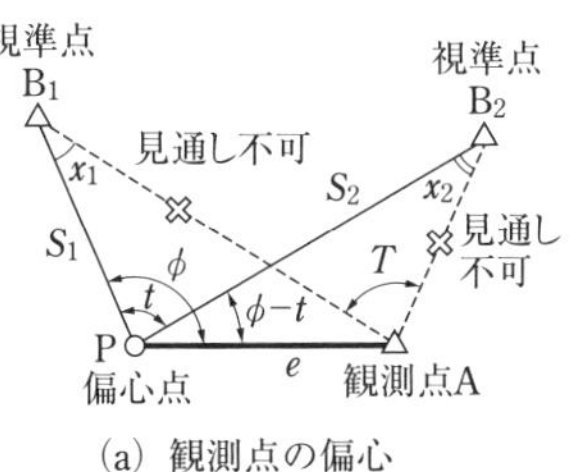

(a) 観測点の偏心

(b) 視準点の偏心

図２

(1)　観測点の位置を偏心するときの水平角 T の計算

①　視準点 B_1 の偏心補正量　$x_1 = \rho \times \dfrac{e}{S_1} \times \sin\phi$

ρ ：角度１ラジアン $= 2'' \times 10^5 = 200000''$

②　視準点 B_2 の偏心補正量　$x_2 = \rho \times \dfrac{e}{S_2} \times \sin(\phi - t)$

③　観測点 A における水平角　$\angle B_1AB_2 = T = t + x_1 - x_2$

(2)　視準点の位置を偏心するときの偏心補正量の計算

観測点の偏心補正量　$x = \rho \times \dfrac{e}{S} \times \sin\phi$

ρ ：角度１ラジアン $= 2'' \times 10^5 = 200000''$

基本問題 **6年** 5年 4年 3年 2年 元年 30年 29年

鉛直角測定における高低角と高度定数の計算

難易度 普

頻出度 低 ■■■■■■■■ 高

1 公共測量における3級基準点測量において，トータルステーションを用いて既知点から新点A，新点Bの鉛直角を観測し，表の結果を得た。新点A，新点Bの高低角及び高度定数の較差の組合せとして**最も適当なもの**はどれか。次の1～5の中から選べ。

なお，関数の値が必要な場合は，巻末の関数表を使用すること。

表

望遠鏡	視準点		鉛直角観測値
	測　点	測　標	
r	A	中	65°　41′　50″
l			294°　18′　10″
l	B	中	312°　33′　30″
r			47°　26′　40″

r：望遠鏡正方向での観測　中：目標板
l：望遠鏡反方向での観測

	新点Aの高低角	新点Bの高低角	高度定数の較差
1.	−24° 18′ 10″	−42° 33′ 25″	5″
2.	+24° 18′ 10″	+42° 33′ 25″	5″
3.	+24° 18′ 10″	+42° 33′ 25″	10″
4.	+65° 41′ 50″	+47° 26′ 35″	5″
5.	+65° 41′ 50″	+47° 26′ 35″	10″

本問は，トータルステーションを用いて観測した既知点から新点A，Bの鉛直角の結果を基に，新点A，Bの高低角および高度定数の較差を求める問題である。ここでは，図1のように，鉛直線の上方向から下向きに測った天頂角，水平線から上向きに測った高低角の違いを理解しておく。

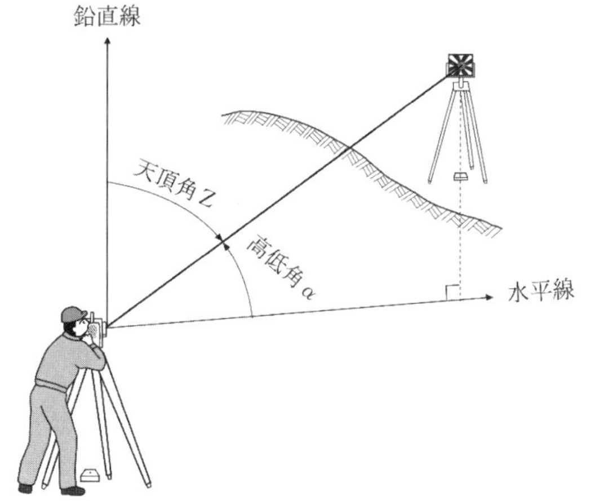

図１

解説

① 新点 A における高低角 α_A を求める。

新点 A における正しい天頂角 Z_A は，望遠鏡正方向で視準した天頂角を Z_r，望遠鏡反方向で視準した天頂角を Z_l とすると，

$Z_A = \frac{1}{2}(360° + Z_r - Z_l)$　で求めることができる。

ここで，$Z_r = 65°\,41'\,50''$，$Z_l = 294°\,18'\,10''$

よって，$Z_A = \frac{1}{2}(360° + 65°\,41'\,50'' - 294°\,18'\,10'') = 65°\,41'\,50''$

新点 A における高低角 α_A は，

$\alpha_A = 90° - Z_A = 90° - 65°\,41'\,50'' = +24°\,18'\,10''$

② 新点 B における高低角 α_B を求める。

新点 B における正しい天頂角 Z_B は，望遠鏡正方向で視準した天頂角を Z_r，望遠鏡反方向で視準した天頂角を Z_l とすると，

$Z_B = \frac{1}{2}(360° + Z_r - Z_l)$　で求めることができる。

ここで，$Z_r = 47°\,26'\,40''$，$Z_l = 312°\,33'\,30''$

よって，$Z_B = \frac{1}{2}(360° + 47°\,26'\,40'' - 312°\,33'\,30'') = 47°\,26'\,35''$

新点 B における高低角 α_B は，

$\alpha_B = 90° - Z_B = 90° - 47°\,26'\,35'' = +42°\,33'\,25''$

③　新点A，Bにおける高度定数の較差（$K_{\mathrm{B}}-K_{\mathrm{A}}$）を求める。

新点Aにおける高度定数K_{A}は，望遠鏡正方向で視準した天頂角をZ_r，望遠鏡反方向で視準した天頂角をZ_lとすると，

$K_{\mathrm{A}}=(Z_r+Z_l)-360°$　で求めることができる。

よって，$K_{\mathrm{A}}=(65°41'50''+294°18'10'')-360°=00°00'00''$

新点Bにおける高度定数K_{B}は，望遠鏡正方向で視準した天頂角をZ_r，望遠鏡反方向で視準した天頂角をZ_lとすると，

$K_{\mathrm{B}}=(Z_r+Z_l)-360°$　で求めることができる。

よって，$K_{\mathrm{B}}=(47°26'40''+312°33'30'')-360°=00°00'10''$

新点A，Bにおける高度定数の較差（$K_{\mathrm{B}}-K_{\mathrm{A}}$）は，

$K_{\mathrm{B}}-K_{\mathrm{A}}=00°00'10''-00°00'00''=10''$

よって，新点Aの高低角α_{A}は$+24°18'10''$，新点Bの高低角α_{B}は$+42°33'25''$，高度定数の較差は$10''$となり，最も適当な組合せは3．である。

解答　3.

基本問題 | 6年 | **5年** | 4年 | 3年 | 2年 | 元年 | 30年 | 29年

問題　基準点測量の作業工程

難易度 **普**

頻出度 低 ■■■■■■■■ 高

2 図は，公共測量における多角測量による基準点測量の標準的な作業工程を示したものである。図中の ア ～ オ に入る語句の組合せとして**最も適当なもの**はどれか。次の中から選べ。

作業計画 → ア → イ → 観測 → ウ → エ → オ → 成果等の整理

図

	ア	イ	ウ	エ	オ
1.	選点	測量標の設置	点検計算	品質評価	平均計算
2.	選点	測量標の設置	平均計算	点検計算	品質評価
3.	選点	測量標の設置	点検計算	平均計算	品質評価
4.	測量標の設置	選点	平均計算	点検計算	品質評価
5.	測量標の設置	選点	品質評価	平均計算	点検計算

本問は，基準点測量の作業工程の順序を問う問題である。ここでは，基準点測量の主要な作業手順を理解しておく。☞ 要点1 参照

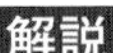

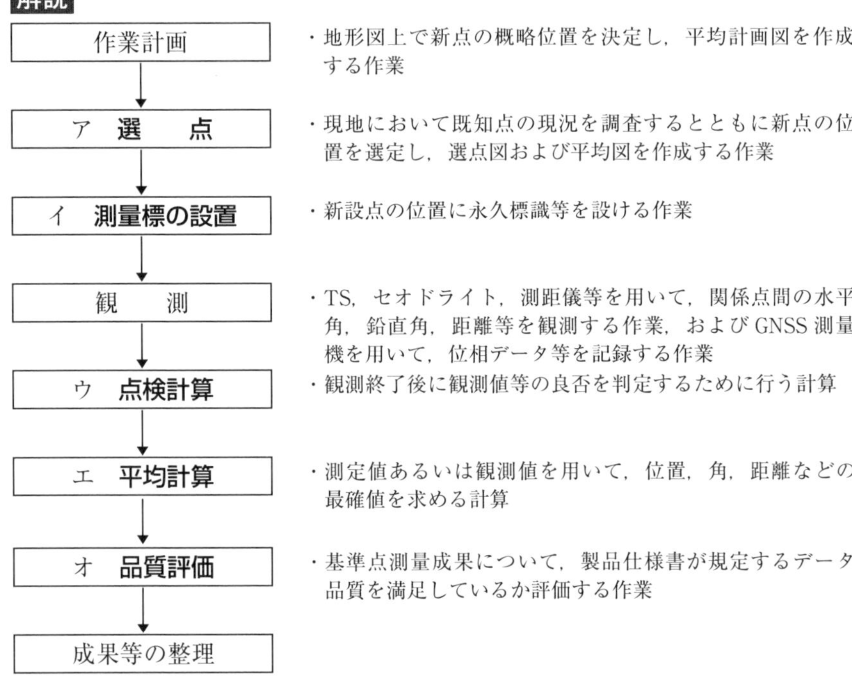

よって，ア：選点，イ：測量標の設置，ウ：点検計算，エ：平均計算，オ：品質評価となり，最も適当な組合せは3. である。

解答　3.

基本問題 | 6年 | **5年** | 4年 | 3年 | 2年 | 元年 | 30年 | 29年

問題　TSを用いた基準点測量の特徴

難易度　普

頻出度　低 ■■■■■■■■ 高

3　次の文は，公共測量におけるトータルステーションを用いた多角測量について述べたものである。**明らかに間違っているもの**はどれか。次の中から選べ。

1.　水平角観測，鉛直角観測及び距離測定は，1視準で同時に行うことを原則とする。
2.　水平角観測は，1視準1読定，望遠鏡正及び反の観測を2対回とする。
3.　水平角観測及び鉛直角観測の良否を判定するため，観測点において倍角差，観測差及び高度定数の較差を点検する。
4.　距離測定は，1視準2読定を1セットとする。
5.　距離測定の気象補正に使用する気温及び気圧の測定は，距離測定の開始直前又は終了直後に行う。

本問は，トータルステーション（TS）を用いた多角測量の作業内容を問う問題である。ここでは，水平角観測，鉛直角観測及び距離測定における方法および点検を理解しておく。☞ 要点3 参照

解説

1.　**正しい**　TSを用いた観測では，水平角観測，鉛直角観測及び距離測定は，1視準で同時に行うことを原則とする。

2.　**間違い**　水平角観測は，1視準1読定，望遠鏡正及び反の観測を**1対回**としている。

3.　**正しい**　観測の良否を判定するため，水平角観測では倍角差および観測差，鉛直角観測では高度定数の較差の点検を行う。点検の結果，許容範囲を超えた場合は，再測を行う。

4.　**正しい**　距離測定は，1視準2読定の測定を1セットとして2セットの測定を行うこととしている。

5.　**正しい**　距離測定の気象補正に使用する気温及び気圧の測定は，距離測定の開始直前又は終了直後に行うこととしている。

よって，明らかに間違っているものは2. である。

解答　**2.**

問題 TSを用いた基準点測量の作業工程

難易度 普

頻出度 低 ■■■■■■■■ 高

4 次の文は，公共測量におけるトータルステーション（以下「TS」という。）を用いた1級基準点測量及び2級基準点測量の作業工程について述べたものである。[ア]～[エ]に入る語句の組合せとして**最も適当なもの**はどれか。次の中から選べ。

選点とは，平均計画図に基づき，現地において既知点の現況を調査するとともに，新点の位置を選定し，[ア]及び平均図を作成する作業をいう。

観測とは，TSを用いて関係点間の水平角，鉛直角，距離等を観測する作業をいい，原則として[イ]により行う。観測値について倍角差，観測差等の点検を行い，許容範囲を超えた場合は，再測する。

平均計算とは，新点の水平位置及び標高を求めるもので，計算結果が正しいと確認されたプログラムを使用して，既知点2点以上を固定する[ウ]等を実施するとともに，その結果を[エ]にとりまとめる。

	ア	イ	ウ	エ
1.	選点図	結合多角方式又は単路線方式	厳密水平網平均計算	品質評価表
2.	選点図	結合多角方式	厳密水平網平均計算	精度管理表
3.	観測図	結合多角方式又は単路線方式	三次元網平均計算	精度管理表
4.	観測図	結合多角方式	厳密水平網平均計算	品質評価表
5.	観測図	結合多角方式又は単路線方式	三次元網平均計算	品質評価表

本問は，トータルステーション（TS）を用いた1級基準点測量及び2級基準点測量の作業工程を問う問題である。ここでは，基準点測量の作業工程のうち，選点，観測，計算の作業内容を理解しておく。

☞ 要点1 参照

解説

① 選点とは，平均計画図に基づき，現地において既知点の現況を調査するとともに，新点の位置を選定し，[ア **選点図**]及び平均図を作成する作業をいう。

② 観測とは，TSを用いて関係点間の水平角，鉛直角，距離等を観測する作業をいい，１級基準点測量及び２級基準点測量では，原則として **イ　結合多角方式** により行う。

結合多角方式は，２点以上の既知点が多角路線により結合された多角網であり，単路線方式は，既知点間を一路線で結ぶ多角方式である。

③ 水平角の観測値の点検においては，倍角差及び観測差の点検を行い，許容範囲を超えた場合は，再測する。また，水平角の観測値の点検においては，高度定数の較差の点検により行い，許容範囲を超えた場合は，再測する平均計算とは，新点の水平位置及び標高を求めるものである。

④ 平均計算では，計算結果が正しいと確認されたプログラムを使用して，既知点２点以上を固定する **ウ　厳密水平網平均計算** 等を実施するとともに，その結果を **エ　精度管理表** にとりまとめる。

厳密水平網平均計算は，多角網における水平位置の調整計算法の一つで，角条件方程式と辺条件方程式の双方を同時に満足させるような計算方法である。

よって，ア：選点図，イ：結合多角方式，ウ：厳密水平網平均計算，エ：精度管理表となり，最も適当な組合せは2. である。

解答 2.

基本問題 6年 5年 4年 **3年** 2年 元年 30年 29年

問題 基準点測量の点検計算

難易度 普

頻出度 低 ■■■■■■■■ 高

5 次のa〜eの文は，トータルステーションを用いた基準点測量の点検計算について述べたものである。**明らかに間違っているもの**だけの組合せはどれか。次の中から選べ。

a.　点検路線は，既知点と既知点を結合させる。

b.　点検路線は，なるべく長いものとする。

c.　すべての既知点は，1つ以上の点検路線で結合させる。

d.　すべての単位多角形は，路線の1つ以上を点検路線と重複させる。

e.　点検計算（水平位置及び標高の閉合差）の結果が許容範囲を超えた場合は，点検路線の経路を変更して再計算する。

1.　a，c
2.　a，d
3.　b，d
4.　b，e
5.　c，e

本問は，トータルステーションを用いた基準点測量の点検計算の要領を問う問題である。ここでは，点検計算において，点検路線を構成する条件を理解しておく。

解説

基準点測量の点検計算は，観測値の良否を点検するために点検路線を図のように組んで，水平位置及び標高の閉合差を計算することである。

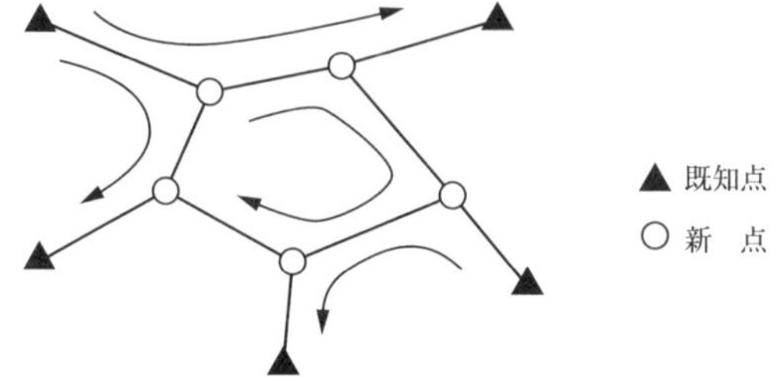

図1　結合多角方式の点検路線図

a.　**正しい**　点検路線は，既知点と他の既知点を結合させる。
b.　**間違い**　点検路線は，なるべく**短いもの**とする。
c.　**正しい**　すべての既知点は，１つ以上の点検路線で結合させる。
d.　**正しい**　すべての単位多角形は，路線の１つ以上を点検路線と重複させる。
e.　**間違い**　点検計算の結果，水平位置及び標高の閉合差が許容範囲を超えた場合は，**再測**を行う。

よって，明らかに間違っているものはb，eであり，その組合せは4．である。

解答　**4.**

問題 TSを用いた基準点測量の精度

難易度 **普**

頻出度 低 ■■■■■■■■ 高

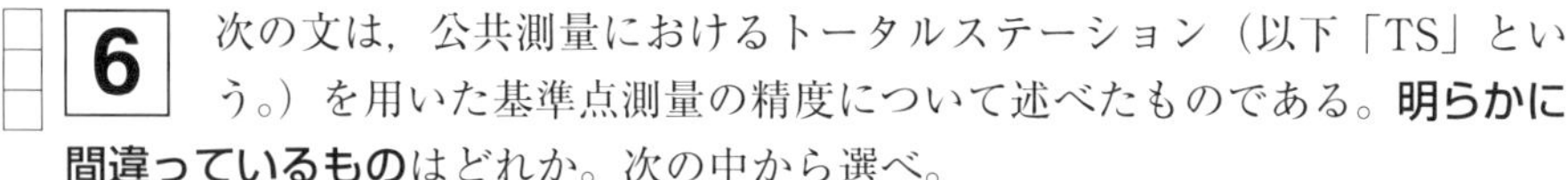

6 次の文は，公共測量におけるトータルステーション（以下「TS」という。）を用いた基準点測量の精度について述べたものである。**明らかに間違っているもの**はどれか。次の中から選べ。

1. 多角網の外周路線に属する新点は，外周路線に属する隣接既知点を結ぶ直線から外側 40° 以上の地域内に選点し，路線の中のきょう角を 60° 以下にする。
2. 多角路線内の未知点数が多いほど，水平位置の精度は低下する。
3. 正反観測を行うことにより，器械の視準軸誤差，水平軸誤差，目盛盤の偏心誤差が軽減される。
4. 既知点と既知点を結合させた点検路線で，閉合差を計算し，観測値の良否を判定する。
5. TS で測定される斜距離には，反射鏡定数の誤差などの測定距離に比例しない誤差が含まれる。

本問は，トータルステーション（TS）を用いた基準点測量の精度を問う問題である。ここでは，結合多角方式で基準点測量を行う場合の路線図形の条件などを理解しておく。

解説

1. **間違い**　結合多角方式において，多角網の外周路線に属する新点は，外周路線に属する隣接既知点を結ぶ直線から**外側 40° 以下**の地域内に選点し，路線の中のきょう角を **60° 以上**にする。

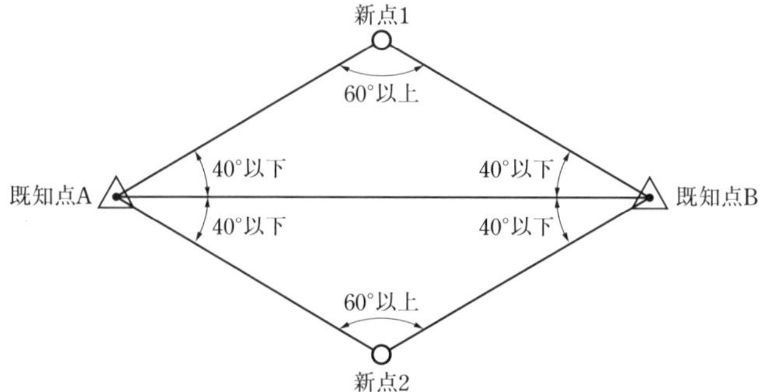

2.　**正しい**　多角路線内の未知点数が多いほど，新点の水平位置の精度は低下する。
3.　**正しい**　望遠鏡の正及び反の観測を行うことにより，器械の視準軸誤差，水平軸誤差，目盛盤の偏心誤差が軽減される。
4.　**正しい**　点検計算は，既知点と既知点を結合させた点検路線で行い，水平位置及び標高の閉合差を計算し，観測値の良否を判定する。また，点検計算の結果，許容範囲を超えた場合は再測を行う。
5.　**正しい**　TS で測定される斜距離には，反射鏡定数の誤差などの測定距離に比例しない誤差と，気象誤差などの測定距離に比例する誤差が含まれる。

よって，明らかに間違っているものは 1. である。

解答　1.

基本問題 6年 **5年** 4年 3年 2年 元年 30年 29年

GNSS 測量機を用いた基準点測量の特徴

難易度 **普**

頻出度 低 ■■■■■■■■■ 高

7 次の a～d の文は，公共測量における GNSS 測量機を用いた基準点測量について述べたものである。［ア］～［エ］に入る語句の組合せとして**最も適当なもの**はどれか。次の中から選べ。

a.　準天頂衛星は GPS 衛星と同等の衛星として扱うことが［ア］。

b.　2 周波で基線解析を行うことにより，［イ］の影響による誤差を軽減することができる。

c.　基線解析を行うには，測位衛星の［ウ］が必要である。

d.　電子基準点のみを既知点とした 2 級基準点測量において，［エ］の緯度及び経度は，成果表の値又はセミ・ダイナミック補正を行った値のいずれかとする。

	ア	イ	ウ	エ
1.	できない	対流圏	飛来情報	基線解析の固定点
2.	できる	電離層	軌道情報	基線解析の固定点
3.	できない	電離層	飛来情報	三次元網平均計算で使用する既知点
4.	できる	対流圏	軌道情報	三次元網平均計算で使用する既知点
5.	できる	電離層	軌道情報	三次元網平均計算で使用する既知点

本問は，GNSS 測量機を用いた基準点測量の特徴を問う問題である。ここでは，基準点測量の観測方法，計算方法などを理解しておく。

解説

a.　GNSS とは，人工衛星からの信号を用いて位置を決定する衛星測位システムの総称をいい，GNSS 衛星には，GPS 衛星，準天頂衛星，GLONASS 衛星，Galileo 衛星がある。したがって，準天頂衛星は，GPS 衛星と同等の衛星として扱うことが［ア　**できる**］。

b.　2 周波で基線解析を行うことにより，［イ　**電離層**］の影響による誤差を軽減することができる。

電離層の影響による誤差（電離層遅延誤差）は，周波数に依存するため，10 km より長い基線の観測では 2 周波を受信できる GNSS 測量機を使用する。

対流圏の影響による誤差（対流圏遅延誤差）は，周波数に依存せず，2 周波での観測により軽減することができないため，基線解析ソフトウェアで採用している標準値を用いて近似的に補正する。

c.　基線解析を行うには，測位衛星の［ウ　**軌道情報**］が必要であり，その軌道情報を基に地上の座標を決定する。

d.　電子基準点のみを既知点とした２級基準点測量において，［エ　**基線解析の固定点**］の緯度及び経度は，成果表の値（元期座標）又はセミ・ダイナミック補正を行った値（今期座標）のいずれかとする。

よって，ア：できる，イ：電離層，ウ：軌道情報，エ：基線解析の固定点となり，最も適当な組合せは2. である。

解答　2.

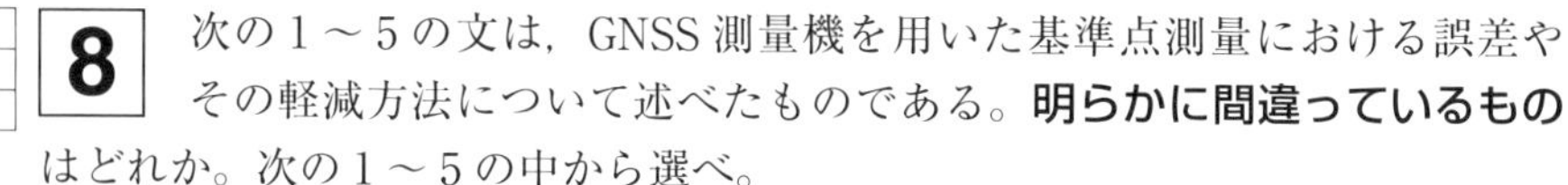

問題 GNSS 測量機を用いた基準点測量の特徴

難易度 普

頻出度 低 ■■■■■■■■ 高

8 次の1～5の文は，GNSS 測量機を用いた基準点測量における誤差やその軽減方法について述べたものである。**明らかに間違っているもの**はどれか。次の1～5の中から選べ。

1. GNSS 衛星から発信される電波が GNSS 測量機周辺の構造物等に反射して GNSS 測量機に届くことにより，誤差が大きくなることがある。
2. 二重位相差を用いた基線解析により，GNSS 衛星の時計と GNSS 測量機の時計の精度の違いにより生じる時計誤差を消去することができる。
3. PCV 補正を行うことにより，入射角に依存して電波の受信位置が変化することによる影響を軽減することができる。
4. 電子基準点のみを既知点とした GNSS 測量機を用いた基準点測量を行う場合にセミ・ダイナミック補正を行う必要があるのは，地殻変動によるひずみの影響で生じる新点の成果と近傍の既設点の成果との不整合を軽減するためである。
5. 2周波で基線解析を行うことにより，対流圏の影響による誤差を軽減することができる。

本問は，GNSS 測量機を用いた基準点測量の特徴を問う問題である。ここでは，基準点測量における誤差とその軽減方法を理解しておく。

解説

1. **正しい**　GNSS 衛星から発信される電波が，GNSS 測量機周辺の構造物等に反射して GNSS 測量機に届く現象をマルチパスという。マルチパスは測量の誤差の原因となり，誤差が大きくなることがある。
2. **正しい**　二重位相差は，図1のように，GNSS 測量の干渉測位において，2台の受信機で2つの衛星を同時に観測し，観測した搬送波の位相を用いて，2点間の相対的な位置関係（基線ベクトル）を決定する方法をいう。

　二重位相差を用いた基線解析では，2台の受信機間一重位相差の差，または2つの衛星間一重位相差の差として定義されるので，GNSS 衛星の時計と GNSS 測量機の時計の精度の違いにより生じる時計誤差を消去することができる。

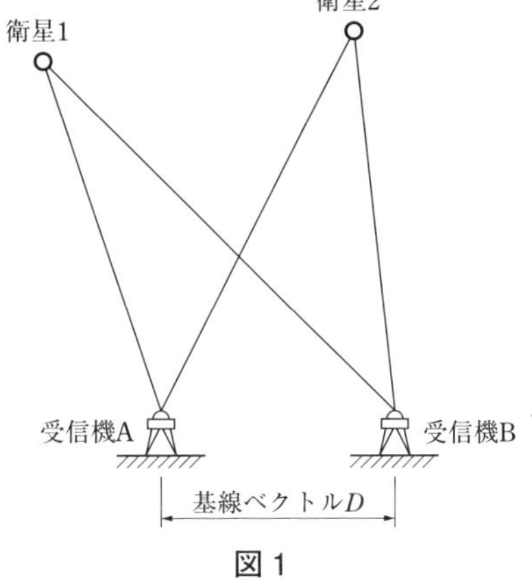

図１

3.　**正しい**　GNSS 衛星からの電波を GNSS アンテナにおいて受信する際，電波の入射角によって受信する位置（位相中心）が変化することを PCV（Phase Center Variation）という。その変化量は，アンテナ機種によって異なっており，位相中心のずれを補正することを PCV 補正という。PCV 補正を行うことにより，入射角に依存して電波の受信位置が変化することによる影響を軽減することができる。

4.　**正しい**　電子基準点のみを既知点とした GNSS 測量機を用いた基準点測量を行う場合，セミ・ダイナミック補正は，プレート運動に伴う定常的な地殻変動によるひずみの影響で生じる新点の成果と近傍の既設点の成果との不整合を軽減するために行うものである。

5.　**間違い**　電離層の影響による誤差（電離層遅延誤差）は，周波数に依存するため，2 周波を受信できる GNSS 測量機を使用し，基線解析を行うことにより，誤差を軽減することができる。

　対流圏の影響による誤差（対流圏遅延誤差）は，**周波数に依存しないため**，2 周波で基線解析を行っても**誤差を軽減することができない**。

よって，明らかに間違っているものは 5. である。

解答　5.

問題　GNSS測量の特徴

難易度 普

頻出度 低 ■■■■■■■■ 高

9 次の文は，GNSS測量について述べたものである。［ア］～［オ］に入る語句の組合せとして**最も適当なもの**はどれか。次の中から選べ。

［ア］測位とは，搬送波位相を用いて2点間の相対的な位置関係を決定する方法をいう。［ア］測位では，共通の衛星について2点間の搬送波位相の差を取ることで，［イ］誤差が消去された一重位相差を求める。さらに，2衛星についての一重位相差の差を取ることで［イ］誤差に加え［ウ］誤差が消去された二重位相差を得る。これらを含めた［エ］により，基線ベクトルを求める。

公共測量における1級基準点測量において，電子基準点のみを既知点としたGNSS測量を行う場合，測量計算に及ぼす地殻変動によるひずみの影響が大きくなるため，［オ］を行う必要がある。

	ア	イ	ウ	エ	オ
1.	単独	受信機時計	衛星時計	三次元網平均計算	PCV補正
2.	単独	受信機時計	衛星時計	基線解析	セミ・ダイナミック補正
3.	干渉	衛星時計	受信機時計	三次元網平均計算	セミ・ダイナミック補正
4.	干渉	受信機時計	衛星時計	基線解析	PCV補正
5.	干渉	衛星時計	受信機時計	基線解析	セミ・ダイナミック補正

本問は，GNSS測量の特徴を問う問題である。ここでは，単独測位と干渉測位の違い，干渉測位における位相差による誤差の消去法を理解しておく。

解説

① **ア　干渉** 測位とは，右図のように，２台の受信機で同一のGNSS衛星を同時に観測し，観測した搬送波の位相を用いて，それぞれの受信機と衛星との距離の差（行路差）を求め，これにより２点間の相対的な位置関係（基線ベクトル）を決定する方法をいう。

単独測位は，１台の受信機で同時に４個以上のGNSS衛星からの電波信号を受信し，各衛星から受信機までの距離を算出して受信機の座標を即時に決定する方法である。

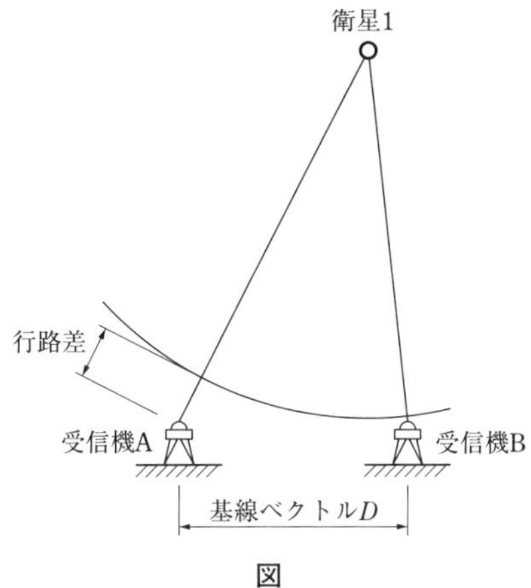

図

② 干渉測位では，２台の受信機で同時観測した共通の衛星について２点間の搬送波位相の差を取ることで，**イ　衛星時計** 誤差が消去された一重位相差（受信機間一重位相差）を求めることができる。さらに，同一受信機で同時観測した２衛星についての一重位相差（衛星間一重位相差）の差を取ることで **イ　衛星時計** 誤差に加え，**ウ　受信機時計** 誤差が消去された二重位相差を得ることができる。これらを含めた **エ　基線解析** により，基線ベクトルを求める。

③ 公共測量における１級基準点測量において，電子基準点のみを既知点としたGNSS測量を行う場合，測量計算に及ぼす地殻変動によるひずみの影響が大きくなるため，国土地理院が電子基準点などの観測データから算出し提供している地殻変動補正パラメータを用いて，**オ　セミ・ダイナミック補正** を行う必要がある。

よって，ア：干渉，イ：衛星時計，ウ：受信機時計，エ：基線解析，オ：セミ・ダイナミック補正となり，最も適当な組合せは5. である。

解答　**5.**

基本問題 | 6年 | 5年 | 4年 | 3年 | **2年** | 元年 | 30年 | 29年

基準点測量におけるセミ・ダイナミック補正

難易度 やや易

頻出度 低 ■■■□□□□□ 高

10 次の文は，公共測量におけるセミ・ダイナミック補正について述べたものである。

［ア］～［エ］に入る語句の組合せとして**最も適当なもの**はどれか。次の中から選べ。

セミ・ダイナミック補正とは，プレート運動に伴う［ア］地殻変動による基準点間のひずみの影響を補正するため，国土地理院が電子基準点などの観測データから算出し提供している［イ］を用いて，基準点測量で得られた測量結果を補正し，［ウ］（国家座標）の基準日（元期）における測量成果を求めるものである。［イ］の提供範囲は，全国（一部離島を除く）である。

三角点や公共基準点を既知点とする測量を行う場合であれば，既知点間の距離が短く相対的な位置関係の変化も小さいため，地殻変動によるひずみの影響はそれほど問題にならない。しかし，電子基準点のみを既知点として測量を行う場合は，既知点間の距離が長いため地殻変動によるひずみの影響を考慮しないと，近傍の基準点との間に不整合を生じる。例えば，地殻変動による平均のひずみ速度を約 0.2 ppm/year と仮定した場合，電子基準点の平均的な間隔が約 25 km であるため，電子基準点間には 10 年間で約［エ］mm の相対的な位置関係の変化が生じる。

このような状況で網平均計算を行っても，精度の良い結果は得られないが，セミ・ダイナミック補正を行うことにより，測量を実施した今期の観測結果から，［ウ］（国家座標）の基準日（元期）において得られたであろう測量成果を高精度に求めることができる。

	ア	イ	ウ	エ
1.	定常的な	地殻変動補正パラメータ	測地成果2011	50
2.	突発的な	標高補正パラメータ	測地成果2011	50
3.	定常的な	標高補正パラメータ	測地成果2000	20
4.	定常的な	地殻変動補正パラメータ	測地成果2011	20
5.	突発的な	標高補正パラメータ	測地成果2000	20

本問は，基準点測量におけるセミ・ダイナミック補正を問う問題である。ここでは，セミ・ダイナミック補正の目的，方法などを理解しておく。☞要点5参照

解説

① セミ・ダイナミック補正とは，プレート運動に伴う【ア　定常的な】地殻変動による基準点間のひずみの影響を補正するため，国土地理院が電子基準点などの観測データから算出し提供している【イ　地殻変動補正パラメータ】を用いる。

② この地殻変動による基準点間のひずみの影響を基準点測量で得られた測量結果に補正し，【ウ　測地成果2011】元期（測量成果の位置情報の基準日）における測量成果を求める。地殻変動補正パラメータの提供範囲は，全国（一部離島を除く）である。

③ 電子基準点のみを既知点として測量を行う場合は，既知点間の距離が長いため地殻変動によるひずみの影響を考慮しないと，近傍の基準点との間に不整合を生じる。例えば，地殻変動による平均のひずみ速度を約 0.2 ppm/year と仮定した場合，電子基準点の平均的な間隔が約 25 km であるため，電子基準点間には 10 年間で約【エ　50】mm の相対的な位置関係の変化が生じる。

歪み量は以下の式によって求める。

歪み量[mm]＝歪み速度[ppm/year]× 元期からの経過時間[年]
×基線長[km]
＝0.2×10×25＝50 mm

④ セミ・ダイナミック補正を行うことにより，測量を実施した今期の観測結果から，測地成果 2011 元期において得られたであろう測量成果を高精度に求めることができる。

よって，ア：定常的な，イ：地殻変動補正パラメータ，ウ：測地成果 2011，エ：50，となり，最も適当な組合せは，1. である。

解答　1.

問題 元期における新点のY座標値の計算

難易度 普

頻出度 低 ■■■□□□□□ 高

11 次の文は，公共測量におけるGNSS測量機を用いた基準点測量において，電子基準点A，Bを既知点とした場合のセミ・ダイナミック補正について述べたものである。

表1は，観測で得られた電子基準点Aから新点C及び新点Cから電子基準点Bまでの基線ベクトルのY成分を示したものである。表2は各点における地殻変動補正パラメータから求めたY方向の補正量を示しており，元期座標値と今期座標値は，「今期座標値＝元期座標値＋地殻変動補正パラメータから求めた補正量」の関係がある。新点Cにおける元期のY座標値を求めるとき，表3の［ア］～［エ］に入る数値の組合せとして**最も適当なもの**はどれか。次の1～5の中から選べ。

ただし，基線ベクトルの観測誤差並びにX方向及び楕円体高の補正量は考えないものとする。

なお，関数の値が必要な場合は，巻末の関数表を使用すること。

表1

基線	基線ベクトルのY成分（m）
電子基準点A→新点C	+7,000.000
新点C→電子基準点B	+13,000.040

表2

名称	地殻変動補正パラメータから求めたY方向の補正量（m） （今期のY座標値－元期のY座標値）
電子基準点A	+0.010
電子基準点B	+0.040
新点C	+0.020

表３

名称	時期	Y座標値（m）
電子基準点A	元期	−0.010
	今期	ア
電子基準点B	元期	+20,000.000
	今期	イ
新点C	元期	ウ
	今期	エ

	ア	イ	ウ	エ
1.	−0.020	+19,999.960	+6,999.960	+6,999.980
2.	−0.020	+19,999.960	+7,000.000	+6,999.980
3.	0.000	+20,000.020	+6,999.960	+7,000.000
4.	0.000	+20,000.040	+6,999.980	+7,000.000
5.	0.000	+20,000.040	+7,000.020	+7,000.000

解く　電子基準点は，地殻変動の影響により，実際の地球上の位置と測量成果の座標値が時間とともにずれていて，これを補正するのがセミ・ダイナミック補正である。セミ・ダイナミック補正では，測地成果2011の基準日を測量成果の**元期**（げんき）といい，元期に対して，それ以降，観測を行った時点を測量成果の**今期**（こんき）という。

本問は，電子基準点Aから新点Cおよび新点Cから電子基準点Bまでの基線ベクトルのY成分と，各点における地殻変動補正パラメータから求めたY方向の補正量を基に，電子基準点A，Bにおける今期のY座標値，新点Cにおける元期および今期のY座標値を求める問題である。ここでは，図1のように，電子基準点A，Bおよび新点Cの位置関係を図示できるようにしておく。

☞ 要点5 参照

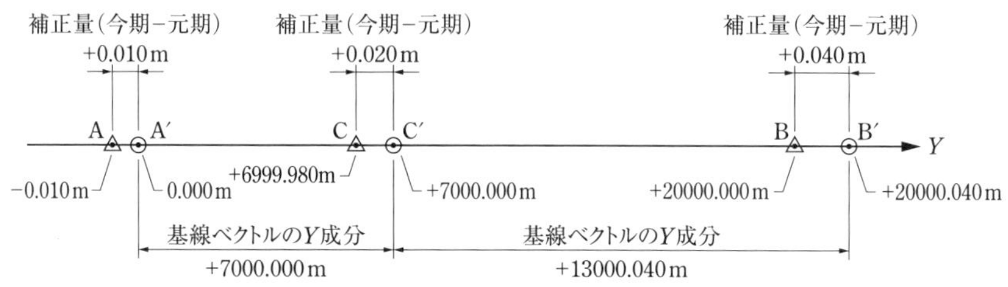

図１

解説

① 今期における電子基準点ＡのＹ座標値を求める。

元期における電子基準点ＡのＹ座標値＋電子基準点ＡのＹ方向の補正量（今期－元期）＝－0.010＋0.010＝0.000 m

② 今期における電子基準点ＢのＹ座標値を求める。

元期における電子基準点ＢのＹ座標値＋電子基準点ＢのＹ方向の補正量（今期－元期）＝＋20 000.000＋0.040＝＋20 000.040 m

③ 今期における新点ＣのＹ座標値を求める。

今期における電子基準点ＡのＹ座標値＋電子基準点Ａから新点Ｃまでの基線ベクトルのＹ成分＝－0.000＋7 000.000＝＋7 000.000 m

④ 元期における新点ＣのＹ座標値を求める。

元期における電子基準点ＣのＹ座標値－電子基準点ＣのＹ方向の補正量（今期－元期）＝＋7 000.000－0.020＝＋6 999.980 m

よって，ア：0.000，イ：＋20 000.040，ウ：＋6 999.980，エ：＋7 000.000 となり，最も適当なものは4. である。

解答 4.

基本問題　6年　5年　4年　3年　**2年**　元年　30年　29年

問題　測量における誤差

難易度　易

頻出度　低 ■■■■□□□□ 高

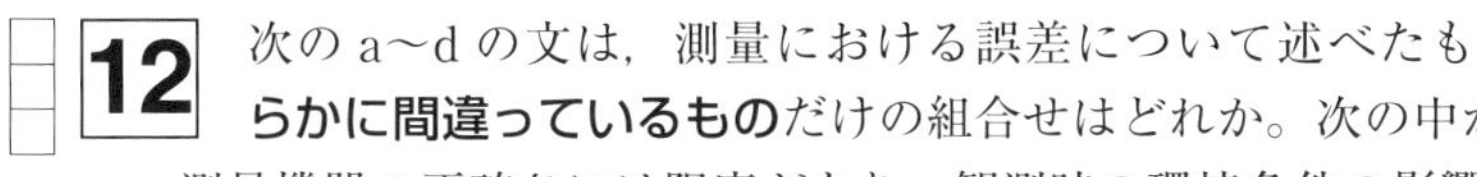

12 次のa～dの文は，測量における誤差について述べたものである。**明らかに間違っているもの**だけの組合せはどれか。次の中から選べ。

a.　測量機器の正確さには限度があり，観測時の環境条件の影響を受けるため，十分注意して距離や角度などを観測しても，得られた観測値は真値にわずかな誤差が加わった値となる。

b.　系統誤差とは，測量機器の特性，大気の状態の影響など一定の原因から発生する誤差である。この誤差は，観測方法を工夫することによりすべて消去できる。

c.　偶然誤差とは，発生要因に特段の因果関係がないため，観測方法を工夫しても消去できないような誤差である。この誤差は，観測値の平均をとれば小さくできる。

d.　最確値は最も確からしいと考えられる値であり，一般的に最小二乗法で求めた値である。

1.　aのみ
2.　bのみ
3.　b，c
4.　c，d
5.　間違っているものはない

本問は，測量における誤差を問う問題である。ここでは，測量の誤差の種類である系統誤差（定誤差），偶然誤差の内容を理解しておく。

解説

a.　**正しい**　測量機器の正確さには限度があり，観測時の環境条件の影響を受けるため，測量で得られる観測値xには，真の値Xにわずかな誤差εが含まれる。($x = X + \varepsilon$)

b.　**間違い**　系統誤差（定誤差）は，測量機器の特性，大気の状態の影響，観測者の視覚など一定の原因から発生する誤差である。この誤差は，観測方法を工夫することにより**小さくすることはできるが，すべて消去できない**。

c.　**正しい**　偶然誤差は，誤差の発生原因が不明で，観測方法を工夫しても消去できないような誤差である。この誤差は，観測回数を多くし，観測値の平均をとれば小さくできる。

d.　**正しい**　測量では，真の値 X を知ることができないので，観測値 x を統計的に処理した最も確からしいと考えられる最確値 X_0 を求める。最確値は一般的に最小二乗法で求めた値である。

よって，明らかに間違っているものは，b. のみであり，2. の組合せが正しい。

解答　2.

基本問題　6年　5年　4年　**3年**　2年　元年　30年　29年

問題　TSによる角観測誤差

難易度　易

頻出度　低 ■■■■□□□□ 高

13 次のa～eの文は，トータルステーション（以下「TS」という。）を用いた水平角観測において生じる誤差について述べたものである。**明らかに間違っているもの**だけの組合せはどれか。次の中から選べ。

a.　水平軸誤差は，TSの水平軸と鉛直軸が直交していないために生じる誤差である。

b.　鉛直軸誤差は，TSの鉛直軸と鉛直線の方向が一致していないために生じる誤差である。

c.　視準軸誤差は，TSの視準軸と望遠鏡の視準線が一致していないために生じる誤差である。

d.　偏心誤差は，TSの水平目盛盤が，水平軸と平行でないために生じる誤差である。

e.　外心誤差は，望遠鏡の視準線がTSの水平軸から外れているために生じる誤差である。

1.　a，b
2.　a，c
3.　b，d
4.　c，e
5.　d，e

本問は，TSを用いた水平角観測における誤差を問う問題である。ここでは，水平軸誤差・鉛直軸誤差・視準軸誤差・偏心誤差・外心誤差の用語を理解しておく。☞ 要点6 参照

解説

a.　**正しい**　水平軸誤差は，TSの水平軸と鉛直軸が直交していないために生じる誤差である。（p. 82，図1）

b.　**正しい**　鉛直軸誤差は，TSの鉛直軸と鉛直線の方向が一致していないために生じる誤差である。（p. 82，図2）

c.　**正しい**　視準軸誤差は，TSの視準軸と望遠鏡の視準線が一致していないために生じる誤差である。（p. 82，図3）

d.　**間違い**　偏心誤差は，TSの**水平目盛盤の中心**が，**鉛直軸の中心と一致しないために生じる誤差**である。（図4）

e.　**間違い**　外心誤差は，望遠鏡の視準線がTSの**鉛直軸の中心**から外れているために生じる誤差である。（図5）

よって，明らかに間違っているものはd，eであり，その組合せは5．である。

解答　5.

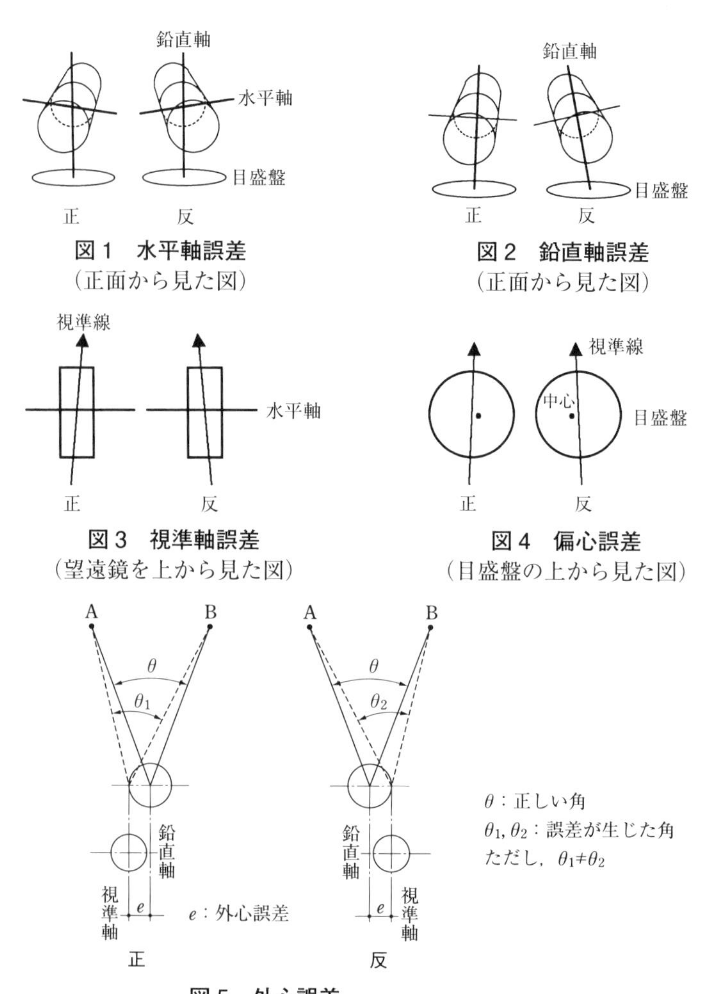

図1　水平軸誤差
（正面から見た図）

図2　鉛直軸誤差
（正面から見た図）

図3　視準軸誤差
（望遠鏡を上から見た図）

図4　偏心誤差
（目盛盤の上から見た図）

図5　外心誤差

基本問題　**6年**　5年　4年　3年　2年　元年　30年　29年

問題　TSによる角観測誤差

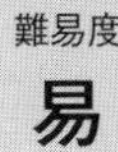

難易度　易

頻出度　低 ■■■■□□□□ 高

14 次の１～５の文は，トータルステーション（以下「TS」という。）を用いた水平角観測において生じる誤差について述べたものである。正反観測の平均値をとっても**消去できない誤差**はどれか。次の１～５の中から選べ。

1.　TSの水平目盛盤の中心が鉛直軸と一致していないことで生じる目盛盤の偏心誤差。
2.　TSの望遠鏡の視準線と鉛直軸が交わっていないために生じる外心誤差。
3.　TSの視準軸と視準線が一致していないことで生じる視準線誤差。
4.　TSの水平軸と鉛直軸が直交していないことで生じる水平軸誤差。
5.　TSの鉛直軸が鉛直線から傾いていることで生じる鉛直軸誤差。

本問は，TSを用いた水平角観測における誤差のうち，正反観測の平均値をとっても消去できない誤差を問う問題である。ここでは，水平軸誤差・鉛直軸誤差・視準軸誤差・偏心誤差・外心誤差について，正反観測の平均値を求めることで誤差を消去できるか否かを理解しておく。

☞ 要点6 参照

解説

1.　**正しい**　水平目盛盤の偏心誤差は，望遠鏡を正・反で観測すると，視準線は正しい方向に対して対称の方向にあるので，望遠鏡正・反の水平角観測の平均値を求めることで消去できる。（図1）

2.　**正しい**　外心誤差の場合は，望遠鏡を正・反で観測すると，望遠鏡の視準線と鉛直軸の中心から外れている距離は，鉛直軸に対して対称の方向にあるので，望遠鏡正・反の水平角観測の平均値を求めることで消去できる。（図2）

3.　**正しい**　視準線誤差の場合は，望遠鏡を正・反で観測すると，視準線は正しい方向に対して対称の方向にあるので，望遠鏡正・反の水平角観測の平均値を求めることで消去できる。（図3）

4.　**正しい**　水平軸誤差の場合は，望遠鏡を正・反で観測すると，視準線は正しい方向に対して対称の方向にあるので，望遠鏡正・反の水平角観測の平均値を求めることで消去できる。（図4）

5.　**間違い**　鉛直軸誤差の場合は，望遠鏡を正・反で観測しても，**鉛直軸は鉛直線に対して対称の位置に移動せず**そのままであるので，望遠鏡正・反の水平角観測の平均値を求めても**消去できない**。(図5)

よって，正・反観測の平均値をとっても消去できない誤差は5. である。

解答　**5.**

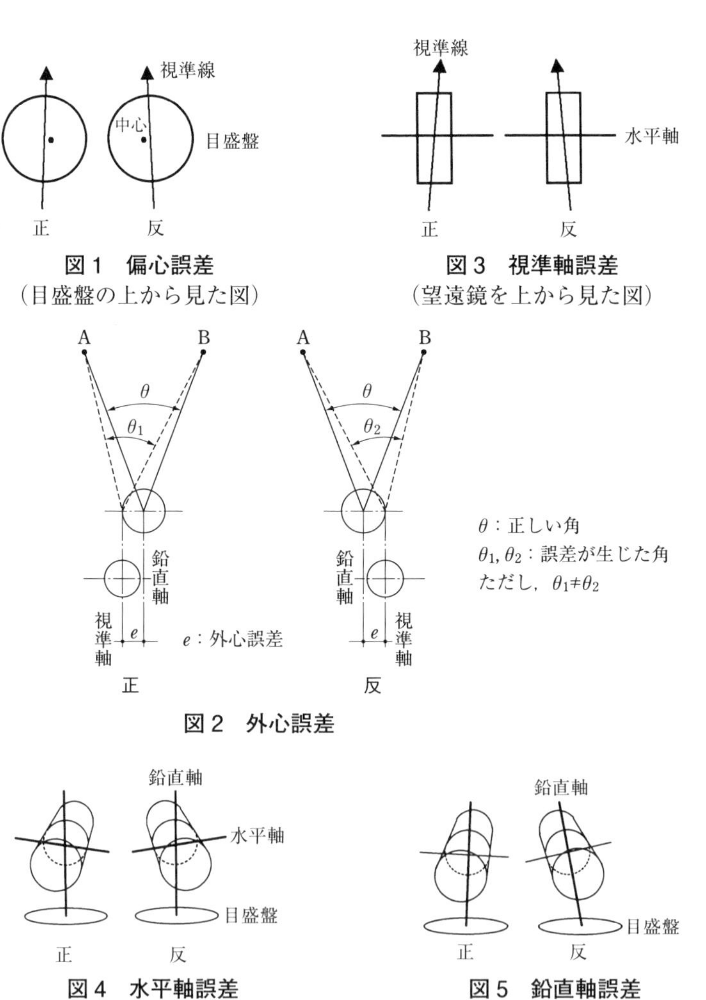

図1　偏心誤差
(目盛盤の上から見た図)

図3　視準軸誤差
(望遠鏡を上から見た図)

図2　外心誤差

図4　水平軸誤差
(正面から見た図)

図5　鉛直軸誤差
(正面から見た図)

基本問題 | 6年 | 5年 | 4年 | 3年 | 2年 | 元年 | 30年 | 29年

問題　間接水準測量における標高計算

難易度　やや難

頻出度　低 ■■□□□□□□ 高

15 公共測量におけるトータルステーションを用いた１級基準点測量において，図に示すように，既知点Ａと新点Ｂとの間の距離及び高低角の観測を行い，表の観測結果を得た。D を斜距離，α_A を既知点Ａから新点Ｂ方向の高低角，α_B を新点Ｂから既知点Ａ方向の高低角，i_A，f_A を既知点Ａの器械高及び目標高，i_B，f_B を新点Ｂの器械高及び目標高とするとき，新点Ｂの標高は幾らか。**最も近いもの**を次の中から選べ。

ただし，既知点Ａの標高は 10.00 m とし，D は気象補正等必要な補正が既に行われているものとする。

なお，関数の値が必要な場合は，巻末の関数表を使用すること。

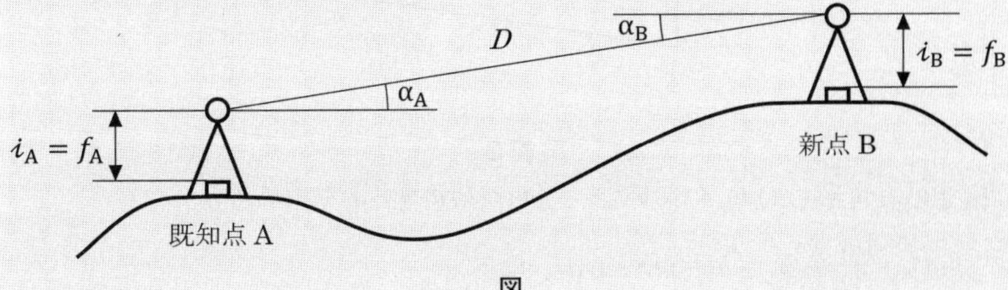

図

1.　190.71 m
2.　190.81 m
3.　200.71 m
4.　200.81 m
5.　204.28 m

表

α_A	11° 00′ 05″
α_B	−10° 59′ 55″
D	1,000.000 m
i_A，f_A	1.500 m
i_B，f_B	1.600 m

本問は，斜距離 D，既知点Ａから新点Ｂ方向に観測した高低角 α_A，新点Ｂから既知点Ａ方向に観測した高低角 α_B などを基に，新点Ｂの標高を求める問題である。高低角が異なる場合は，２つの高低角を平均し，その値を高低角とする。☞ 要点7 参照

解説

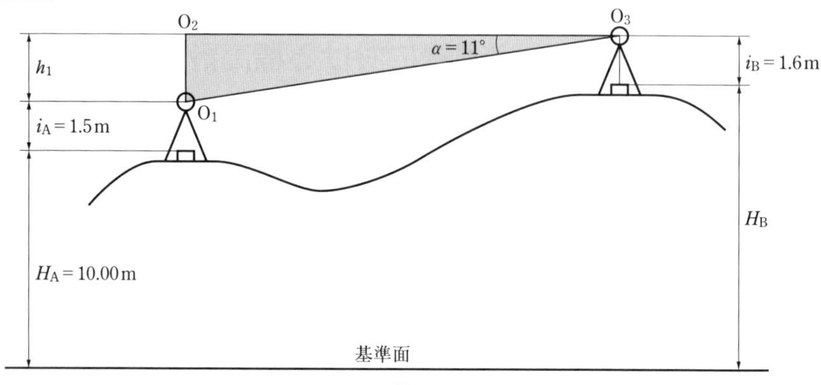

図１

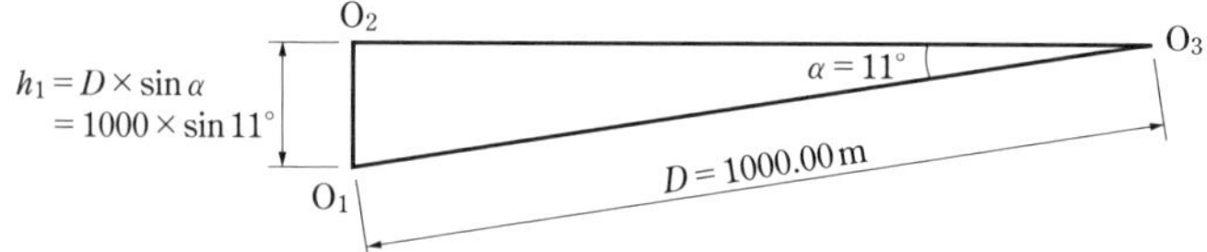

図２

図２の三角形 $O_1O_2O_3$ において，三角関数の $\sin\alpha$ を求めると，

$$\sin\alpha = \frac{h_1}{D} \text{から，} \quad h_1 = D \times \sin\alpha$$

ここで，$D = 1000.000$ m，$\alpha = (11°\ 00'\ 05 + 10°\ 59'\ 55) \div 2 = 11°\ 00'\ 00''$ を代入すると，

$$h_1 = 1000 \times \sin 11° = 1000 \times 0.19081 = 190.81 \text{ m}$$

図１において，基準面から点 O_2 および点 O_3 までの高さを考えると，次式が成り立つ。

$$H_A + f_A + h_1 = H_B + i_B \text{ から，} \quad H_B = H_A + i_A + h_1 - i_B$$

ここで，$H_A = 10.00$ m，$i_A = 1.5$ m，$h_1 = 190.81$ m，$i_B = 1.6$ m を代入すると，

$$H_B = 10.00 + 1.5 + 190.81 - 1.6 = 200.71 \text{ m}$$

よって，最も近いものは，3. である。

解答　3.

基本問題　6年　5年　4年　**3年**　2年　元年　30年　29年

問題　単路線方式による方向角の計算

難易度　やや難

頻出度　低 ■■□□□□□□ 高

16　図に示すように多角測量を実施し，表のとおり，きょう角の観測値を得た。新点(1)における既知点Bの方向角は幾らか。**最も近いもの**を次の中から選べ。

ただし，既知点Aにおける既知点Cの方向角 T_A は，225° 12′ 40″ とする。

なお，関数の値が必要な場合は，巻末の関数表を使用すること。

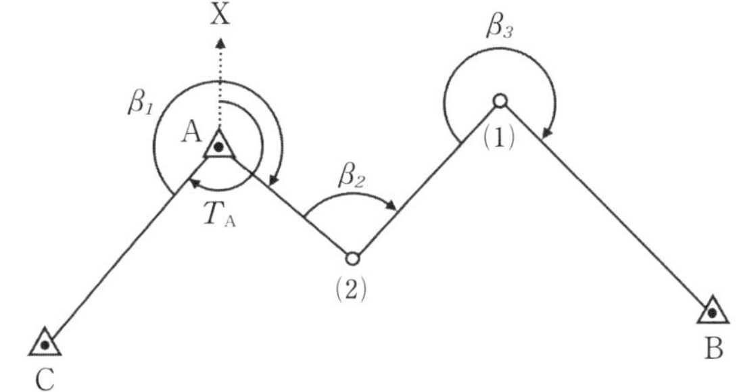

図

1.　42° 11′ 20″
2.　44° 39′ 50″
3.　86° 51′ 10″
4.　135° 20′ 10″
5.　137° 48′ 40″

表

きょう角	観測値
β_1	262° 26′ 30″
β_2	94° 32′ 10″
β_3	273° 08′ 50″

本問は，既知点の方向角ときょう角から，単路線方式の各点における方向角を求める問題である。ここでは，きょう角の観測値を方向角に変換する計算を理解しておく。

解説

このような問題は，与えられた条件を図に描いて求めるとよい。

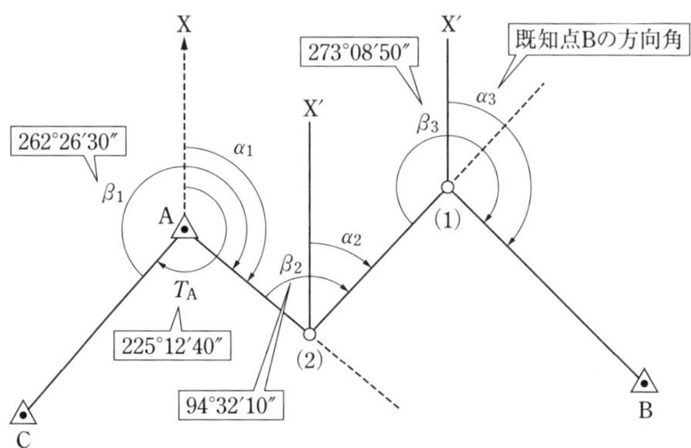

図 1

① 点 A における点(2)の方向角α_1を求める（図 1）。1 周は 360° であるから，$T_a+\beta_1-360° =\alpha_1$ で，

$$\alpha_1=T_a+\beta_1-360°$$
$$=225°\ 12'\ 40''+262°\ 26'\ 30''-360°$$
$$=127°\ 39'\ 10''$$

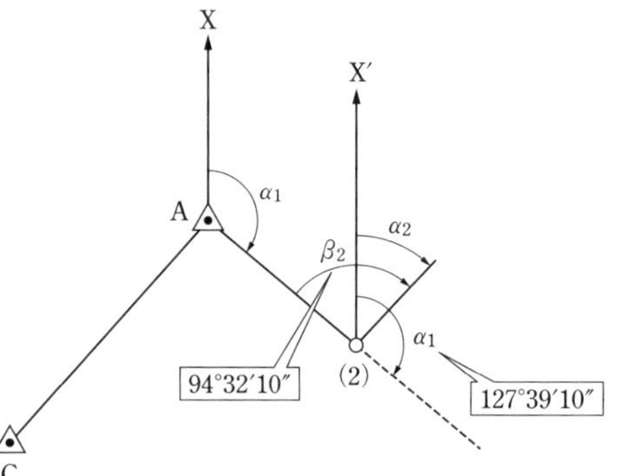

図 2

② 点(2)における点(1)の方向角α_2を求める（図 2）。一直線は 180° であるから，$\beta_2+\alpha_1-180°=\alpha_2$ で，

$$\alpha_2=\beta_2+\alpha_1-180°$$
$$=94°\ 32'\ 10''+127°\ 39'\ 10''-180°$$
$$=42°\ 11'\ 20''$$

③ 点(1)における点 B の方向角α_3を求める（図 3）。一直線は 180° であるから，$\beta_3+\alpha_2-180°=\alpha_3$ で，

$$\alpha_3=\beta_3+\alpha_2-180°$$
$$=273°\ 08'\ 50''+42°\ 11'\ 20''-180°$$
$$=135°\ 20'\ 10''$$

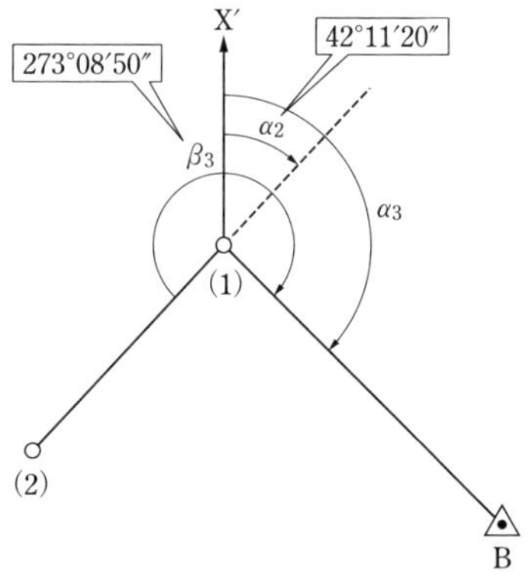

図 3

点(1)における点Ｂの方向角α_3は，135° 20′ 10″ である。

よって，最も近いものは4. である。

解答　**4.**

基本問題 6年 5年 4年 3年 2年 **元年** 30年 29年

問題 測定距離の補正計算

難易度 **普**

頻出度 低 ■■□□□□□□ 高

17 図に示すように，平たんな土地に点 A，B，C を一直線上に設けて，各点におけるトータルステーションの器械高と反射鏡高を同一にして距離測定を行った結果，器械定数と反射鏡定数の補正前の測定距離は，表のとおりである。表の測定距離に，器械定数と反射鏡定数を補正した AC 間の距離は幾らか。**最も近いもの**を次の中から選べ。

ただし，測定距離は気象補正済みとする。また，測定誤差は考えないものとする。

なお，関数の値が必要な場合は，巻末の関数表を使用すること。

1. 999.560 m
2. 999.570 m
3. 999.590 m
4. 999.610 m
5. 999.620 m

A B C

図

表

測定区間	測定距離（m）
AB	600.005 m
BC	399.555 m
AC	999.590 m

本問は，トータルステーションによって測定した AB 間，BC 間および AC 間の距離の結果を基に，器械定数と反射鏡定数の補正を行い，補正後の AC 間の距離を求める問題である。ここでは，図 1 のように器械定数と反射鏡定数の和 c が，それぞれの区間の測定に含まれていることを理解しておく。

解説

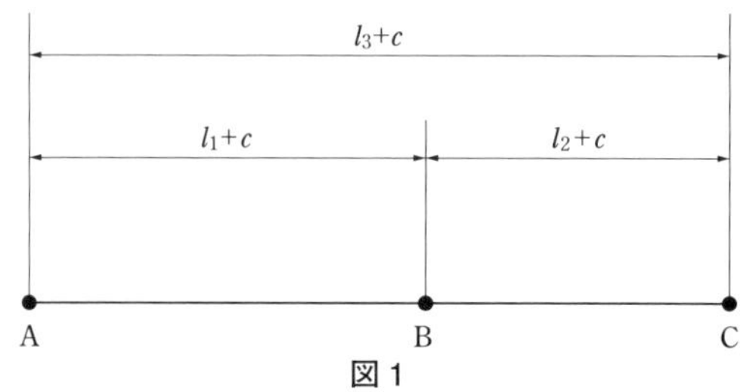

図 1

① 器械定数と反射鏡定数の和 c を求める。

$$(l_1 + c) + (l_2 + c) = (l_3 + c)$$
$$l_1 + l_2 + 2c = l_3 + c$$
$$2c = l_3 - (l_1 + l_2) + c$$
$$c = l_3 - (l_1 + l_2)$$

ここで，$l_1 = 600.005$ m，$l_2 = 399.555$ m，$l_3 = 999.590$ m

$$c = 999.590 - (600.005 + 399.555) = 0.030 \text{ m}$$

② 補正後の AC 間の距離を求める。

$$\text{AC 間の距離} = l_3 + c = 999.590 + 0.030 = 999.620 \text{ m}$$

よって，最も近いものは5. である。

解答　5.

基本問題 6年 5年 4年 3年 2年 元年 30年 29年

問題 偏心観測による基準面上の距離の計算

難易度 普

頻出度 低 ■■□□□□□□ 高

18 トータルステーションを用いた基準点測量において，既知点Aと新点Bの距離を測定しようとしたが，既知点Aから新点Bへの視通が確保できなかったため，新点Bの偏心点Cを設け，図に示す観測を行い，表の観測結果を得た。点A，B間の基準面上の距離 S は幾らか。**最も近いもの**を次の中から選べ。

ただし，ϕ は偏心角，T は零方向から既知点Aまでの水平角であり，点A，C間の距離 S' 及び偏心距離 e は基準面上の距離に補正されているものとする。

なお，関数の数値が必要な場合は，巻末の関数表を使用すること。

1. 815 m
2. 834 m
3. 854 m
4. 880 m
5. 954 m

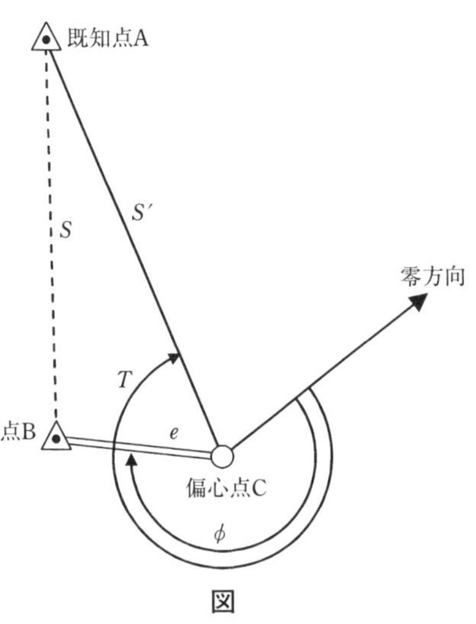

図

表

観測結果	
S'	900 m
e	100 m
T	314° 00′ 00″
ϕ	254° 00′ 00″

解く

本問は，既知点Aにトータルステーションをすえつけたとき，新点Bの視準ができなかったため，新点Bに偏心点Cを設けて観測した結果から，点A，B間の基準面上の距離を求める問題である。

ここでは，三角関数の第2余弦定理を用いて偏心補正の計算ができるようにしておく。☞ 要点8 参照

解説

きょう角αは，図１より，$\alpha = T - \phi$となる。

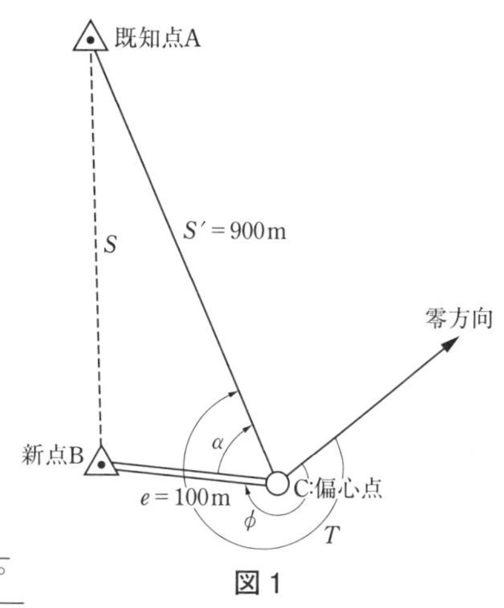

図１

ここで$T = 314°\,00'\,00''$，$\phi = 254°\,00'\,00''$を代入すると

$$\alpha = 314°\,00'\,00'' - 254°\,00'\,00'' = 60°$$

三角形CABにおいて，余弦定理を用いると，

$$S^2 = S'^2 + e^2 - 2 \times S' \times e \times \cos\alpha$$

ここで，$S' = 900\,\mathrm{m}$，$e = 100\,\mathrm{m}$，$\alpha = 60°$を代入すると

$$S^2 = 900^2 + 100^2 - 2 \times 900 \times 100 \times \cos 60°$$

$$S = \sqrt{900^2 + 100^2 - 2 \times 900 \times 100 \times \cos 60°}$$

$$= \sqrt{810000 + 10000 - 2 \times 900 \times 100 \times 0.50}$$

$$= \sqrt{820000 - 90000} = \sqrt{730000}$$

$$= \sqrt{73 \times 100 \times 100} = \sqrt{73} \times \sqrt{100} \times \sqrt{100}$$

$$= \sqrt{73} \times 10 \times 10 = \sqrt{73} \times 100$$

$$= 8.54400 \times 100 = 854.400\,\mathrm{m}$$

ここで，$\sqrt{73}$は巻末の平方根より，$\sqrt{73} = 8.54400$を用いた。

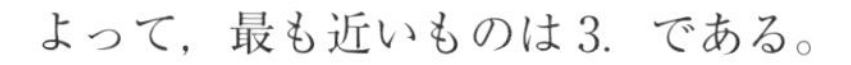

よって，最も近いものは3. である。

解答　3.

参考：余弦定理

任意の三角形ABCの各角に対して，対辺の長さをa, b, cとすれば，次の関係がある。

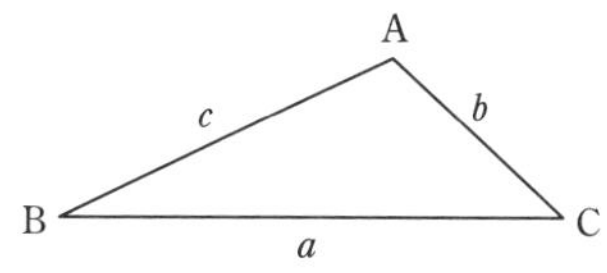

$$a^2 = b^2 + c^2 - 2bc\cos A \quad ①$$

$$b^2 = a^2 + c^2 - 2ac\cos B \quad ②$$

$$c^2 = a^2 + b^2 - 2ab\cos C \quad ③$$

基本問題 6年 5年 **4年** 3年 2年 元年 30年 29年

問題　偏心観測による水平角の計算

難易度 やや難

頻出度 低 ■■□□□□□□ 高

19 図は，トータルステーションによる偏心観測について示したものである。図のように，既知点Bにおいて，既知点Aを基準方向として新点C方向の水平角を測定しようとしたところ，既知点Bから既知点Aへの視通が確保できなかったため，既知点Aに偏心点Pを設けて，水平角 T'，偏心距離 e 及び偏心角 Φ の観測を行い，表の結果を得た。このとき，既知点A方向と新点C方向の間の水平角 T は幾らか。**最も近いもの**を次の中から選べ。

ただし，既知点A，B間の距離 S は，1,500 m であり，$\boldsymbol{S}$ 及び $\boldsymbol{e}$ は基準面上の距離に補正されているものとする。

また，角度1ラジアンは，$(2\times10^5)''$ とする。

なお，関数の値が必要な場合は，巻末の関数表を使用すること。

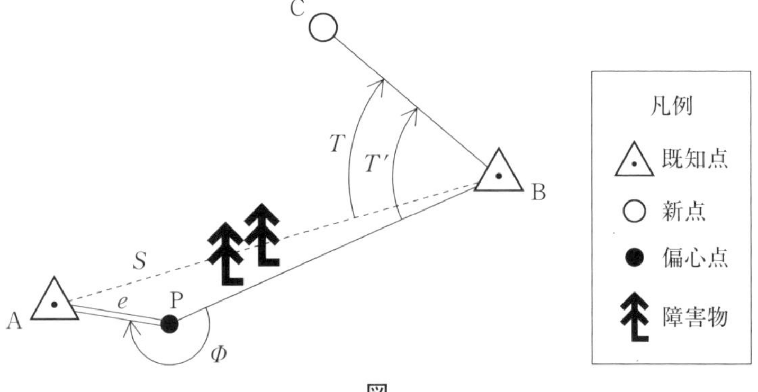

図

1. 50° 30′ 00″
2. 50° 32′ 00″
3. 50° 34′ 00″
4. 50° 36′ 00″
5. 50° 38′ 00″

表

Φ	210° 00′ 00″
e	2.70 m
T'	50° 41′ 00″

本問は，既知点Bに器械をすえつけたとき，既知点Aが視準できなかったため，偏心点Pを視準して観測した結果から，既知点A方向と新点C方向の間の水平角 T を求める問題である。ここでは，三角関

数の正弦定理を用いて偏心補正の計算ができるようにしておく。☞ 要点8 参照

解説

既知点 A 方向と新点 C 方向の間の水平角 T は，図１より，$T = T' - \delta$ となる。

ここで，$T' = 50°\,41'\,00''$ を代入すると，

$T = 50°\,41'\,00'' - \delta$　……①

角 α は，図１より，

$\angle\alpha = 360° - \Phi$

ここで，$\Phi = 210°\,00'\,00''$ を代入すると，

$\angle\alpha = 360° - 210° = 150°$

また，三角形 PBA において，正弦定理を用いると，

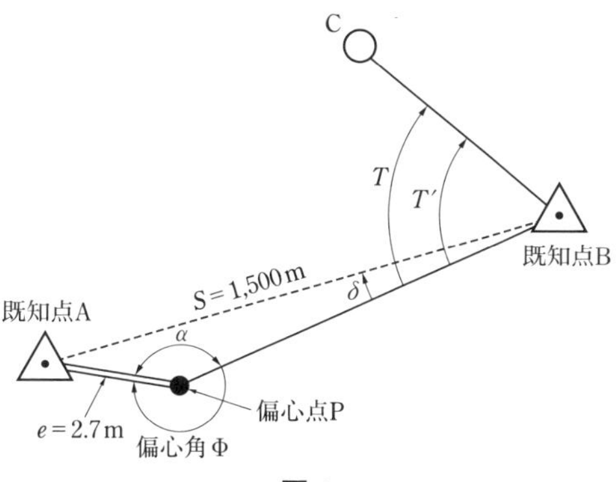

図１

$\dfrac{e}{\sin\delta} = \dfrac{S}{\sin\alpha}$　から

$e \times \sin\alpha = S \times \sin\delta$

$\sin\delta = \dfrac{e \times \sin\alpha}{S}$　……②

角 δ は，微小な角であるため，ラジアンという単位で角を表す弧度法に変換すると，$\sin\delta = \dfrac{\delta}{1\text{ラジアン}}$ となる。詳しくは，付録１の 要点2 で解説する。これを②式に代入すると，

$$\frac{\delta}{1\text{ラジアン}} = \frac{e \times \sin\alpha}{S}\quad\text{から}\quad \delta = \frac{e \times \sin\alpha}{S} \times 1\text{ラジアン}$$

ここで，$e = 2.7$ m，$\alpha = 150°$，$S = 1{,}500$ m，1 ラジアン $= 2'' \times 10^5$ を代入すると，

$$\delta = \frac{2.7\text{ m} \times \sin 150°}{1{,}500\text{ m}} \times 2'' \times 10^5$$

ここで，$\sin 150° = \sin(180° - 30°) = \sin 30° = 1/2$，$2'' \times 10^5 = 200{,}000''$

$$\delta = \frac{2.7 \times 1/2}{1{,}500} \times 200{,}000 = \frac{2.7}{3{,}000} \times 200{,}000'' = 0.9 \times 200'' = 180'' = 3'$$

$\delta = 3'$ を①式に代入すると，次となる。

$T = 50°\,41'\,00 - \delta = 50°\,41'\,00 - 3' = 50°\,38'\,00''$

よって，最も近いものは 5. である。

解答　5.

参考：正弦定理

任意の三角形 ABC の各角に対して，対辺の長さを a, b, c とすれば，

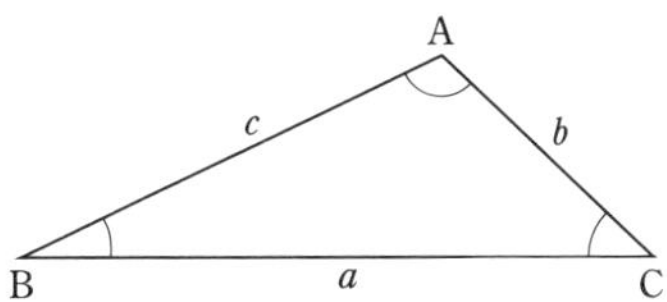

$$\frac{a}{\sin A}=\frac{b}{\sin B}=\frac{c}{\sin C}$$ の関係がある。

第３章 水準測量

「水準測量」の概要

水準測量とは，レベル・標尺・セオドライト・トータルステーションなどの機器を用いて，既知点に基づき新点である水準点の標高を定める作業のことである。

●水準測量　最新8年間の出題状況●

No.	年度／出題内容	基本問題	令和6	5	4	3	2	元	平成30	29
1	電子レベル・自動レベルの特徴								1	2
2	レベルの点検・調整	5			3			4		□
3	水準測量の誤差			6	7	□	8	□		□
4	水準測量の観測における留意点		9 10	11	12	□	□	13	□	
5	標尺補正		14			15	□		□	
6	標尺の傾き誤差			16						
7	再測区間の判定			17			18		□	
8	標高の重み・最確値				19	20		□		□

注）□は，その年度に出題された問題で，番号は，本書に掲載された問題番号を示す。

◆水準測量　令和6年度出題の特徴◆

関連No.	形　式	具体的な出題内容（特徴）	難易度
4	計　算	レベルの設置回数の計算	普
4	文　章	水準測量の観測における留意点	普
5	計　算	標尺補正後の高低差の計算	難
		合　計	3問

出題の要点

要点1　自動レベル・電子レベルの特徴

(1)　自動レベル（オートレベル）

整準ねじで円形気泡管を円形の中心に入れると，自動的に水平になる機能を有するレベルである。自動レベルは自動的に水平をつくり出す構造のため，直射日光の影響を受けず，日傘の必要がない。

点検・調整は，観測前に行う必要がある。

図１　オートレベル

(2)　電子レベル

電子レベルは，自動レベルの自動水平機能と高解像度を有するディジタルカメラを組み合わせた構造をしている。電子レベルはパターン認識を行うため，専用のバーコード式の標尺を使用することによって自動的に標尺の高さを読み取る。

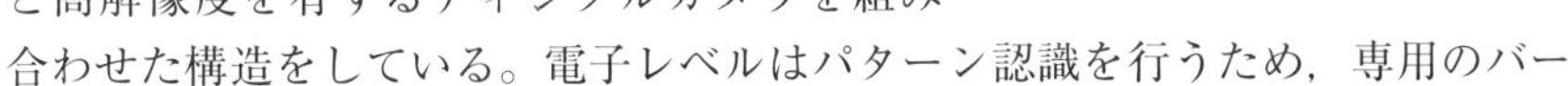

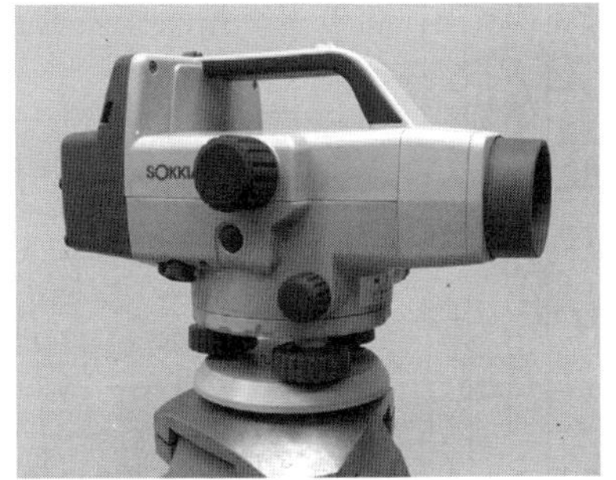

図２　電子レベル

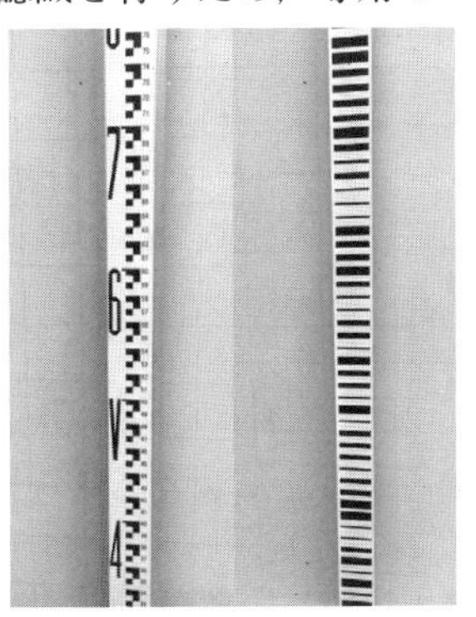

図３　標　尺

要点2　レベルの点検・調整

レベルは使用前に，杭打ち調整法により点検・調整を行う。

① 図４（左）のように，標尺Ａ，標尺Ｂを $L=30$ m 離して設置し，未調整レベルＡをその両標尺の中央に設置し，標尺Ａの読み a_1，標尺Ｂの読み b_1 を観測する。

② 次に，図４（右）のように，レベルＦを標尺Ａから $l=3$ m 離れた位置に設置し，標尺Ａの読み a_2 と標尺Ｂの読み b_2 を観測する。

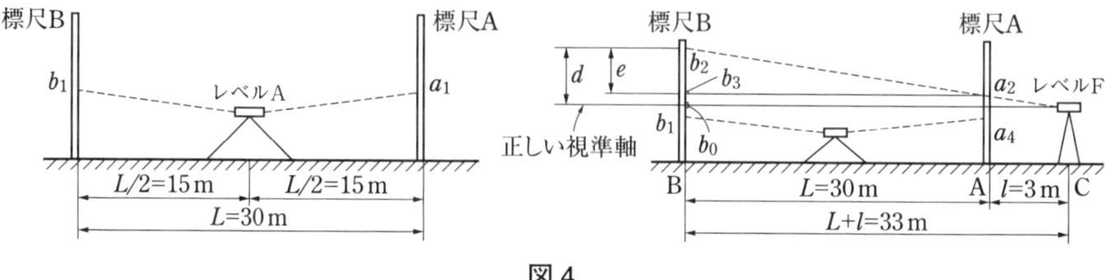

図 4

③　観測値 a_1，b_1，a_2，b_2 および L，l を用いて，正しい視準軸を求めるための b_0 の位置までの誤差 d を求める。

④　図より AB 間の高低差（b_1-a_1）を求める。

⑤　図より AB 間の高低差（b_2-a_2）を求める。

⑥　AB 間の視準軸誤差 $e=\{(b_1-a_1)-(b_2-a_2)\}$ を求める。

⑦　正しい視準軸とするため，標尺 B の正しい読み b_0 の値を求める。

図において，$\Delta a_2b_2b_3$ と ΔFb_2b_0 とは相似三角形で比例関係にある。したがって，

$$\frac{d}{e}=\frac{L+l}{L}\qquad \text{よって，}\quad d=\frac{L+l}{L}\times e$$

この d は BC 間の視準軸誤差であり，BC 間の視準軸誤差の補正量は（$-d$）だから，b_0 の値は次式のようになる。

$$\begin{cases} d=\dfrac{L+l}{L}\times\{(b_2-a_2)-(b_1-a_1)\} \\ b_0=b_2+(-d) \end{cases}$$

⑧　求めた b_0 になるように，十字線ねじで調整する。

要点3　水準測量の誤差

水準測量の誤差には，レベルや標尺に関する誤差，自然現象による誤差，人為的誤差がある。それぞれの誤差は，表 1 に示すように，できるだけ消去するか，小さくすることが必要である。

表１　水準測量による誤差と消去法

区　分	誤差の種類	原　因	消去・軽減
レベルに関する誤差	視準軸誤差	望遠鏡の視準軸と水平線が平行でないために生じる誤差。	視準距離を等しくする。（レベルを両標尺の中央に設置する。）
	鉛直軸誤差	鉛直軸が傾いているために生じる誤差。	三脚の特定の２脚と視準線とを常に平行にし，進行方向に対して左右交互に据え付け観測する。
	三脚の沈下誤差	弱い地盤に三脚をすえつけたために，三脚の沈下により生じる誤差。	三脚が沈下しないように堅固な場所に据え付ける。
標尺に関する誤差	標尺の沈下誤差	観測中に標尺の下の地盤沈下により生じる誤差。	標尺が沈下しないように堅固な場所に設置する。標尺台を使用する。
	標尺の零点誤差	標尺の底面が摩耗等により変形して正しい０（ゼロ）を示さないための誤差。	測定回数を偶数回とする。（出発点に立てた標尺を終点に立てる。）
	標尺の傾き誤差	標尺が鉛直に立てられていないために生じる誤差。	標尺を鉛直に立てるため鉛直気泡管を使用する。標尺を前後にゆっくり振り，目盛の最小値を読む。
自然現象による誤差	球　差	地球が球体であるために生じる誤差。	視準距離を等しくする。（レベルを両標尺の中央に設置する。）
	気　差	気温の変化に伴い大気密度の変化のために生じる光の屈折誤差。	視準距離を短くする。
	陽炎（かげろう）による誤　差	地表面近くでは，太陽により局所的に空気が熱せられ陽炎が発生し，歪む。	地表面，水面から視準線を離す。視準距離を短くする。
人為的誤差	読み取り誤差	標尺の目盛の読み間違いによる誤差。	読み取りミスがないように観測する。電子レベルを使用する。
	入力誤差	野帳の記入ミスや入力ミスによる誤差。	復唱確認を行う。

要点４　水準測量の観測における留意点

水準測量の観測では，次の点について留意しなければならない。

①　新点の観測は，永久標識設置後，24 時間以上経過してから行う。

② 読定値は，観測直後に記入し訂正してはならない。

③ 標尺は2本1組とし，往路復路での観測において出発点で使用する標尺を交換し，出発点で使用した標尺が終点で終わるようにレベルの据付け回数は偶数とする。

④ レベルはできる限り両標尺を結ぶ線上に設置し，視準距離を等しくするため両標尺の中央に据え付ける。

⑤ 標尺の最下部付近の視準は避けて観測する。

⑥ 1級水準測量および2級水準測量における視準線誤差等の点検調整は，観測期間中概ね10日ごとに行う。

⑦ 1日の観測は，既知の水準点で終わるようにする。やむを得ない場合は，移動・変化のない固定点で観測する。

表2 直接水準測量における視準距離

	1級水準測量	2級水準測量	3級水準測量	4級水準測量	簡易水準測量
視準距離	最大50 m	最大60 m	最大70 m	最大70 m	最大80 m

要点5 標尺補正

水準測量では，標尺を用いて鉛直距離（比高）を測定するため，標尺の定数と温度に対する伸縮補正を行わなければならない。これを標尺補正という。

標尺補正の計算は，以下の式で行う。

$$\Delta C = \{C_0 + (T - T_0) \times \alpha\} \times \Delta H$$

ただし，ΔC：標尺補正量［m］

C_0：基準温度における標尺定数［m］

T：観測時の測定温度［℃］（1級水準測量時）

20℃（2級水準測量時）

T_0：基準温度［℃］

α：膨張係数

ΔH：観測高低差［m］

なお。2級水準測量では，観測高低差が70 m以上のときだけ，標尺補正を行う。

要点6　再測区間の判定

(1)　較差の制限

水準測量は，各路線について往復観測をし，各区間ごとの較差は，作業規程に定めた許容範囲内になければならない。これを較差の制限という。級に応じた定数を M として，その制限 a［mm］は次のようである。

$a=M\sqrt{S}$　ここで，S は路線の片道の長さで，単位は km で表す。

たとえば，１級水準測量では $M=2.5$ mm であり，距離 $S=10$ km のある路線の往復の較差の許容差は，$a=2.5\times\sqrt{10}=8$ mm 以下となる。

このように，許容差は路線距離の長さの平方根 $\sqrt{S}$ に比例する。なお，較差は誤差なので，⊕や⊖でなく絶体値の大きさで比較する点に注意する。

(2)　環閉合差の制限

環閉合は，路線Ⅰ，Ⅱ，Ⅲ，Ⅳのように，出発点と終点を同じ既知点とするもので，出発点からの高低差の合計は理論上０となるが，一般に０とならない。この誤差の値が閉合差 e_1，e_2，e_3，e_4 である。この閉合差に対して，各路線の長さ S_1，S_2，S_3，S_4 とすると，各路線の許容差 $a_1=M\sqrt{S_1}$，$a_2=M\sqrt{S_2}$，$a_3=M\sqrt{S_3}$，$a_4=M\sqrt{S_4}$ となる。閉合差 e と許容差 a を比較することで，路線ごとの合否を判定する。

要点7　標高値の重み・最確値

直接水準測量により標高の最確値を求めるときは，路線長の逆数を重みとし加重平均する。

いま，図５に示すように，S_1，S_2，S_3 の３つの路線で，点Ｐの標高を観測したところ，各路線から求めた点Ｐの標高はそれぞれ H_{P1}，H_{P2}，H_{P3} のような値が求まり，一致しないのが普通である。そこで，この点Ｐの標高を求めるとき，各路線の重みとして，路線長 S の逆数 $1/S$ を重みとして加重平均し，その標高の最確値を求める。次式にこれを示す。

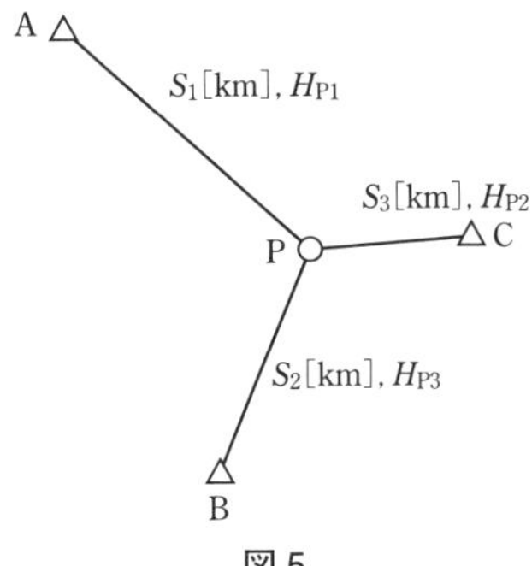

図５

$$p_1 : p_2 : p_3 = \frac{1}{S_1} : \frac{1}{S_2} : \frac{1}{S_3}$$

$$\text{点Pの最確値} = \frac{p_1 \times H_{P1} + p_2 \times H_{P2} + p_3 \times H_{P3}}{p_1 + p_2 + p_3}$$

基本問題 6年 5年 4年 3年 2年 元年 **30年** 29年

問題　電子レベルと自動レベルの特徴

難易度 易

頻出度 低 ■■□□□□□□ 高

1 次のa～dの文は，水準測量で使用するレベルについて述べたものである。［ア］～［エ］に入る語句の組合せとして**最も適当なもの**はどれか。次の中から選べ。

a.　電子レベルは，標尺のバーコード目盛を読み取り，標尺の読定値と［ア］を自動的に測定することができる。

b.　くい打ち法（不等距離法）により，自動レベルの［イ］を行うことができる。

c.　望遠鏡の［ウ］を調整し，十字線が明瞭に見えるようにしてから，目標物への焦点を合わせることで，視差による誤差を小さくできる。

d.　電子レベル及び自動レベルの点検調整では，チルチングレベルと同様に［エ］を調整する必要がある。

	ア	イ	ウ	エ
1.	距離	鉛直軸の調整	対物レンズ	円形気泡管
2.	標高	視準線の調整	対物レンズ	棒状気泡管
3.	比高	鉛直軸の調整	接眼レンズ	棒状気泡管
4.	比高	鉛直軸の調整	対物レンズ	円形気泡管
5.	距離	視準線の調整	接眼レンズ	円形気泡管

本問は，水準測量で使用する電子レベルおよび自動レベルの特徴を問う問題である。ここでは，レベルの点検調整を理解しておく。

解説

a.　電子レベルは，標高のバーコード目盛を読み取り，標尺の読定値と［ア　**距離**］を自動的に測定することができる。

電子レベルは，コンペンセータと高解像能力の電子画像処理機能を有しており，電子レベル専用標尺に刻まれたパターンを観測者の目の代わりとなる検出器で認識し，電子画像処理をして高さおよび距離を自動的に読み取るものである。

b.　くい打ち法（不等距離法）により，自動レベルの［イ　**視準線の調整**］を行うことができる。

c.　望遠鏡の**ウ　接眼レンズ**を調整し，十字線が明瞭に見えるようにしてから，目標物への焦点を合わせることで，視差による誤差を小さくできる。

接眼レンズで焦準が正しくないと，目を上下左右に動かしたとき目標の像が十字線に対して動いて見える。これを視差という。視差をなくすために望遠鏡を明るいところに向け，接眼レンズを動かして焦点を合わせるようにする。

d.　電子レベル及び自動レベルの点検調整では，チルチングレベルと同様に**エ　円形気泡管**を調整する必要がある。

レベルの円形水準器（気泡管）の調整は，鉛直軸を鉛直の状態に保つための調整である。特に，コンペンセータを保持している自動レベル，電子レベルにおいては，鉛直軸が鉛直の状態になっていない場合，大きな誤差を生じる要因の一つとなるため，十分な調整が必要である。

よって，ア：距離，イ：視準線の調整，ウ：接眼レンズ，エ：円形気泡管となり，5. が最も適当な組合せである。

解答　5.

基本問題 6年 5年 4年 3年 2年 元年 30年 **29年**

問題 電子レベルと自動レベルの特徴

難易度 やや易

頻出度 低 ■■□□□□□□ 高

2 次の文は，水準測量で使用するレベルと標尺について述べたものである。**明らかに間違っているもの**はどれか。次の中から選べ。

1. 自動レベルは，目盛を読み取る十字線が正しい位置にないことがあるので，視準線の点検調整を行う必要がある。
2. 自動レベルや電子レベルは，円形水準器の点検調整を行う必要がある。
3. 電子レベルは，標尺の傾きをバーコードから読み取り補正することができる。
4. 電子レベルとバーコード標尺は，セットで使用する。
5. 標尺付属の円形水準器は，鉛直に立てたときに，円形気泡が中心に来るように点検調整を行う必要がある。

本問は，水準測量で使用するレベルの特徴を問う問題である。
ここでは，レベルの点検調整，標尺補正について理解しておく。

解説

1. **正しい**　視準線の点検調整は，杭打ち調整法により行う。点検調整は観測手簿に記録し，1級水準測量および2級水準測量では，観測期間中おおむね10日ごとに行う。
2. **正しい**　レベルの円形水準器の調整は，鉛直軸を鉛直の状態に保つためのものである。特に，コンペンセータを保持している自動レベル・電子レベルにおいては，鉛直軸が鉛直の状態になっていない場合大きな誤差を生じる要因の一つとなるため，十分な調整が必要である。
3. **間違い**　電子レベルは，標尺が傾いている場合，誤差が生じるかエラー表示になってしまうため，**標尺付属の円形水準器で鉛直に正しく立てる**必要がある。
4. **正しい**　電子レベルとバーコード標尺は，メーカーごとに一対として使用する。
5. **正しい**　標尺付属円型水準器の点検調整は，下げ振りを用いて行う。標尺を正しく鉛直に立て，その状態で調整ねじにより付属水準器の気泡を中央に導くように調整する。

よって，明らかに間違っているものは，3. である。

解答 3.

基本問題 6年 5年 **4年** 3年 2年 元年 30年 29年

問題 レベルの杭打ち調整法

難易度 やや難

頻出度 低 ■■■□□□□□ 高

3 レベルの視準線を点検するために，図のようにA及びBの位置で観測を行い，表に示す結果を得た。この結果からレベルの視準線を調整するとき，Bの位置において標尺Ⅱの読定値を幾らに調整すればよいか。**最も近いもの**を次の中から選べ。

なお，関数の値が必要な場合は，巻末の関数表を使用すること。

1. 1.5579 m
2. 1.6250 m
3. 1.7002 m
4. 1.7021 m
5. 1.7044 m

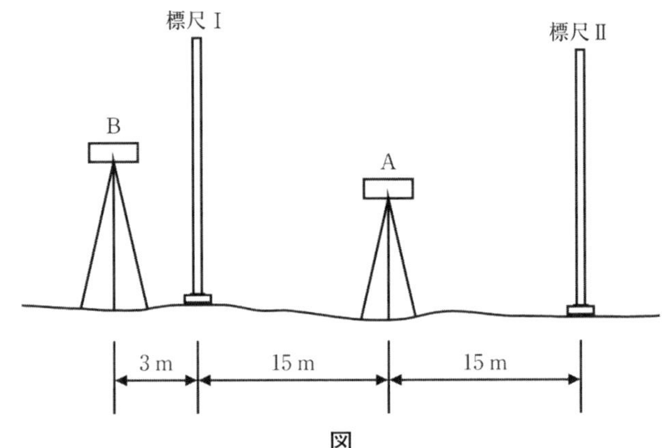

図

表

レベルの位置	読定値	
	標尺Ⅰ	標尺Ⅱ
A	1.4785 m	1.5558 m
B	1.6231 m	1.7023 m

本問は，杭打ち調整法によるレベルの視準線の点検調整を問う問題である。ここでは，視準軸誤差，標尺Ⅱの読定値の計算を理解しておく。

☞ 要点2 参照

解説

レベルＡとレベルＢから，標尺Ⅰと標尺Ⅱをそれぞれ読定したときの値は，図１のようになる。

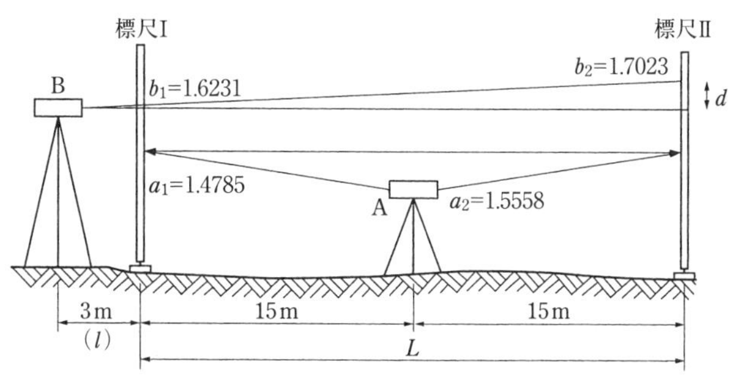

図１

レベルＡでの標尺Ⅰと標尺Ⅱの間の高低差（$a_1 - a_2$）を求める。

$$1.4785\ \mathrm{m} - 1.5558\ \mathrm{m} = -0.0773\ \mathrm{m}$$

レベルＢでの標尺Ⅰと標尺Ⅱの間の高低差（$b_1 - b_2$）を求める。

$$1.6231\ \mathrm{m} - 1.7023\ \mathrm{m} = -0.0792\ \mathrm{m}$$

標尺Ⅰと標尺Ⅱの間の視準軸誤差 e を求める。

$$e = (a_1 - a_2) - (b_1 - b_2) = -0.0773 - (-0.0792) = 0.0019$$

① 視準軸誤差の計算

$$d = \frac{L + l}{L} \times e = \frac{30 + 3}{30} \times 0.0019\ \mathrm{m} = 0.0021\ \mathrm{m}$$

② 標尺Ⅱの読定値 b_0 の計算

$$b_0 = b_2 - d = 1.7023 - 0.0021 = 1.7002\ \mathrm{m}$$

よって，最も近いものは3. である。

解答　3.

基本問題 | 6年 | 5年 | 4年 | 3年 | 2年 | 元年 | 30年 | 29年

問題 レベルの杭打ち調整法

難易度 難

頻出度 低 ■■■□□□□□ 高

4 レベルの視準線を点検するために，図に示すレベルの位置A及びBにて観測を行い，表の結果を得た。この結果からレベルの視準線を調整するとき，レベルの位置Bにおいて標尺Ⅱの読定値を幾らに調整すればよいか。**最も近いもの**を次の中から選べ。

ただし，読定誤差は考えないものとする。

なお，関数の値が必要な場合は，巻末の関数表を使用すること。

1. 1.3626m
2. 1.3716m
3. 1.3726m
4. 1.3979m
5. 1.4079m

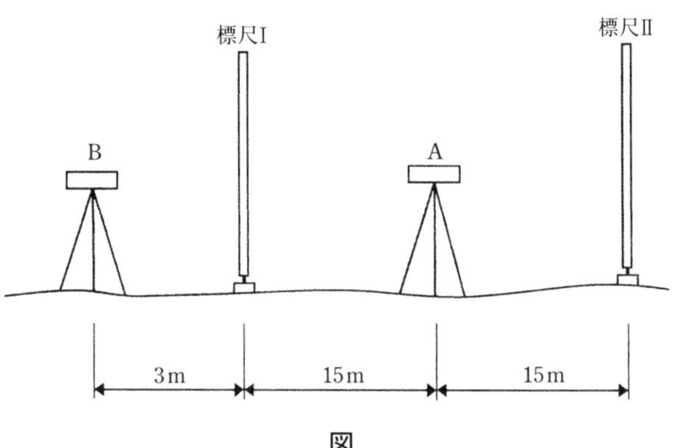

図

表

レベルの位置	標尺Ⅰの読定値（m）	標尺Ⅱの読定値（m）
A	1.5906	1.5543
B	1.4079	1.3616

本問は，杭打ち調整法によるレベルの視準線の点検調整を問う問題である。ここでは，視準軸誤差，標尺Ⅱの読定値の計算を理解しておく。

☞ 要点2 参照

解説

レベルＡとレベルＢから，標尺Ｉと標尺Ⅱをそれぞれ読定したときの値は，図１のようになる。

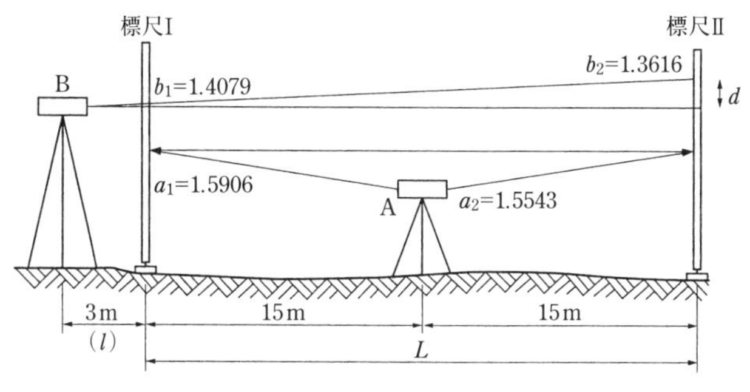

図１

レベルＡでの標尺Ｉと標尺Ⅱの間の高低差（$a_1 - a_2$）を求める。

$1.5906\ \mathrm{m} - 1.5543\ \mathrm{m} = 0.0363\ \mathrm{m}$

レベルＢでの標尺Ｉと標尺Ⅱの間の高低差（$b_1 - b_2$）を求める。

$1.4079\ \mathrm{m} - 1.3616\ \mathrm{m} = 0.0463\ \mathrm{m}$

標尺Ｉと標尺Ⅱの間の視準軸誤差 e を求める。

$e = (a_1 - a_2) - (b_1 - b_2) = 0.0363 - 0.0463 = -0.010\ \mathrm{m}$

① 視準軸誤差の計算

$$d = \frac{L + l}{L} \times e = \frac{30 + 3}{30} \times -0.010\ \mathrm{m} = -0.011\ \mathrm{m}$$

② 標尺Ⅱの読定値 b_0 の計算

$b_0 = b_2 - d = 1.3616 - (-0.011) = 1.3726\ \mathrm{m}$

よって，最も近いものは３．である。

解答　3.

基本問題 6年 5年 4年 3年 2年 元年 30年 29年

問題 レベルの杭打ち調整法

難易度 **難**

頻出度 低 ■■■□□□□□ 高

5 下図は不等距離法によるレベルの視準線の点検調整を模式的に表したものであり，次の文はその際に用いられる式の導き方を説明したものである。［ア］～［エ］に入る語句の組合せとして**最も適当なもの**はどれか。次の中から選べ。

ただし，点A～Eは標尺，レベルの視準線及び水平線により形成される三角形の各頂点，a 及び e はそれぞれ点A及びEにおける標尺の読定値を表すものとする。

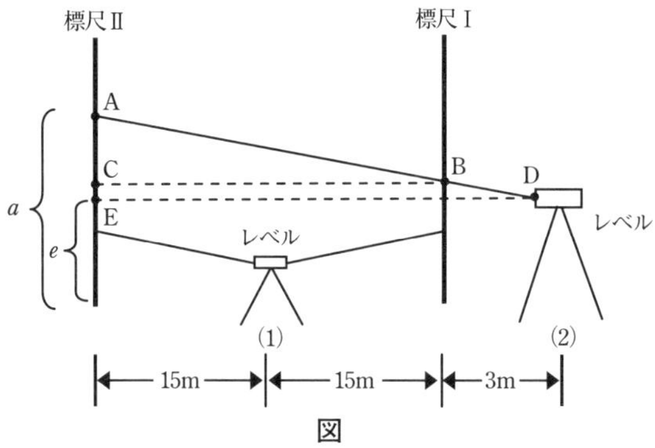

図

△ABCと△ADEは相似であるので，式1の関係が成り立つ。

AC：CB＝AE：［ア］　　　　式1

AEは標尺の読定値 a 及び e で表すことができる。また，標尺とレベルの位置関係から，CB及び［ア］に数値を代入すると，式1は式2のように書き換えられる。

AC：30 m＝［イ］：［ウ］　　　　式2

式2をeについて解くと，式3が得られる。

$e = a - 1.1 \times \mathrm{AC}$　　　　式3

レベルの視準線が水平でないとき，2本の標尺の中間である（1）から観測すれば，標尺Ⅰと標尺Ⅱの間の観測高低差に視準線誤差は含まれない。しかし，2本の標尺からの距離が等しくない（2）から観測した場合，標尺Ⅰと標尺Ⅱの間の観測高低差にACに相当する視準線誤差が含まれる。

（1）及び（2）での標尺Ⅰに対する標尺Ⅱの観測高低差をそれぞれ h_1 及び h_2

とすると，式３は式４のように書き換えられる。

$e=$ [エ]　　　　　　　　　　　式４

以上のことから，e の値は h_1，h_2 及び a から計算することができる。(2) から標尺Ⅱを観測した際の読定値 a が e になるように調整すれば，視準線は水平になることが分かる。

	ア	イ	ウ	エ
1.	ED	$a-e$	30 m	$a-1.1(h_1+h_2)$
2.	ED	$a+e$	33 m	$a-1.1(h_1-h_2)$
3.	ED	$a-e$	33 m	$a-1.1(h_1-h_2)$
4.	AD	$a+e$	33 m	$a-1.1(h_1+h_2)$
5.	AD	$a-e$	30 m	$a-1.1(h_1-h_2)$

第３章　水準測量

本問は，不等距離法（杭打ち調整法）によるレベルの視準線の点検調整を問う問題である。ここでは，杭打ち調整法の導き方を理解しておく。☞ 要点２ 参照

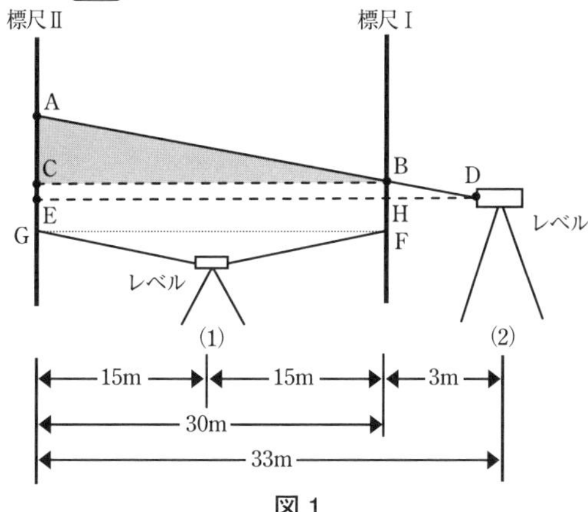

図１

解説

△ABC と△ADE は，互いに対応する角の角度が等しいから形は同じであり，すなわち相似であるので，式①の関係が成り立つ。

AC：CB＝AE：[ア：**ED**]　　　　　　　　　式①

AE は題意の図から，図２のように a および e で表すことができる。すなわち，　AE＝$a-e$

また，標尺とレベルの距離（位置）関係から，距離 CB＝15 m＋15 m＝30 m および距離 ED＝15 m＋15 m＋3 m＝33 m を，式①に代入すると，

$AC：30\,m =$ イ：$\boldsymbol{a-e}$ ： ウ：**33 m**　　式②

次に，式②を e について解く。

比の式は，「内側の項の掛け算＝外側の項の掛け算」であるから，式②は，$AC\times 33\ (m) = 30\ (m)\times(a-e)$ であり，

$$\frac{33\ (m)}{30\ (m)}\times AC = a - e$$

$$e = a - 1.1\times AC \qquad 式③$$

が得られる。

レベルの視準線が水平でないとき，2本の標尺の中間にある(1)からレベルで観測すれば，標尺Ⅰと標尺Ⅱの間の観測高低差に視準線誤差は含まれない。しかし，2本の標尺からの距離が等しくない(2)より観測した場合，標尺Ⅰと標尺Ⅱの間の観測高低差にACに相当する視準線誤差が含まれる。図2において，レベル(1)での標尺Ⅰおよび Ⅱの読みを「$\boldsymbol{b_1}$」「a_1」，レベル(2)での標尺Ⅰおよび Ⅱの読みを「$\boldsymbol{b_2}$」「a_2」とする。また，標尺Ⅰの読みBと，水平な関係にある標尺Ⅱの読みをCとする。CBとGFは平行な関係にあるので，CG＝BFとなる。

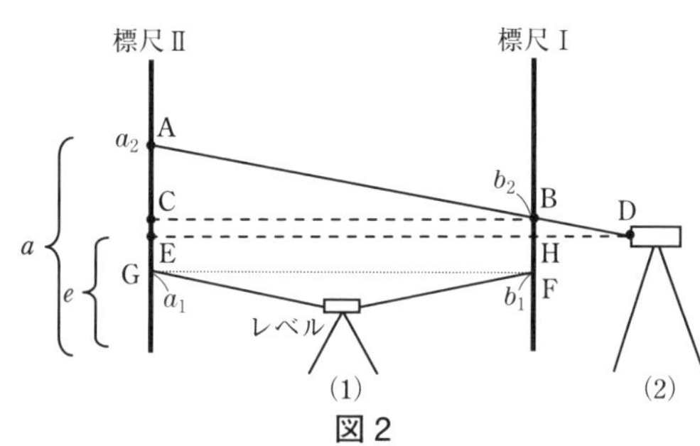

図2

$$AC = AG - CG = AG - BF$$
$$= (a_2 - a_1) - (b_2 - b_1) = a_2 - a_1 - b_2 + b_1$$
$$= (b_1 - a_1) - (b_2 - a_2)$$

$b_1 - a_1$ はレベル(1)での観測高低差 h_1，$b_2 - a_2$ はレベル(2)での観測高低差 h_2 となるので，　$AC = h_1 - h_2$

式③のACに代入すれば，式③は式④のように書き換えられる。

$$e = a - 1.1\times AC \qquad 式③$$
$$= \boxed{エ：\boldsymbol{a - 1.1\times (h_1 - h_2)}} \qquad 式④$$

以上のことから，e の値は h_1，h_2 および a から計算することができる。(2)から標尺Ⅱを観測した際の読定値 a が e になるように調整すれば，視準線は水平になることがわかる。

よって，ア：ED，イ：$a-e$，ウ：33 m，エ：$a - 1.1(h_1 - h_2)$ となり，3. が最も適当なものである。

解答　3.

基本問題　6年　**5年**　4年　3年　2年　元年　30年　29年

問題　水準測量の誤差

難易度　普

頻出度　低 ■■■■■■□□ 高

6 次の文は，水準測量の誤差について述べたものである。［ア］～［エ］に入る語句又は数値の組合せとして**最も適当なもの**はどれか。次の中から選べ。

a.　視準線誤差は，レベルと前視標尺，後視標尺の視準距離を［ア］することで消去できる。

b.　レベルの［イ］の傾きによる誤差は，三脚の特定の２脚を進行方向に平行に設置し，そのうちの１本を常に同一標尺の方向に向けて設置することで軽減できる。

c.　標尺の零点誤差は，測点数を［ウ］とすることで消去できる。

d.　公共測量における１級水準測量では，標尺の下方［エ］cm 以下を読定しないものとする。

	ア	イ	ウ	エ
1.	等しく	鉛直軸	偶数回	20
2.	短く	水平軸	奇数回	20
3.	等しく	水平軸	偶数回	10
4.	短く	鉛直軸	奇数回	10
5.	等しく	鉛直軸	奇数回	10

本問は，水準測量における誤差とその消去法・軽減法を問う問題である。ここでは，視準線誤差・鉛直軸誤差における誤差の原因，消去法・軽減法を理解しておく。☞ 要点3 参照

解説

a.　視準線誤差とは，視準線が視準軸に一致していないために生じる誤差である。

視準線誤差は，レベルと前視標尺，後視標尺の視準距離を［ア　**等しく**］することで消去できる。

b.　レベルの［イ　**鉛直軸**］の傾きによる誤差は，三脚の特定の２脚を進行方向に平行に設置し，そのうちの１本を常に同一標尺の方向に向けて設置することで軽減できる。

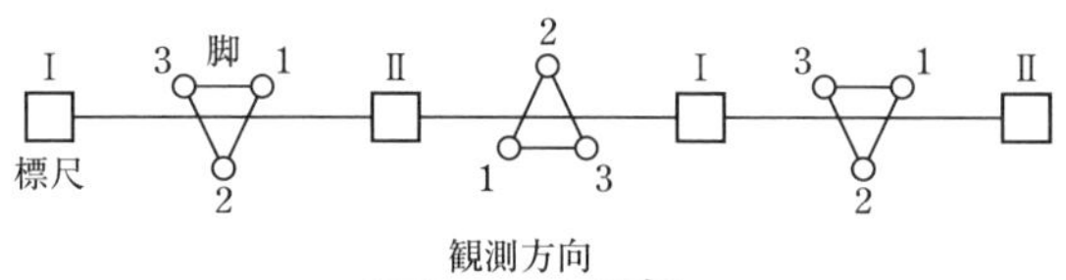

c.　零点誤差とは，底面が摩耗等により変形して正しい0（ゼロ）を示さないための誤差である。

標尺の零点誤差は，標尺を2本1組とし，測点数を **ウ　偶数回** とすることで消去できる。

d.　地表面に近いほど大気密度が大きく，光の屈折量が大きくなるので，公共測量における1級水準測量では，標尺の下方 **エ　20** cm以下を読定しない。

よって，ア：等しく，イ：鉛直軸，ウ：偶数回，エ：20となり，1. が最も適当な組合せである。

解答　1.

基本問題 | 6年 | 5年 | **4年** | 3年 | 2年 | 元年 | 30年 | 29年

問題　水準測量における誤差

難易度 普

頻出度 低 ■■■■■■□□ 高

7 次の a～e の文は，水準測量の誤差について述べたものである。［ア］～［オ］に入る語句の組合せとして**最も適当なもの**はどれか。次の中から選べ。

a. 標尺を２本１組とし，測点数を偶数とすることで，標尺の［ア］を軽減することができる。

b. レベルと標尺の間隔が等距離となるように整置して観測することで，［イ］を軽減することができる。

c. ［ウ］は，地球表面が湾曲しているために生じる誤差である。

d. 光の屈折による誤差を小さくするには，レベルと標尺の距離を［エ］して観測する。

e. 公共測量におけるレベルによる水準測量において，往復観測値の較差の許容範囲は，観測距離の［オ］に比例する。

	ア	イ	ウ	エ	オ
1.	零点誤差	視準線誤差	球差	長く	二乗
2.	目盛誤差	視準線誤差	気差	短く	平方根
3.	零点誤差	鉛直軸誤差	球差	長く	二乗
4.	零点誤差	視準線誤差	球差	短く	平方根
5.	目盛誤差	鉛直軸誤差	気差	長く	二乗

本問は，水準測量における誤差とその消去法・軽減法を問う問題である。ここでは，視準線誤差・鉛直軸誤差における誤差の原因，消去法・軽減法を理解しておく。☞ 要点3 参照

解説

a. 標尺を２本１組とし，測点数を偶数とすることで，標尺の［**ア．零点誤差**］を軽減ができる。零点誤差とは，底面が摩耗等により変形して正しい０（ゼロ）を示さないための誤差である。

b. レベルと標尺の間隔が等距離となるように整置して観測することで，［**イ．視準線誤差**］を軽減することができる。視準線誤差とは，望遠鏡の視準軸と水平線が平行でないために生じる誤差である。

鉛直軸誤差とは，水準儀の鉛直軸の傾斜による誤差という。

c. **ウ．球差** は，地球表面が湾曲しているために生じる誤差をいい，視準距離を等距離にすることで，誤差を消去することができる。また，気差は光が大気中を通過するとき，大気の密度差によって生じる光の屈折誤差をいい，視準距離を短くし，視準距離を等しくすることで，誤差を小さくすることができる。

d. 光の屈折による誤差を小さくするには，レベルと標尺の距離を **エ．短く** して観測する。

e. 水準測量における往復観測差の転差の許容範囲は，1 級水準測量が 2.5 mm $\sqrt{S}$，2 級水準測量が 5 mm $\sqrt{S}$ であり，観測距離 S（片道，km 単位）の **オ．平方根** に比例する。

よって，ア：零点誤差，イ：視準線誤差，ウ：球差，エ：短く，オ：平方根となり，4. が最も適当な組合せである。

解答 4.

基本問題 | 6年 | 5年 | 4年 | 3年 | **2年** | 元年 | 30年 | 29年

問題　水準測量の誤差

難易度　やや難

頻出度　低 ■■■■■■□□ 高

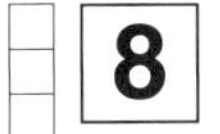

8 次のa～eの文は，水準測量における誤差について述べたものである。**明らかに間違っているもの**だけの組合せはどれか。次の中から選べ。

a.　レベルと標尺の間隔が等距離となるように整置して観測することで，視準線誤差を消去できる。

b.　標尺を２本１組とし，測点数を偶数にすることで，標尺の零点誤差を消去できる。

c.　傾斜地において，標尺の最下部付近の視準を避けて観測すると，大気による屈折誤差を小さくできる。

d.　レベルと標尺との距離を短くし，レベルと標尺の間隔が等距離となるように整置して観測することで，両差を小さくできる。

e.　レベルの望遠鏡を常に特定の標尺に対向させてレベルを整置し観測することで，鉛直軸誤差を小さくできる。

1.　a，e
2.　bのみ
3.　c，d
4.　eのみ
5.　間違っているものはない

本問は，水準測量における誤差を問う問題である。ここでは，水準測量における誤差の種類とその消去方法を理解しておく。

☞ 要点3 参照

解説

a.　**正しい**　視準線誤差は，視準線が視準軸に一致していないために生じる誤差をいい，視準距離を等しく観測することで，誤差を消去できる。

b.　**正しい**　標尺の零点誤差は，標尺を２本１組とし，レベルのすえつけ回数を偶数回にすることで，誤差を消去できる。

c.　**正しい**　大気による屈折誤差は，標尺の最下部付近の視準を避けて観測することで，誤差を小さくできる。

d.　**正しい**　両差とは，球差と気差を合わせたものをいう。球差は地球が球体であるために生じる誤差をいい，視準距離を等しくすることで，誤差を消去することができる。また，気差は光が大気中を通過するとき，大気の密度差によって生じる光の屈折誤差をいい，視準距離を短くし，視準距離を等しくすることで，誤差を小さくできる。

e.　**正しい**　鉛直軸誤差は，水準儀の鉛直軸の傾斜による誤差をいう。自動レベルで円形水準器の気泡を中央に導くときは，望遠鏡を常に特定の標尺に向けて行うことで，鉛直軸誤差を小さくできる。

よって，間違っているものはなく，正解は5. である。

解答　**5.**

基本問題 **6年** 5年 4年 3年 2年 元年 30年 29年

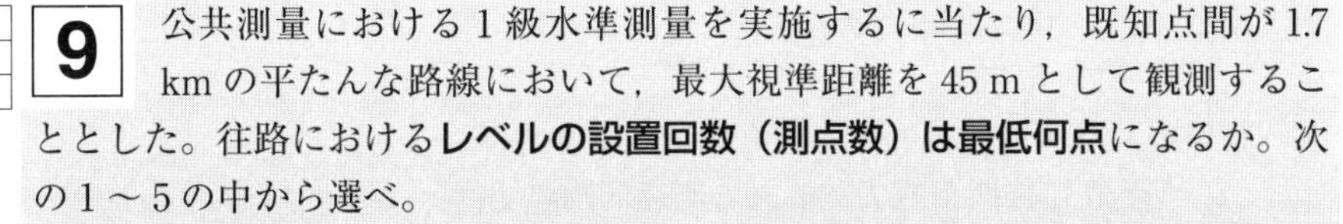

問題　レベルの設置回数の計算

難易度 普

頻出度 低 ■■■■■■■■ 高

9 公共測量における１級水準測量を実施するに当たり，既知点間が1.7 kmの平たんな路線において，最大視準距離を45 mとして観測することとした。往路における**レベルの設置回数（測点数）は最低何点**になるか。次の１～５の中から選べ。

ただし，全測点において視通や観測時の環境条件を考えずにレベルを設置できるものとする。

なお，関数の値が必要な場合は，巻末の関数表を使用すること。

1.　18点
2.　19点
3.　20点
4.　38点
5.　39点

本問は，既知点間が1.7 kmの平たんな路線において，１級水準測量の最大視準距離を45 mとして観測したとき，往路のレベルの設置回数（測点数）を求める問題である。ここでは，図のように，レベルは最大視準距離は，レベルから標尺までの距離であることを理解しておく。☞ 要点4 参照

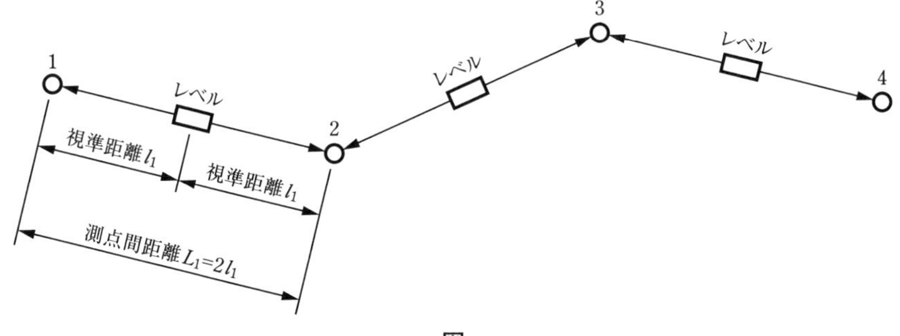

図

解説

① 最大の測点間距離 L を求める。

レベルは，前視標尺と後視標尺の視準距離を等しくなるよう設置することが，公共測量作業規程の準則で規定されている。

したがって，最大の測点間距離 L は，1 回のレベル設置における最大視準距離の 2 倍となるので，

$L_1 = 2 \times l_1 = 2 \times 45 = 90\ \mathrm{m}$

② 往路のレベルの設置回数（測点数）N を求める。

N = 既知点間距離 L ÷ 最大の測点間距離 L_1

= 1700 ÷ 90 = 18.88 ≒ 19 回（点）

レベルの設置回数（測点数）は偶数とすることが，公共測量作業規程の準則で規定されているので，20 回（点）となる。

よって，レベルの設置回数（測点数）は，3. である。

解答 3.

基本問題 **6年** 5年 4年 3年 2年 元年 30年 29年

問題　水準測量の観測における留意点

難易度 普

頻出度 低 ■■■■■■■■ 高

10 次の１～５の文は，公共測量における水準測量を実施するときに留意すべき事項について述べたものである。**明らかに間違っているもの**はどれか。次の１～５の中から選べ。

1. 標尺は２本１組とし，往路及び復路の出発点で立てる標尺を同じにする。
2. 手簿に記入した読定値及び水準測量作業用電卓に入力した観測データは，訂正してはならない。
3. 前視標尺と後視標尺の視準距離は等しくし，レベルはできる限り両標尺を結ぶ直線上に設置する。
4. 水準点間の測点数が多い場合は，適宜固定点を設け，往路及び復路の観測に共通して使用する。
5. １級水準測量においては，観測は１視準１読定とし，後視，前視，前視，後視の順に標尺を読定する。

本問は，公共測量における水準測量を実施するときの留意点を問う問題である。ここでは，水準測量で使用するレベルや標尺の取り扱いを理解しておく。☞要点４参照

解説

1. **間違い**　水準測量で使用する標尺は２本１組とし，往路観測と復路観測では，出発点で使用する**標尺を入れ替えて観測する**。
2. **正しい**　手簿に記入した読定値および水準測量作業用電卓に入力した観測データは，観測に作為がないことを明らかにするために，訂正してはならない。誤記や誤読などがある場合は，その測点の観測そのものを全てやり直し，その結果を次の欄に記入する。
3. **正しい**　前視標尺と後視標尺の視準距離は等しくして，レベルはできる限り両標尺を結ぶ直線上に設置する。
4. **正しい**　往復観測を行う水準測量において，水準点間の測点数が多いときは，適宜固定点を設けて，往路および復路の観測に共通して使用する。

5.　**正しい**　1級水準測量において，観測は1回の視準調整で目盛を1回読み取る「1視準1読定」とし，**後視→前視→前視→後視**の順に標尺を読定する。

よって，明らかに間違っているものは，1. である。

解答　1.

基本問題 | 6年 | **5年** | 4年 | 3年 | 2年 | 元年 | 30年 | 29年

問題　水準測量の観測における留意点

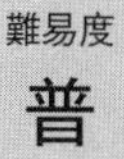

難易度　普

頻出度　低 ■■■■■■■■■ 高

11 次の a～e の文は，公共測量における１級水準測量について述べたものである。**明らかに間違っているもの**だけの組合せはどれか。次の中から選べ。

a.　三脚の沈下による誤差を軽減するため，標尺を後視，後視，前視，前視の順に読み取る。

b.　標尺補正のための温度測定は，観測の開始時，終了時及び固定点到着時ごとに実施する。

c.　電子レベルの点検調整においては，円形水準器及び視準線の点検調整並びにコンペンセータの点検を行う。

d.　点検調整は，観測着手前と観測期間中おおむね 10 日ごとに実施する。

e.　正標高補正計算を行うため，気圧を測定する。

1.　a，b
2.　a，e
3.　b，c
4.　c，d
5.　d，e

本問は，公共測量における１級水準測量を実施するときの留意点を問う問題である。ここでは，三脚の沈下による誤差を軽減するための標尺の読定順序，機器の点検調整，正標高補正計算を理解しておく。

☞ 要点4 参照

解説

a.　**間違い**　三脚の沈下による誤差を軽減するため，標尺の読定は，**後視→前視→前視→後視**の順で観測する。

b.　**正しい**　標尺補正のための温度測定は，観測の開始時，終了時及び固定点到着時ごとに，気温を１度単位で測定する。

c.　**正しい**　電子レベルの点検調整では，円形水準器及び視準線の点検調整のほかに，コンペンセータ（自動補償装置）の点検を行う。自動レベルは，内蔵するコンペンセータによって，望遠鏡の多少の傾きに関わらず，常に自動的に視準線を水平にすることができる。

d. **正しい** 点検調整は，機器の調整不備による観測誤差を除くため，作業者が観測着手前および観測期間中おおむね10日ごとに行う。

e. **間違い** 正標高補正計算は，各水準点における地表重力値を用いて，水準測量によって得られた高低差を厳密な高低差に変換するものである。各水準点の地表重力値を求めるには，**緯度，経度および標高**を測定する。

よって，明らかに間違っているものは，aとeであり，2. の組合せが正しい。

解答 2.

基本問題 | 6年 | 5年 | **4年** | 3年 | 2年 | 元年 | 30年 | 29年

問題　水準測量の観測における留意点

難易度　易

頻出度　低 ■■■■■■■■■ 高

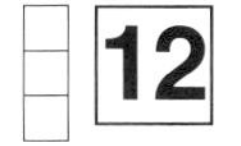

12　次の文は，水準測量を実施するときに留意すべき事項について述べたものである。**明らかに間違っているもの**はどれか。次の中から選べ。

1.　レベル及び標尺は，作業期間中においても適宜，点検及び調整を行う。
2.　標尺は２本１組とし，往路及び復路の出発点で立てる標尺を同じにする。
3.　往復観測を行う水準測量において，水準点間の測点数が多い場合は，適宜，固定点を設け，往路及び復路の観測に共通して使用する。
4.　自動レベル及び電子レベルについては，円形水準器及び視準線の点検調整のほかに，コンペンセータの点検を行う。
5.　三脚の２脚を進行方向に平行に設置し，そのうちの特定の１本を常に同一の標尺に向けて整置する。

本問は，水準測量を実施するときの留意点を問う問題である。ここでは，水準測量で使用するレベルや標尺の取り扱いを理解しておく。

☞要点4参照

解説

1.　**正しい**　レベル及び標尺は，作業着手前及び作業期間中に適宜，点検及び調整を行わなければならない。

2.　**間違い**　標尺は２本１組とし，往路観測と復路観測では，出発点で使用する**標尺を入れ替えて観測**する。

3.　**正しい**　往復観測を行う水準測量において，水準点間の測点数が多い場合は，適宜固定点を設け，往路及び復路の観測に共通して使用しなければならない。

4.　**正しい**　自動レベル・電子レベルは，観測着手前に，円形水準器及び視準線の点検調整，コンペンセータの点検を行わなければならない。

5.　**正しい**　レベルを支持する三脚は，特定の２脚と視準線とを常に平行にし，進行方向に対して左右交互に整置する。レベルの整準は，望遠鏡を特定の標尺に向けて行い観測する。

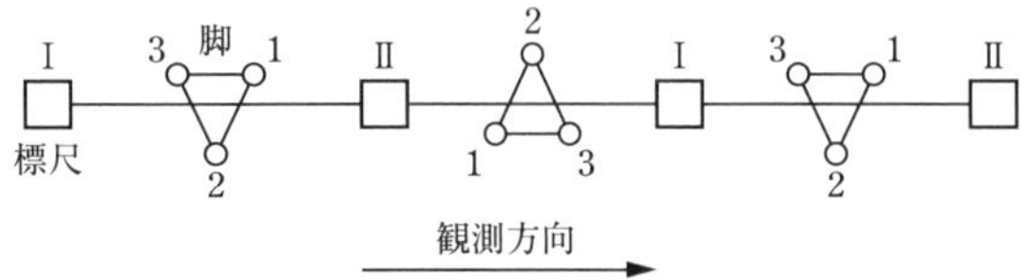

よって，明らかに間違っているものは，2である。

2.

基本問題 | 6年 | 5年 | 4年 | 3年 | 2年 | **元年** | 30年 | 29年

問題　水準測量で使用するレベルの視準距離

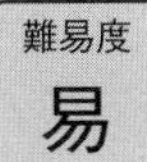

難易度　易

頻出度　低 ■■■■■■■■ 高

13 公共測量において３級水準測量を実施していたとき，レベルで視準距離を確認したところ，前視標尺までは 70 m，後視標尺までは 72 m であった。**観測者が取るべき処置**を次の中から選べ。

1. 前視標尺をレベルから２m 遠ざけて整置させる。
2. レベルを後視方向に１m 移動し整置させる。
3. レベルを後視方向に２m 移動し整置させ，前視標尺をレベルの方向に３m 近づけ整置させる。
4. レベルを後視方向に３m 移動し整置させ，前視標尺をレベルの方向に４m 近づけ整置させる。
5. そのまま観測する。

本問は，水準測量の観測における留意点を問う問題である。

ここでは，レベルのすえつけと視準距離を理解しておく。

☞ 要点4 参照

解説

水準測量における観測では，次の点について留意しなければならない。

① 新点の観測は，永久標識設置後，24 時間以上経過してから行う。

② 標尺は，２本１組とし，往路復路での観測において出発点で使用する標尺を交換し，出発点で使用した標尺が終点で終わるようにレベルの据え付け回数は偶数とする。

③ レベルはできる限り両標尺を結ぶ線上に設置し，視準距離を等しくするため両標尺の中央に据え付ける。

④ 標尺の最下部付近の視準は避けて観測する。

⑤ 作業規程で決められている視準距離内とする。３級水準測量の場合，最大の視準距離は 70 m となっている。

	１級水準測量	２級水準測量	３級水準測量	４級水準測量	簡易水準測量
視準距離	最大 50 m	最大 60 m	最大 70 m	最大 70 m	最大 80 m

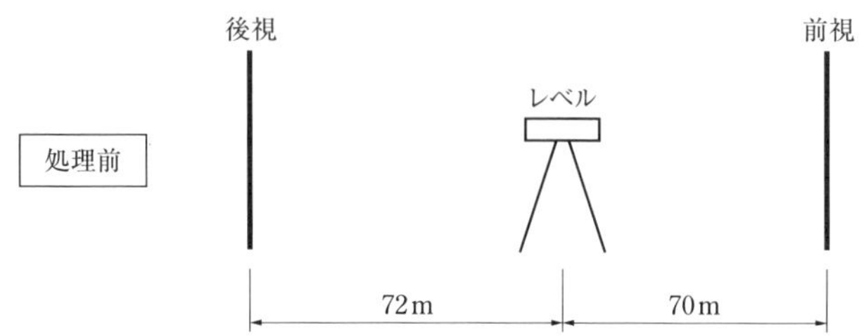

1. **間違い**　前視標尺をレベルから 2 m 遠ざけて整置させると，レベルから両標尺までの視準距離は 72 m となるが，最大の視準距離 70 m を超える。
2. **間違い**　レベルを後視方向に 1 m 移動し整置させると，レベルから両標尺までの視準距離は 71 m となるが，最大の視準距離 70 m を超える。
3. **間違い**　レベルを後視方向に 2 m 移動し整置させ，前視標尺をレベル方向に 3 m 近づけ整置させると，レベルから後視標尺までの視準距離は 70 m，レベルから前視標尺までの視準距離は 69 m となり，視準距離が等しくない。
4. **正しい**　レベルを後視方向に 3 m 移動し整置させ，前視標尺をレベルの方向に 4 m 近づけ整置させると，レベルから両標尺までの視準距離は 69 m となり，かつ，最大の視準距離 70m を超えていない。

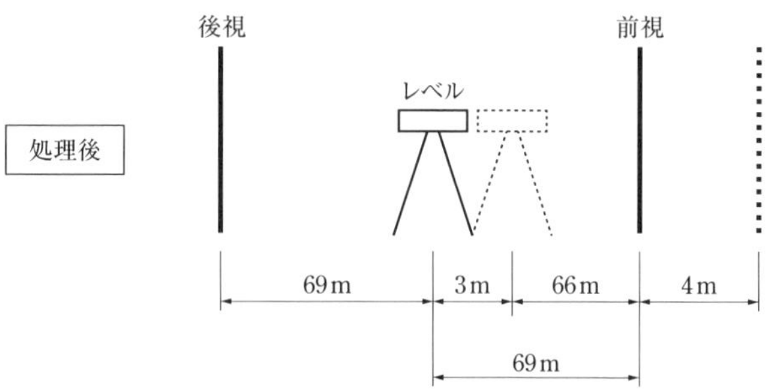

5. **間違い**　そのまま観測すると，レベルから両標尺までの視準距離が等しくない。

よって，取るべき処置は，4. である。

解答　**4.**

基本問題　**6年**　5年　4年　3年　2年　元年　30年　29年

問題　標尺補正後の高低差の計算

難易度　難

頻出度　低 ■■■■□□□□ 高

14　公共測量により水準点A，B間で１級水準測量を実施し，表に示す結果を得た。温度変化による標尺の伸縮の影響を考慮し，使用する標尺に対応する標尺補正計算を行った後の水準点A，B間の観測高低差は幾らか。**最も近いもの**を次の１～５の中から選べ。

ただし，観測に使用した標尺の標尺改正数は，20℃ において＋10 μm/m，膨張係数は＋1.5×10^{-6}/℃ とする。

なお，関数の値が必要な場合は，巻末の関数表を使用すること。

表

路線方向	観測距離	観測高低差	気温の平均値
A → B	2.0 km	−50.0000 m	28℃

1.　−50.0046 m
2.　−50.0011 m
3.　−50.0005 m
4.　−49.9999 m
5.　−49.9989 m

本問は，水準測量の標尺補正を行った後の観測高低差を求める問題である。ここでは，標尺補正量の計算方法を理解しておく。

☞ 要点5 参照

解説

標尺補正量ΔCは，公共測量作業規程の準則により次式で求めることができる。

$$\Delta C = \{C_0 + (T - T_0) \times \alpha\} \times \Delta H$$

ただし，ΔC：標尺補正量［m］

C_0：基準温度における標尺定数［m］

T：観測時の測定温度［℃］

T_0：基準温度［℃］

α：膨張係数

ΔH：観測高低差［m］

基準 20℃ における標尺定数 $C_0 = +10$ ［μm/m］

$= 10.0 \times 10^{-6}$ ［m/m］ $= 1.0 \times 10^{-5}$ ［m/m］

温度差 $T - T_0 =$ 測定温度 − 基準温度 = 28℃ − 20℃ = 8℃

膨張係数 $\alpha = +1.5 \times 10^{-6}$ ［/℃］

AB 間の高低差 $\Delta H = -50.0000$ m

以上を公式に代入すると，

$$\Delta C = \{1.0 \times 10^{-5} + (28 - 20) \times 1.5 \times 10^{-6}\} \times (-50.0000)$$
$$= \{1.0 \times 10^{-5} + 1.2 \times 10^{-5}\} \times (-50.0000)$$
$$= 2.2 \times 10^{-5} \times (-50.0000)$$
$$= -1.1 \times 10^{-3} = -0.0011 \text{ [m]}$$

補正後の観測高低差 $= -50.0000 - 0.0011$

$= -50.0011$ ［m］

よって，最も近いものは 2. である。

解答 2.

基本問題　6年　5年　4年　**3年**　2年　元年　30年　29年

問題　標尺補正後の高低差の計算

難易度　やや難

頻出度　低 ■■■■□□□□ 高

15 公共測量により，水準点A，Bの間で１級水準測量を実施し，表に示す結果を得た。温度変化による標尺の伸縮の影響を考慮し，使用する標尺に対して標尺補正を行った後の，水準点A，B間の観測高低差は幾らか。**最も近いもの**を次の中から選べ。

ただし，観測に使用した標尺の標尺改正数は，20℃ において１m 当たり -8.0×10^{-6} m，膨張係数は $+1.0\times10^{-6}$/℃ とする。

なお，関数の値が必要な場合は，巻末の関数表を使用すること。

表

観測路線	観測距離	観測高低差	気温の平均値
A → B	1.8 km	+40.0000 m	23℃

1.　+39.9991 m
2.　+39.9996 m
3.　+39.9998 m
4.　+40.0000 m
5.　+40.0004 m

本問は，水準測量の標尺補正を行った後の観測高低差を求める問題である。ここでは，標尺補正量の計算方法を理解しておく。

☞ 要点5 参照

解説

標尺補正量 ΔC は，公共測量作業規程の準則により次式で求めることができる。

$$\Delta C = \{C_0 + (T - T_0) \times \alpha\} \times \Delta H$$

ただし，ΔC：標尺補正量［m］

C_0：基準温度における標尺定数［m］

T：観測時の測定温度［℃］

T_0：基準温度［℃］

α：膨張係数

ΔH：観測高低差［m］

基準温度 20℃ における標尺定数　$C_0 = -8.0 \times 10^{-6}$［m/m］

温度差 $T - T_0$ = 測定温度 − 基準温度 = 23℃ − 20℃ = 3℃

膨張係数　$\alpha = +1.0 \times 10^{-6}$［/℃］

A B 間の高低差　$\Delta H = +40.000$ m

以上を公式に代入すると，

$$\begin{aligned}\Delta C &= \{-8.0 \times 10^{-6} + (23-20) \times 1.0 \times 10^{-6}\} \times (+40.000) \\ &= \{-8.0 \times 10^{-6} + 3 \times 10^{-6}\} \times (+40.000) \\ &= -5.0 \times 10^{-6} \times (+40.000) \\ &\fallingdotseq -2.0 \times 10^{-4} = -0.0002[\mathrm{m}]\end{aligned}$$

補正後の観測高低差 = +40.000 − 0.0002

= +39.9998［m］

よって，最も近いものは3. である。

解答 3.

基本問題 | 6年 | **5年** | 4年 | 3年 | 2年 | 元年 | 30年 | 29年

問題　標尺の傾きによる誤差の計算

難易度 **難**

頻出度 低 ■□□□□□□□ 高

16 図は，水準測量における観測の状況を示したものである。標尺の長さは3mであり，図のように標尺がレベル側に傾いた状態で測定した結果，読定値が1,500mであった。標尺の上端が鉛直に立てた場合と比較してレベル側に水平方向に0.210mずれていたとすると，標尺の傾きによる誤差は幾らか。**最も近いもの**を次の中から選べ。

なお，関数の値が必要な場合は，巻末の関数表を使用すること。

1.　4mm
2.　10mm
3.　14mm
4.　20mm
5.　24mm

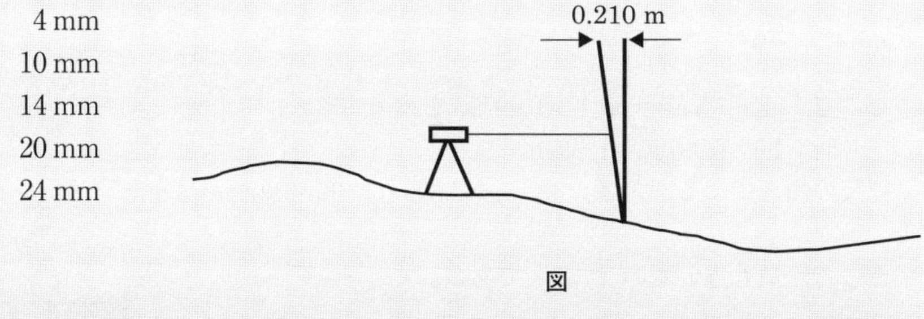

図

本問は，水準測量において，標尺がレベル側に傾いた状態で測定したとき，標尺の傾きによる誤差を求める問題である。ここでは，三角関数を用いて標尺の傾きによる誤差の計算ができるようにしておく。☞付録1 要点3 参照

解説

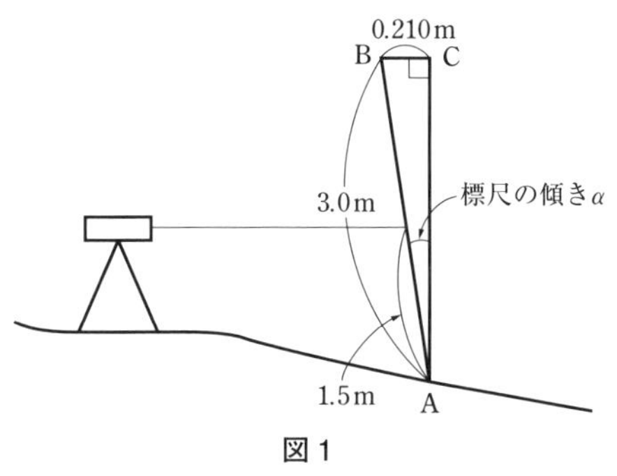

図1

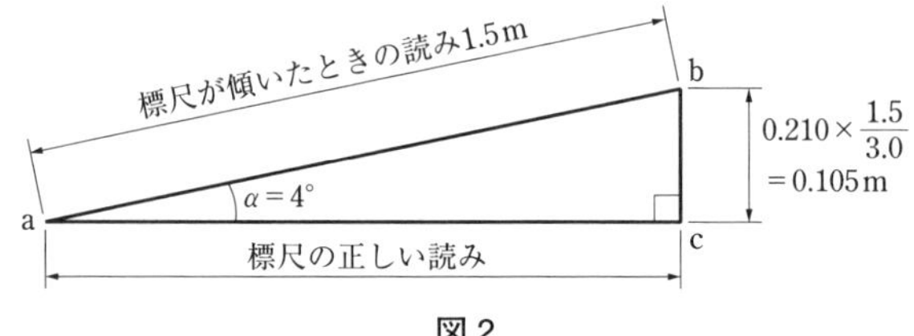

図2

図1の三角形ABCにおいて，$\sin\alpha = \dfrac{BC}{AB} = \dfrac{0.210}{3.0} = \dfrac{21}{300} = \dfrac{7}{100} = 0.070$　となる。

三角関数表より，sinの値が0.070に近い角度は4°であるので，標尺の傾きαは4°となる。

図2の三角形abcにおいて，acの長さを求めると，

$\cos 4^\circ = \dfrac{ac}{ab}$から，　$ac = ab \times \cos 4^\circ$

ここで，ab = 1.5 m，cos 4° = 0.99756を代入すると，

$ac = 1.5 \times 0.99756 \fallingdotseq 1.496$ m

標尺の傾きによる誤差は，ab − ac=1.500 − 1.496=0.004 m=4 mm

よって，最も近いものは，1. である。

解答　1.

基本問題　6年　**5年**　4年　3年　2年　元年　30年　29年

問題　再測区間の判定

難易度　やや難

頻出度　低 ■■■□□□□□ 高

17 公共測量における１級水準測量を図に示す区間で行ったところ，表の観測結果を得た。この観測結果を受けて取るべき対応はどれか。**最も適切なもの**を次の中から選べ。

ただし，往復観測値の較差の許容範囲は，観測距離 S を km 単位として 2.5 mm$\sqrt{S}$で与えられる。

なお，関数の値が必要な場合は，巻末の関数表を使用すること。

観測区間　①　②　③　④

水準点 A —— 固定点 1 —— 固定点 2 —— 固定点 3 —— 水準点B

図

表

観測区間	往路の観測高低差	復路の観測高低差	観測距離
①	＋5.3281 m	−5.3285 m	250 m
②	＋5.9640 m	−5.9645 m	250 m
③	＋5.7383 m	−5.7389 m	250 m
④	＋5.0257 m	−5.0269 m	250 m

1. はじめに②を再測する。
2. はじめに③を再測する。
3. はじめに④を再測する。
4. 順序は関係なく①～④の全てを再測する。
5. 再測は必要ない。

本問は，水準測量における結果を基に，再測区間を判定する問題である。ここでは，往復観測値における較差の許容範囲の計算方法を理解しておく。☞ 要点6 参照

解説

① 各区間と全区間において，往路の高低差と復路の高低差の差（較差）を絶対値の大きさで求める。

第3章 水準測量

② 各区間と全区間において，較差の許容範囲を求める。

③ 各区間と全区間において，往復の高低差の較差と，較差の許容範囲を比較検討する。

測定区間	A～固定点 1 ①	固定点 1～2 ②	固定点 2～3 ③	固定点 3～B ④	全区間
区間距離［m］	250	250	250	250	1000
往路の高低差	＋5.3281 m	＋5.9640 m	＋5.7383 m	＋5.0257 m	＋22.0561 m
復路の高低差	－5.3285 m	－5.9645 m	－5.7389 m	－5.0269 m	－22.0588 m
① 較差 （絶対値表示）	0.0004 m ＝0.4 mm	0.0005 m ＝0.5 mm	0.0006 m ＝0.6 mm	0.0012 m ＝1.2 mm	0.0027 m ＝2.7 mm
② 較差の 許容範囲	$2.5\times\sqrt{0.25}$ $=2.5\times0.5$ ＝1.25 mm	$2.5\times\sqrt{0.25}$ $=2.5\times0.5$ ＝1.25 mm	$2.5\times\sqrt{0.25}$ $=2.5\times0.5$ ＝1.25 mm	$2.5\times\sqrt{0.25}$ $=2.5\times0.5$ ＝1.25 mm	$2.5\times\sqrt{1.00}$ $=2.5\times1.0$ ＝2.5 mm
③ 判定	○	○	○	○	×

各区間と全区間の両方の較差が，較差の許容範囲に入っていなければならない。

今回の観測では，各区間の較差が，較差の許容範囲に入っている。しかし，全区間の較差が，較差の許容範囲に入っていないので再測となる。

許容範囲に入っている各区間の中から，①較差が大きかった固定点 3～基準点 B の④の区間を再測する。

よって，はじめに④を再測する　となり，正解は 3. である。

解答 3.

基本問題　6年　5年　4年　3年　**2年**　元年　30年　29年

問題　再測区間の判定

難易度　やや難

頻出度　低 ■■■□□□□□ 高

18 図は，水準点Ａから固定点(1)，(2)及び(3)を経由する水準点Ｂまでの路線を示したものである。この路線で１級水準測量を行い，表に示す観測結果を得た。**再測すべき観測区間**はどれか。次の中から選べ。

ただし，往復観測値の較差の許容範囲は，S を観測距離（片道，km 単位）としたとき，$2.5\,\text{mm}\sqrt{S}$ とする。

なお，関数の値が必要な場合は，巻末の関数表を使用すること。

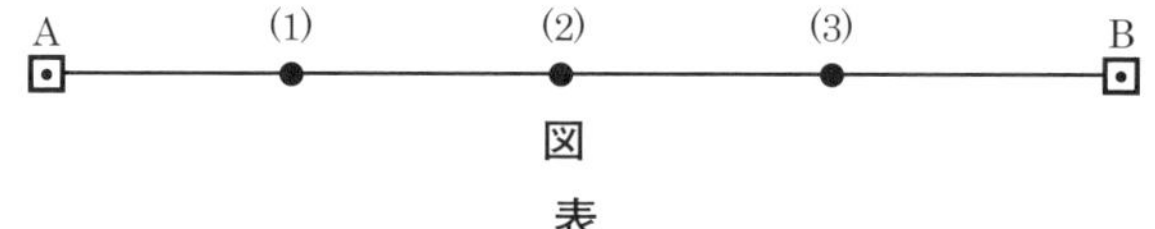

図

表

観測区間	観測距離	往路の観測高低差	復路の観測高低差
A～(1)	380 m	＋0.1908 m	−0.1901 m
(1)～(2)	320 m	−3.2506 m	＋3.2512 m
(2)～(3)	350 m	＋1.2268 m	−1.2254 m
(3)～B	400 m	＋2.3174 m	−2.3169 m

1.　A ～(1)
2.　(1)～(2)
3.　(2)～(3)
4.　(3)～ B
5.　再測の必要はない

本問は，水準測量における結果を基に，再測区間を判定する問題である。ここでは，往復観測値における較差の許容範囲の計算方法を理解しておく。☞ 要点6 参照

解説

① 各区間と全区間において，往路の高低差と復路の高低差の差（較差）を絶対値の大きさで求める。

② 各区間と全区間において，較差の許容範囲を求める。

③　各区間と全区間において，往復の高低差の較差と，較差の許容範囲を比較検討する。

④　各区間と全区間の両方の較差が，較差の許容範囲に入っていなければならない。

	A～(1)	(1)～(2)	(2)～(3)	(3)～B	全区間
区間距離［m］	380	320	350	400	1450
往路の高低差	+0.1908 m	−3.2506 m	+1.2268 m	+2.3174 m	+0.4844 m
復路の高低差	−0.1901 m	+3.2512 m	−1.2254 m	−2.3169 m	−0.4812 m
① 較差（絶対値表示）	0.0007 m =0.7 mm	0.0006 m =0.6 mm	0.0014 m =1.4 mm	0.0005 m =0.5 mm	0.0032 m =3.2 mm
② 較差の許容範囲	$2.5\times\sqrt{0.38}$ $=2.5\times\sqrt{\frac{38}{100}}$ =1.5 mm	$2.5\times\sqrt{0.32}$ $=2.5\times\sqrt{\frac{32}{100}}$ =1.4 mm	$2.5\times\sqrt{0.35}$ $=2.5\times\sqrt{\frac{35}{100}}$ =1.5 mm	$2.5\times\sqrt{0.4}$ $=2.5\times\sqrt{\frac{40}{100}}$ =1.6 mm	$2.5\times\sqrt{1.45}$ $=2.5\times\sqrt{\frac{145}{100}}$ =3.0 mm
③ 判定	○	○	○	○	×

今回の観測では，各区間の較差が，較差の許容範囲に入っている。しかし，全区間の較差が，較差の許容範囲に入っていないので再測となる。

許容範囲に入っている各区間の中から，①較差が大きかった(2)～(3)の区間を再測する。

よって，再測する区間は(2)～(3)となり，正解は3. である。

解答　3.

基本問題 | 6年 | 5年 | **4年** | 3年 | 2年 | 元年 | 30年 | 29年

標高の最確値計算

難易度　やや難

頻出度　低 ■■■■□□□□ 高

19 図に示すように，既知点Ａ，Ｂ及びＣから新点Ｐの標高を求めるために公共測量における２級水準測量を実施し，表１の結果を得た。新点Ｐの標高の最確値は幾らか。**最も近いもの**を次の中から選べ。

ただし，既知点の標高は表２のとおりとする。

なお，関数の値が必要な場合は，巻末の関数表を使用すること。

1. 30.769 m
2. 30.770 m
3. 30.771 m
4. 30.772 m
5. 31.392 m

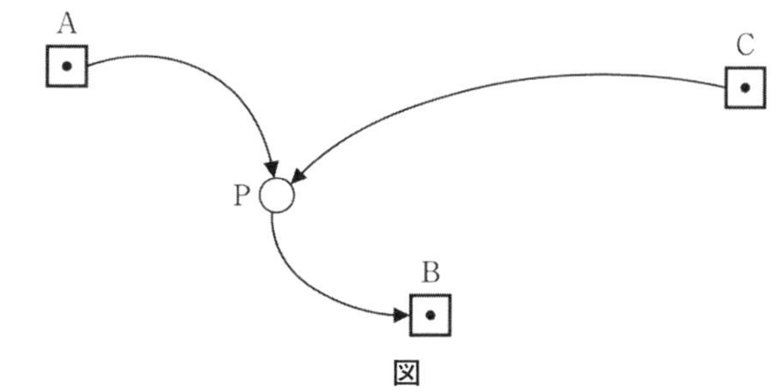

図

表１

観測結果		
観測方向	観測距離	観測高低差
A→P	3 km	＋1.534 m
P→B	2 km	＋0.621 m
C→P	6 km	＋2.434 m

表２

既知点	標高
A	29.234 m
B	31.395 m
C	28.334 m

本問は，水準測量を実施した結果を基に，新点Ｐの標高の最確値を求める問題である。ここでは，路線長が異なる場合の軽重率は，路線長に反比例することを理解しておく。☞ 要点7 参照

解説

① 軽重率を求める。

路線長の異なる場合の軽重率は，路線長に反比例する。

$$p_1 : p_2 : p_3 = \frac{1}{3} : \frac{1}{2} : \frac{1}{6} = \frac{2}{6} : \frac{3}{6} : \frac{1}{6} = 2 : 3 : 1$$

路　　線	観測距離	軽重率
A→P	3 km	2
B→P	2 km	3
P→C	6 km	1

② 各既知点から新点Pの標高を求める。

既知点	各既知点標高	観測高低差	P点標高	軽重率
A	29.234 m	+1.543 m	30.768 m	2
B	31.395 m	−0.621 m	30.774 m	3
C	28.334 m	+2.434 m	30.768 m	1

③ 新点Pの標高の最確値 M を求める。

$$M = \frac{30.768 \times 2 + 30.774 \times 3 + 30.768 \times 1}{2 + 3 + 1} = 30.771\ \text{m}$$

または，

$$M = 30.768 + \frac{0 \times 2 + 0.006 \times 3 + 0 \times 1}{2 + 3 + 1}$$

$$= 30.768 + \frac{0.018}{6} = 30.768 + 0.003 = 30.771\ \text{m}$$

よって，最も近いものは3. である。

解答 3.

基本問題　6年　5年　4年　**3年**　2年　元年　30年　29年

問題　標高の最確値計算

難易度　やや難

頻出度　低 ■■■■□□□□ 高

20 図に示すように，既知点A，B及びCから新点Pの標高を求めるために公共測量における２級水準測量を実施し，表１の結果を得た。新点Pの標高の最確値は幾らか。**最も近いもの**を次の中から選べ。

ただし，既知点の標高は表２のとおりとする。

なお，関数の値が必要な場合は，巻末の関数表を使用すること。

1. 5.217 m
2. 5.219 m
3. 5.221 m
4. 5.223 m
5. 5.225 m

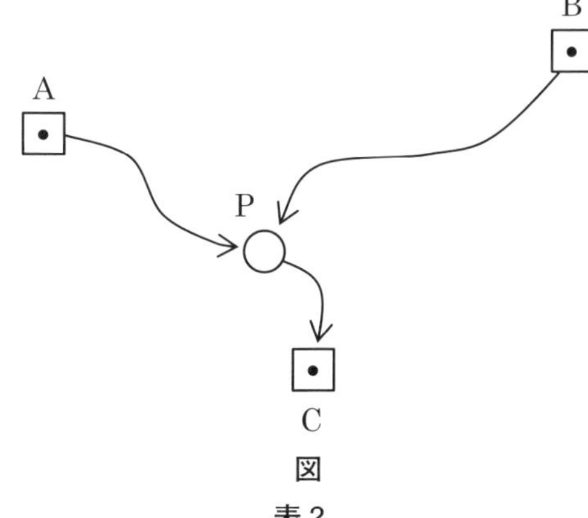

図

表１

観測結果		
観測路線	観測距離	観測高低差
A→P	2.0 km	−8.123 m
B→P	4.0 km	+0.254 m
P→C	1.0 km	+11.994 m

表２

既知点	標高
A	13.339 m
B	4.974 m
C	17.213 m

本問は，水準測量を実施した結果を基に，新点Pの標高の最確値を求める問題である。ここでは，路線長が異なる場合の軽重率は，路線長に反比例することを理解しておく。

解説

① 軽重率を求める。

路線長の異なる場合の軽重率は，路線長に反比例する。

$$p_1 : p_2 : p_3 = \frac{1}{2} : \frac{1}{4} : \frac{1}{1} = \frac{4}{8} : \frac{2}{8} : \frac{8}{8} = 4 : 2 : 8$$

路　線	観測距離	軽重率
A→P	2 km	4
B→P	4 km	2
P→C	1 km	8

② 各既知点から新点Pの標高を求める。

既知点	各既知点標高	観測高低差	P点標高	軽重率
A	13.339 m	−8.123 m	5.216 m	4
B	4.974 m	+0.254 m	5.228 m	2
C	17.213 m	−11.994 m	5.219 m	8

③ 新点Pの標高の最確値 M を求める。

$$M = \frac{5.216 \times 4 + 5.228 \times 2 + 5.219 \times 8}{(4 + 2 + 8)} = 5.219\ \mathrm{m}$$

よって，最も近いものは2. である。

解答 2.

4

第４章
地形測量

「地形測量」の概要

地形測量とは，基準点測量で求めた基準点や水準点を既知点として，トータルステーションやGNSS測量機などを用いて，地形・地物等の形状を細部にわたり測量し，数値地形図データを作成する作業のことである。

●地形測量　最新8年間の出題状況●

No.	年度／出題内容	基本問題	令和6	5	4	3	2	元	平成30	29
1	TSによる水平距離と標高の計算		1	2			3	□	□	□
2	細部測量の水平位置の誤差計算			4	□	5		□		
3	現地測量				6	7	□		□	
4	TS・キネマティック法・RTK法等による細部測量	8 9								
5	数値地形図データ		10	11		12				
6	等高線の表現方法		13		14			□	□	
7	数値地形モデルと数値標高モデル		15				17	□		16
8	GISのデータ構造	18 19 20								

注）□は，その年度に出題された問題で，番号は，本書に掲載された問題番号を示す。

◆地形測量　令和6年度出題の特徴◆

関連No.	形　式	具体的な出題内容（特徴）	難易度
1	計　算	間接法による等高線測量の計算	易
5	文　章	数値地形図データの特徴	易
6	文　章	等高線の表現方法	易
7	文　章	数値地形モデルの特徴	易
		合　計	4問

出題の要点

要点1　トータルステーション（TS）による細部測量

（1）細部測量の方法

① オンライン方式：現地でTS内蔵等のコンピュータの図形処理機能を用いて，地形・地物等の測量データの計測および編集を直接行う方法である。

② オフライン方式：現地でTSのデータコレクタに地形・地物等の測量データを記録し，その後，室内でデータコレクタ内のデータを図形編集装置に入力し，コンピュータの図形処理機能を用いて，編集および点検を行う方法である。このため，重要事項の確認や補備測量等の現地における作業が発生することが多い。

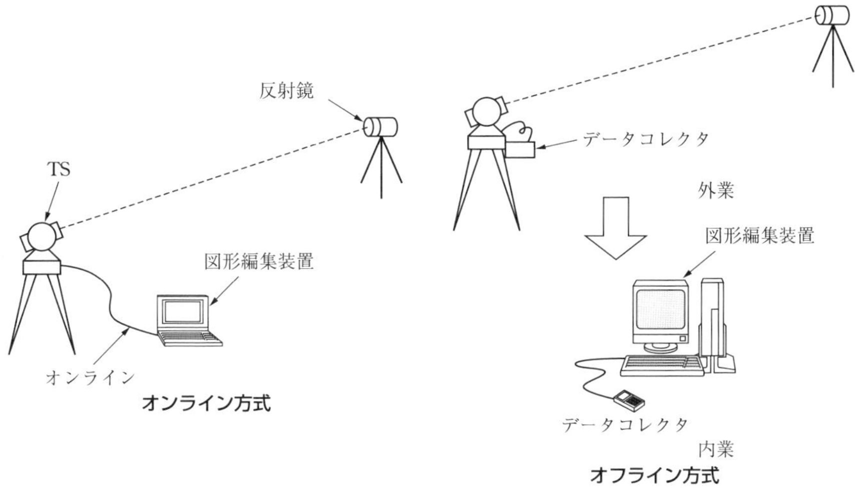

（2）細部測量の留意点

TSを用いて地形・地物を測定するときの留意点は，次のとおりである。

① TSを設置できる点の増設は，基準点またはTS点にTSを設置して，放射法か後方交会法によって新たなTS点を求めることで行う。ただし，TS点は基準点ほどの精度がないので，基準点にはならない。

② 地形・地物は，基準点またはTS点にTSを設置したのち，測定の容易な構造物のかどなどの位置を放射法などによって測定する。

③　TSにより求めたデータは，道路，境界線，河川，堤防などの属性ごとに分類コードとともにデータコレクタに保存する。

④　地形は，地性線および標高値を測定し，図形編集装置（CAD）によって等高線を描画する。

要点2 RTK測量

RTK測量は，既知点に設置した基準局と，未知点の測位を行う移動局にGPS受信機を設置してGPS衛星からの信号を受信し，さらに，基準局から補正情報を省電力無線機や携帯電話などを利用して移動局に転送し，移動局の位置をリアルタイムで測定する方式である。

RTK測量の特徴は，次のとおりである。

①　天候の影響にもほとんど左右されずに観測を行うことができる。

②　基準局と観測点間の見通が確保されていなくても観測は可能である。

③　地形・地物等の観測は，放射法により1セット行い，観測に使用する人工衛星数は5衛星以上で，人工衛星からの電波を受け取る上空視界の確保が必要となる。

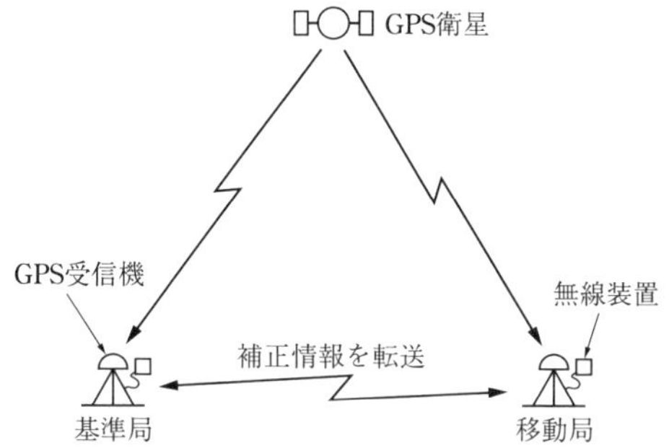

要点3 ネットワーク型RTK測量

ネットワーク型RTK測量は，移動局にGPS受信機を設置してGPS衛星からの信号を受信し，さらに，移動局から概略の位置情報を電子基準点のリアルタイムデータの配信業者に転送し，配信業者で移動局周辺の3点以上の電子基準点を基に補正情報を求め，そのデータを省電力無線機や携帯電話などを利用して移動局に送信し，移動局の位置をリアルタイムで測定する方式である。

ネットワーク型 RTK 測量の特徴は，次のとおりである。

① 気候の影響もほとんど受けずに観測を行うことができる。

② 電子基準点を基準とするため，基準局の設置および管理が不要となる。

③ 地形・地物等の観測は，放射法により１セット行い，観測に使用する人工衛星数は５衛星以上で，人工衛星からの電波を受け取る上空視界の確保が必要となる。

④ 電離層や対流圏の影響等による系統的誤差が消去されるため，電子基準点と移動局間の距離に制約がなく，高精度の測位を行うことができる。

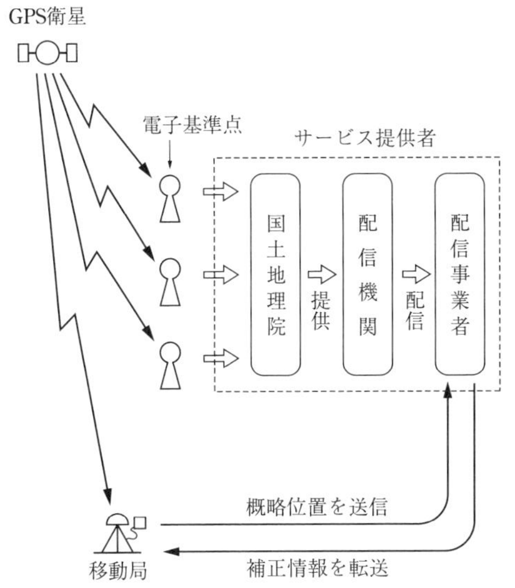

要点４　等高線の測定方法

① **直接測定法**　既知点 A に据え付けたトータルステーション（TS）の視準線によって，等高線の位置を求める方法である。

標高 H の等高線を描くために，標尺の高さ f は，次式より求める。

$$f = (H_A + i) - H$$

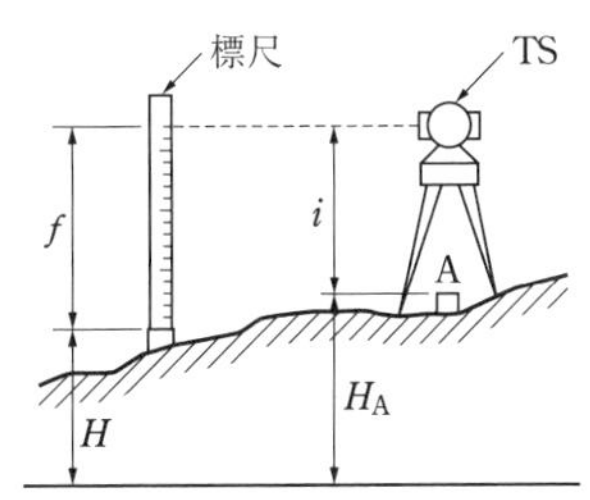

② **間接測定法**　既知点 A，B 間が一様な傾斜地であるとき，計算により A 点からの等高線の位置を求める方法である。既知点 A から標高 H_P の等高線までの水平距離 S は，次式によ

り求める。

$$S = \frac{S_0}{H_B - H_A} \times (H_P - H_A)$$

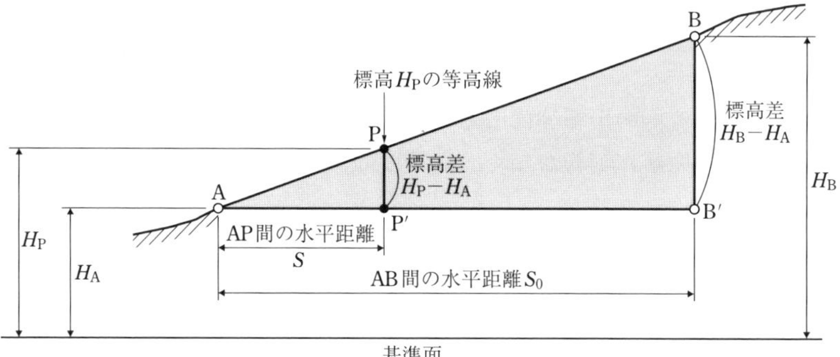

要点5 等高線

等高線とは，山などの地形を表すために，地表面の高さの等しい点を結んだ線を平面上に投影したものである。

(1) 等高線の種類

① **主曲線**　地形を表現するための基本的な等高線で，原則として省略しない。

② **計曲線**　等高線の標高値を読みやすくするため，0 m 線およびこれより起算して5本ごとに太めの線で描かれる主曲線である。

③ **補助曲線**　主曲線だけでは表せない緩やかな地形などを適切に表現するために用いる。

(2) 等高線の性質

① 同一の等高線は，途中で消滅・分岐・交差することはない。

② 傾斜の急な箇所では，傾斜の緩やかな箇所に比べて，等高線の間隔が狭くなる。

③ 山の尾根線や谷線は，等高線と直角に交わる。

④ 等高線の図面内または図面外を含めて必ず閉合する。

⑤ 等高線の図面内で閉合する場合は，その内部が山頂，凹地，湖沼などであ

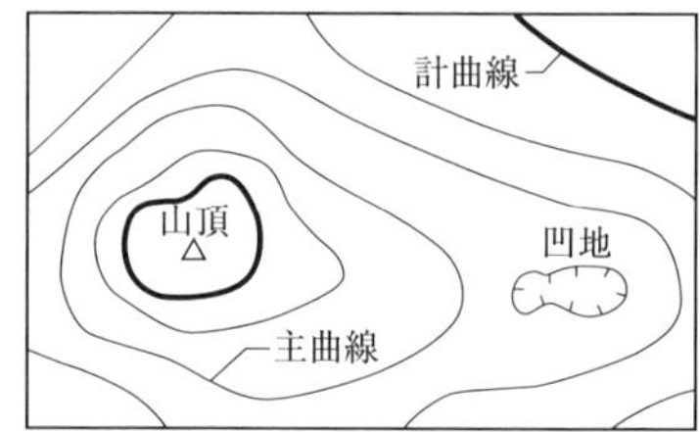

る。凹地は山頂と区別するため，図のように，低い方向に向けて単線または矢印を描く。

要点6　数値地形図の数値表現

採取されたデータは，コード別に分けられ DM ファイルに保存される。そのデータを点（ノード），線（チェインまたはアーク），面（ポリゴン）の要素ごとに分類し，組み立てて整理する。これを図上に表現して，地形図等を作成する。線は点の結合で表し，面は線の結合で表す。

① 線の方向は，ある点を基準に上へ向かう方向，右へ向かう方向をプラスと定める。また，ある点を基準に下へ向かう方向，左へ向かう方向をマイナスと定める。

② 面の方向は，ある点を基準に時計回りの方向をプラス，反時計回りの方向をマイナスと定め，その右側と左側にどのような面があるかで表現する。

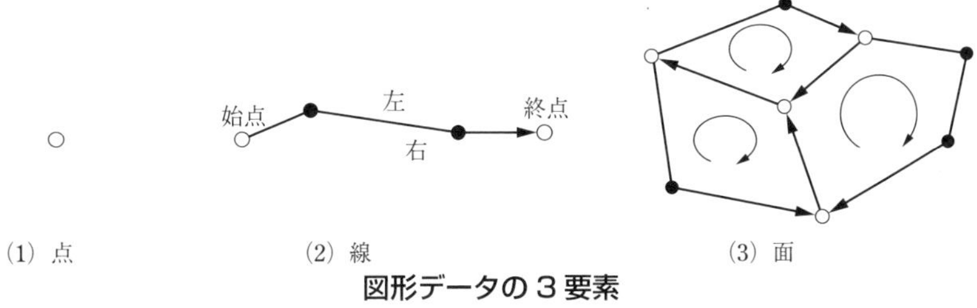

図形データの３要素

基本問題 **6年** 5年 4年 3年 2年 元年 30年 29年

問題　間接法による等高線測量の計算

難易度 易

頻出度 低 ■■■■■■□□ 高

1　トータルステーションを用いた縮尺 1/1,000 の地形図作成において，ある道路上に設置された標高 40.8 m の基準点 A から，同じ道路上の点 B の観測を行ったところ，高低角 6°，斜距離 50 m の結果が得られた。

このとき，地形図上において，点 A，点 B 間を結ぶ道路とこれを横断する標高 45 m の等高線との交点は，点 A から何 cm の地点か。**最も近いもの**を次の 1 ～ 5 の中から選べ。

ただし，点 A と点 B を結ぶ道路は，傾斜が一定でまっすぐな道路であるとする。

なお，関数の値が必要な場合は，巻末の関数表を使用すること。

1.　3.0 cm
2.　3.5 cm
3.　4.0 cm
4.　4.5 cm
5.　5.0 cm

本問は，点 A と点 B の間が一定な斜面であるとき，点 A から標高 45 m の等高線 P までの斜距離 S_1 を求める問題である。ここでは，図 1 に示すように，一定な斜面を三角形に見立て，相似関係から比例式を立てられるようにしておく。☞ 要点4 参照，〔付録 1〕要点3 参照

解説

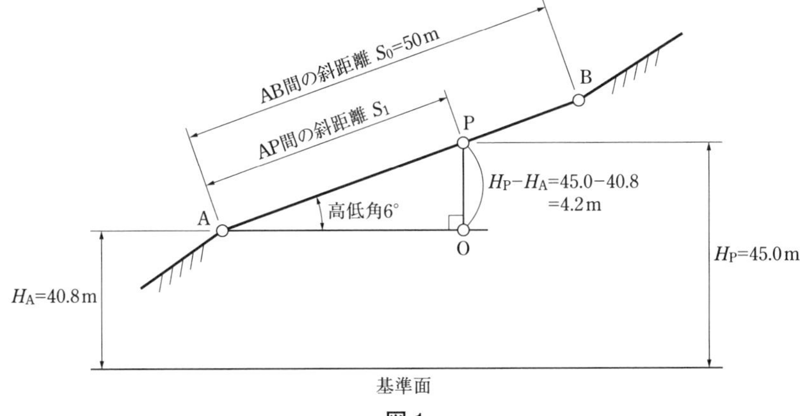

図１

① 高低差（$H_P - H_A$）を求める。

$$H_P - H_A = 45 - 40.8 = 4.2\text{ m}$$

② AP 間の水平距離 S_1 を求める。

三角形 APO において，高低角 6° とする三角関数のサイン（正弦）が成り立つ。

$$\sin 6° = \frac{4.2}{S_1} \text{より，} \qquad S_1 = 4.2 \div \sin 6°$$

$$S_1 = 4.2 \div 0.10453 \fallingdotseq 4.2 \div \left(\frac{105}{1000}\right) = 4.2 \times \frac{1000}{105} = 40\text{ m} = 4000\text{ cm}$$

③ 地形図縮尺 $1/m$ における AP 間の水平距離 S_1' を求める。

$$S_1' = S_1 \times 1/m = 4000 \times 1/1000 = 4.0\text{ cm}$$

よって，最も近いものは 3. である。　**解答** **3.**

問題 間接法による等高線測量の計算

難易度 易

頻出度 低 ■■■■■■□□ 高

2 図は，ある道路の縦断面を模式的に示したものである。この道路において，GNSS測量により縮尺1/1,000の地形図作成を行うため，縦断面上の点A～Cの3点で観測を実施した。点Aの標高は78 m，点Bの標高は73 m，点Cの標高は69 mで，点Aと点Bの間の水平距離は50 m，点Bと点Cの間の水平距離は48 mであった。

このとき，点Aと点Bの間を結ぶ道路とこれを横断する標高75 mの等高線との交点をX，点Bと点Cの間を結ぶ道路とこれを横断する標高70 mの等高線との交点をYとすると，この地形図上における交点Xと交点Yの間の水平距離は幾らか。**最も近いもの**を次の中から選べ。

ただし，点A～Cはこの地形図上で同一直線上にあり，点Aと点Bの間を結ぶ道路，点Bと点Cの間を結ぶ道路は，それぞれ傾斜が一定でまっすぐな道路とする。

なお，関数の値が必要な場合は，巻末の関数表を使用すること。

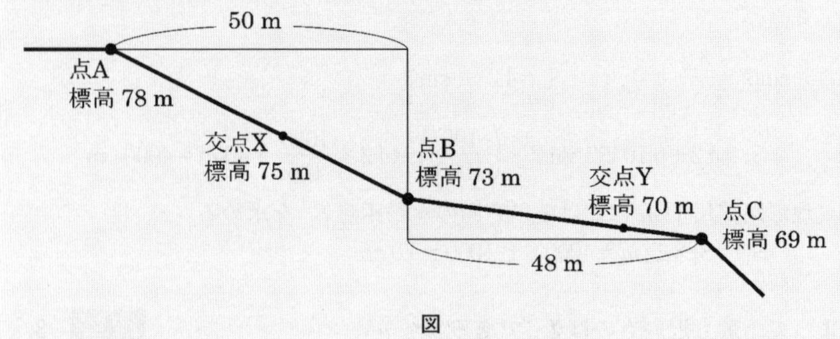

図

1. 3.0 cm
2. 3.6 cm
3. 4.2 cm
4. 5.6 cm
5. 7.0 cm

解く　本問は，点Ａと点Ｂの間を結ぶ道路，点Ｂと点Ｃの間を結ぶ道路の傾斜が一定であるとき，地形図上における点Ｘと点Ｙの間の水平距離 S を求める問題である。ここでは，図１に示すように，三角形の相似関係から XX_1 間の水平距離 S_1，YY_1 間の水平距離 S_2 を求められるようにしておく。☞ 要点4 参照

解説

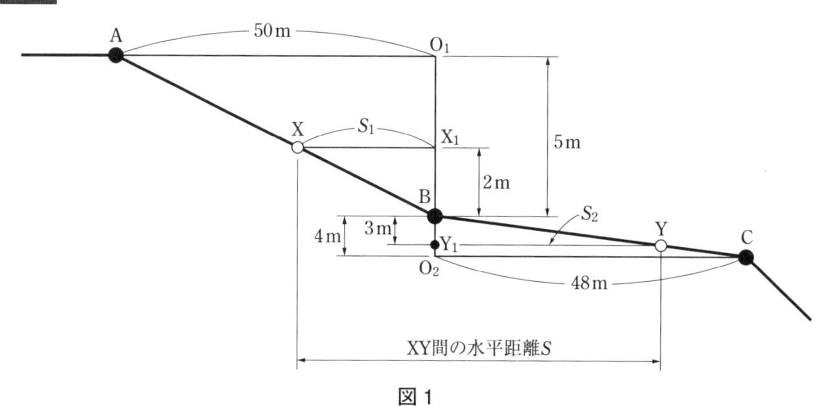

図１

① 高低差 $(O_1 - B)$，$(B - O_2)$ を求める。

$O_1 - B = 78 - 73 = 5$ m，$B - O_2 = 73 - 69 = 4$ m

② XX_1 間の水平距離 S_1 を求める。

$2 : 5 = S_1 : 50$ より，　$2 \times 50 = 5 \times S_1$

$S_1 = 2 \times 50 \div 5 = 20$ m

③ YY_1 間の水平距離 S_2 を求める。

$3 : 4 = S_2 : 48$ より，　$3 \times 48 = 4 \times S_2$

$S_2 = 3 \times 48 \div 4 = 36$ m

④ XY 間の水平距離 S を求める。

$S = S_1 + S_2 = 20 + 36 = 56$ m $= 5600$ cm

⑤ 地形図縮尺 $1/m$ における XY 間の水平距離 S' を求める。

$S' = S \times 1/m = 5600 \times 1/1000 = 5.6$ cm

よって，最も近いものは，4. である。　**解答　4.**

問題 間接法による等高線測量の計算

難易度 やや難

頻出度 低 ■■■■■■□□ 高

3 図は，ある道路の縦断面を模式的に示したものである。この道路において，トータルステーションを用いた縮尺 1/500 の地形図作成を行うため，標高 125 m の点 A にトータルステーションを設置し点 B の観測を行ったところ，高低角 −30°，斜距離 86 m の結果を得た。また，同じ道路上にある点 C の標高は 42 m であった。点 B と点 C を結ぶ道路は，傾斜が一定でまっすぐな道路である。

このとき，点 B，C 間の水平距離を 300 m とすると，点 B と点 C を結ぶ道路とこれを横断する標高 60 m の等高線との交点 X は，この地形図上で点 C から何 cm の地点か。**最も近いもの**を次の中から選べ。

なお，関数の値が必要な場合は，巻末の関数表を使用すること。

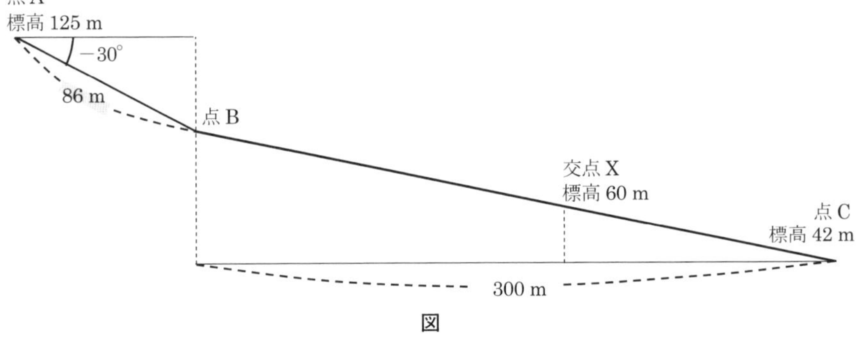

図

1. 8.6 cm
2. 13.5 cm
3. 16.2 cm
4. 27.0 cm
5. 33.0 cm

本問は，はじめに標高 125 m の基準点から，高低差 −30° と斜距離 86 m の観測結果を基に，点 B の標高を求める。次に点 B と点 C の間が一定な斜面であるとき，点 C から標高 60 m の等高線 X までの水平距離 S_1 を求める問題である。

ここでは，図１に示すように，一定な斜面を三角形に見立て，相似関係から比例式が立てられるようにしておく。☞ 要点4

解説

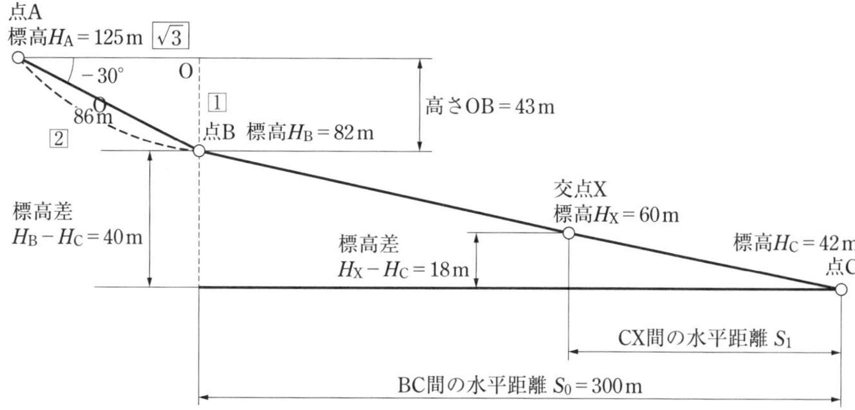

図１

① 高さ OB を求める。

三角形 OAB において，各辺の比は，次のようになる。

高さ OO′：斜面 OA：底辺 O′ A=1：2：$\sqrt{3}$

OB：AB＝1：2 より，　$OB\times 2=AB\times 1$，$OB=\dfrac{AB}{2}$

ここで，AB＝86 m であるから，

$$高さ\ OB=\frac{86\ m}{2}=43\ m$$

② 標高差（H_B-H_C），（H_X-H_C）を求める。

$H_B-H_C=82-42=40$ m，$H_X-H_C=60-42=18$m

③ CX 間の水平距離 S_1 を求める。

$\dfrac{H_X-H_C}{S_1}=\dfrac{H_B-H_C}{S_0}$ より，　$S_1=\dfrac{S_0}{H_B-H_C}\times(H_X-H_C)$

ここで，$S_0=300$ m，$H_B-H_C=40$ m，$H_X-H_C=18$ m

よって，　$S_1=\dfrac{300\ m}{40\ m}\times 18\ m=135\ m$

④ 地形図縮尺 $1/m$ における BP 間の図上距離 S_1' を求める。

$$S_1'=S_1\times\frac{1}{m}=13500cm\times\frac{1}{500}=27.0\ cm$$

よって，最も近いものは，4．である。　**解答** **4.**

基本問題 6年 **5年** 4年 3年 2年 元年 30年 29年

問題 細部測量の水平位置の誤差計算

難易度 やや難

頻出度 低 ■■■■□□□□ 高

4 細部測量において，基準点Aにトータルステーションを整置し，点Bを観測したときに2′40″の水平方向の誤差があった場合，点Bの水平位置の誤差は幾らか。**最も近いもの**を次の中から選べ。

ただし，基準点Aと点Bの間の水平距離は97 m，角度1ラジアンは $(2\times10^5)''$ とする。

また，距離測定と角度測定は互いに影響を与えないものとし，角度測定以外の誤差は考えないものとする。

なお，関数の値が必要な場合は，巻末の関数表を使用すること。

1. 38 mm
2. 59 mm
3. 78 mm
4. 97 mm
5. 116 mm

本問は，AB間の水平距離と点Bを観測したときに生じた方向誤差の角度から，点Bの水平位置の誤差を求める問題である。ここでは，弧度法を用いて，微小な角度2′40″をラジアンに変換できるようにしておく。☞〔付録1〕要点2 参照

解説

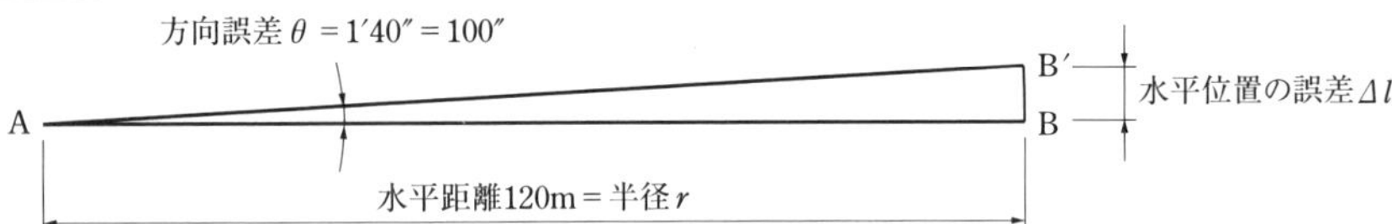

① 方向誤差の角度をラジアンに変換する。

$$\theta=\frac{2'\,40''}{2''\times10^5}=\frac{160''}{200000''}=\frac{4}{5000}=\frac{1}{1250}\text{ラジアン}$$

② 水平位置の誤差Δlを求める。

$$\Delta l=\theta\times r=\frac{1}{1250}\times97000\text{ mm}=77.6\fallingdotseq78\text{ mm}$$

よって，最も近いものは3. である。

解答 3.

基本問題　6年　5年　4年　**3年**　2年　元年　30年　29年

問題　水平位置の精度の点検

難易度　普

頻出度　低 ■■■■□□□□ 高

5　空中写真測量において，水平位置の精度を確認するため，数値図化による測定値と現地で直接測量した検証値との比較により点検することとした。5 地点の測定値と検証値から，南北方向の較差 Δx，東西方向の較差 Δy を求めたところ，表のとおりとなった。

5 地点における各々の水平位置の較差 Δs から，水平位置の精度を点検するための値 σ を算出し，**最も近いもの**を次の中から選べ。

ただし，Δs は式 1 で求め，σ は計測地点の数を N とし式 2 で求めることとする。

なお，関数の値が必要な場合は，巻末の関数表を使用すること。

$$\Delta s = \sqrt{(\Delta x)^2 + (\Delta y)^2} \quad \cdots\cdots\cdots \text{式 1}$$

$$\sigma = \sqrt{\frac{(\text{地点 1 の } \Delta s)^2 + (\text{地点 2 の } \Delta s)^2 + \cdots + (\text{地点 } N \text{ の } \Delta s)^2}{N}} \quad \cdots\cdots \text{式 2}$$

表

地点番号	南北方向の較差 Δx（m）	東西方向の較差 Δy（m）
1	1.0	4.0
2	3.0	4.0
3	6.0	3.0
4	5.0	3.0
5	2.0	0.0

1. 2.0 m
2. 3.1 m
3. 5.0 m
4. 7.5 m
5. 9.9 m

本問は，水平位置の精度を点検するための標準偏差 σ を，5 地点における各々の水平位置の較差 Δs から求める問題である。ここでは，与えられた式を用いて標準偏差 σ の計算ができるようにしておく。

解説

① 各地点における水平位置の較差 Δs を求める。

$$\Delta s = \sqrt{(\Delta x)^2 + (\Delta y)^2}$$

② 各地点における水平位置の較差 Δs の二乗 $\Delta s \cdot \Delta s$ を求める。

地点番号	南北方向の較差 Δx (m)	東西方向の較差 Δy (m)	水平位置の較差 Δs (m)	水平位置の較差 Δs の二乗 $\Delta s \cdot \Delta s$
1	1.0	4.0	$\sqrt{17}$	17
2	3.0	4.0	$\sqrt{25}$	25
3	6.0	3.0	$\sqrt{45}$	45
4	5.0	3.0	$\sqrt{34}$	34
5	2.0	0.0	$\sqrt{4}$	4
合計				125

③ 標準偏差 σ を求める。

$$\sigma = \sqrt{\frac{(\text{地点 }1\text{ の }\Delta s)^2 + (\text{地点 }2\text{ の }\Delta s)^2 + \cdots + (\text{地点 }N\text{ の }\Delta s)^2}{N}}$$

より，$\sigma = \sqrt{\dfrac{\Delta s \cdot \Delta s \text{ の合計}}{N}}$

ここで，$\Delta s \cdot \Delta s$ の合計 $= 125$，$N = 5$ であるから，

$$\sigma = \sqrt{\frac{125}{5}} = \sqrt{25} = 5.0\ \text{m}$$

よって，最も近いものは3. である。

解答 3.

基本問題 | 6年 | 5年 | **4年** | 3年 | 2年 | 元年 | 30年 | 29年

問題　現地測量の特徴

難易度　やや易

頻出度　低 ■■■■□□□□ 高

6　次の文は，公共測量における地形測量のうち現地測量について述べたものである。**明らかに間違っているもの**はどれか。次の中から選べ。

1.　地形の状況により，基準点からの細部測量が困難なため，ネットワーク型RTK法によりTS点を設置した。
2.　現地測量にGNSS測量機を用いる場合，トータルステーションは併用してはならない。
3.　現地測量により作成する数値地形図データの地図情報レベルは，原則として1000以下とし250，500及び1000を標準とする。
4.　トータルステーションを用いて，地形，地物などの水平位置を放射法により測定した。
5.　編集作業において，地物の取得漏れが判明したため，補備測量を実施した。

本問は，トータルステーションまたはGNSS測量機を用いて実施する現地測量の特徴を問う問題である。ここでは，現地測量に使用する主な機器，地形・地物の測定，TS点の設置，数値地形図データの地図情報レベルなどを理解しておく。

解説

1.　**正しい**　地形の状況により，基準点にトータルステーションまたはGNSS測量機を整置して細部測量を行うことが困難な場合は，ネットワーク型RTK法などでTS点を設置することができる。

2.　**間違い**　現地測量にGNSS測量機を用いる場合は，**トータルステーションを併用して**，地形・地物などを測定することができる。

3.　**正しい**　現地測量により作成する数値地形図データの地図情報レベルは，原則として1000以下とし250，500及び1000を標準とする。地図情報レベル1000は，地形図縮尺1/1000に相当する。

4.　**正しい**　トータルステーションを用いた地形・地物などの水平位置の測定は，基準点またはTS点にTSを整置し，放射法により行う。

5.　**正しい**　編集作業において，地物の取得漏れが判明した場合は，その地物の状況を，トータルステーションなどにより現地で直接測量しなければならない。

よって，明らかに間違っているものは2. である。

 2.

基本問題　6年　5年　4年　**3年**　2年　元年　30年　29年

問題　現地測量の特徴

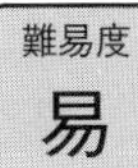

難易度　易

頻出度　低 ■■■■□□□□ 高

7　次の a～e の文は，公共測量における地形測量のうち，現地測量について述べたものである。**明らかに間違っているもの**だけの組合せはどれか。次の中から選べ。

a.　現地測量により作成する数値地形図データの地図情報レベルは，原則として 1000 以下である。

b.　現地測量は，4 級基準点，簡易水準点又はこれと同等以上の精度を有する基準点に基づいて実施する。

c.　細部測量とは，トータルステーション又は GNSS 測量機を用いて地形を測定し，数値標高モデルを作成する作業をいう。

d.　トータルステーションを用いた地形，地物などの測定は，主にスタティック法により行われる。

e.　地形，地物などの状況により，基準点にトータルステーションを整置して細部測量を行うことが困難な場合，TS 点を設置することができる。

1.　a，b
2.　a，d
3.　b，e
4.　c，d
5.　c，e

本問は，トータルステーションまたは GNSS 測量機を用いて実施する現地測量の特徴を問う問題である。ここでは，細部測量の作業内容，地形・地物の測定，TS 点の設置，数値地形図データの地図情報レベルを理解しておく。

解説

a.　**正しい**　現地測量により作成する数値地形図データの地図情報レベルは，原則として 1000 以下とし 250，500 及び 1000 を標準とする。地図情報レベル 1000 は，地形図縮尺 1/1000 に相当する。

b.　**正しい**　現地測量は，4 級基準点，簡易水準点又はこれと同等以上の精度を有する基準点に基づいて実施する。

c.　**間違い**　細部測量は，トータルステーション又は GNSS 測量機を用い，地形・地物などを測定し，**数値地形図データを取得する作業**である。

d.　**間違い**　トータルステーションを用いた地形・地物などの測定は，基準点又はTS点にTSを整置し，**放射法**により行う。スタティック法は，複数の観測点にGNSS測量機を整置して，同時にGNSS衛星からの信号を受信し，それに基づく基線解析により，観測点間の基線ベクトルを求める観測方法である。

e.　**正しい**　地形・地物などの状況により，基準点にトータルステーションを整置して細部測量を行うことが困難な場合は，TS点を設置することができる。

よって，明らかに間違っているものはc，dであり，その組合せは4．である。

解答　**4.**

基本問題　6年　5年　4年　3年　2年　元年　30年　29年

問題　GNSS 測量機を用いた細部測量の特徴

難易度　普

頻出度　低 ■ ■ □ □ □ □ □ □ 高

8 次の文は，公共測量における地形測量のうち，GNSS 測量機を用いた細部測量について述べたものである。**明らかに間違っているもの**はどれか。次の中から選べ。

1.　既知点からの視通がなくても位置を求めることができる。
2.　標高を求める場合は，ジオイド高を補正して求める。
3.　霧や弱い雨にほとんど影響されずに観測することができる。
4.　ネットワーク型 RTK 法による場合は，上空視界が確保できない場所でも観測することができる。
5.　ネットワーク型 RTK 法の単点観測法では，1 台の GNSS 測量機で位置を求めることができる。

本問は，GNSS 測量機を用いた細部測量の特徴を問う問題である。ここでは，観測に使用する GNSS 衛星の上空視界の確保や必要な衛星数などを理解しておく。

解説

1.　**正しい**　GNSS 測量機を用いた細部測量は，GNSS 衛星からの電波を受信して観測するため，既知点からの視通がなくても位置を求めることができる。
2.　**正しい**　標高を求める場合は，国土地理院が提供するジオイドモデルにより，ジオイド高を補正して求める。
3.　**正しい**　観測は，霧や弱い雨にほとんど影響されず行うことができる。
4.　**間違い**　ネットワーク型 RTK 法による細部測量であっても，**GNSS 衛星の高度角が 15 度以上確保できるよう**上空視界に注意しなければならない。
5.　**正しい**　ネットワーク型 RTK 法の単点観測法は，1 台の GNSS 測量機を用いて測点の座標を求める観測法である。

よって，4. が明らかに間違っている。

解答　4.

基本問題 6年 5年 4年 3年 2年 元年 30年 29年

問題　TS点の設置方法

難易度 普

頻出度 低 ■■□□□□□□ 高

9 次のa〜cの文は，公共測量における地形測量のうち，GNSS測量機を用いた細部測量について述べたものである。［ア］〜［オ］に入る語句の組合せとして**最も適当なもの**はどれか。次の中から選べ。

a.　キネマティック法又はRTK法によるTS点の設置は，［ア］により行い，観測は干渉測位方式により2セット行うものとする。1セット目の観測値を［イ］とし，観測終了後に再初期化をして，2セット目の観測を行い，2セット目を［ウ］とする。

b.　キネマティック法又はRTK法によるTS点の設置で，GPS衛星のみで観測を行う場合，使用する衛星数は［エ］衛星以上とし，セット内の観測回数はFIX解を得てから10エポック以上を標準とする。

c.　ネットワーク型RTK法によるTS点の設置は，間接観測法又は［オ］により行う。

	ア	イ	ウ	エ	オ
1.	放射法	参考値	採用値	5	直接観測法
2.	放射法	採用値	点検値	4	直接観測法
3.	交互法	参考値	採用値	4	直接観測法
4.	交互法	採用値	点検値	5	単点観測法
5.	放射法	採用値	点検値	5	単点観測法

本問は，基準点だけで細部測量を行えないとき，GNSS測量機を用いてTS点を設置する方法を問う問題である。ここでは，キネマティック法またはRTK法によるTS点の設置の方法を理解しておく。

解説

a.　キネマティック法またはRTK法によるTS点の設置は，基準点にGNSS測量機を整置し，［ア　**放射法**］により行う。

観測は，干渉測位方式により2セット行う。1セット目の観測値を［イ　**採用値**］とし，観測終了後に再初期化をして，2セット目の観測を行い，2セット目を［ウ　**点検値**］とする。

b.　TS点の設置で，GPS衛星のみで観測を行う場合，使用する衛星数は，［エ　**5**］衛星以上とする。

c.　ネットワーク型RTK法によるTS点の設置は，間接観測法または **オ　単点観測法** で行う。単点観測法とは，仮想点を用いた単独での座標観測法をいう。

よって，ア：放射法，イ：採用値，　ウ：点検値，エ：5，オ：単点観測法となり，5. が最も適当である。

解答　5.

基本問題 **6年** 5年 4年 3年 2年 元年 30年 29年

問題　数値地形図データの特徴

難易度 易

頻出度 低 ■■■□□□□□ 高

10 次のａ～ｃの文は，公共測量で作成される数値地形図データについて述べたものである。［ア］～［ウ］に入る語句の組合せとして**最も適当なもの**はどれか。次の１～５の中から選べ。

a.　数値地形図データとは，地形や地物などの位置と形状を表す［ア］及びその内容を表す属性データなどで構成されるデータである。

b.　測量の概覧，数値地形図データの内容及び構造，データ品質などについて体系的に記載したものを，［イ］という。

c.　地図情報レベルとは，数値地形図データの地図表現精度を表し，地形図縮尺1/2,500は，地図情報レベル［ウ］に相当する。

	ア	イ	ウ
1.	メタデータ	製品仕様書	1/2,500
2.	メタデータ	製品仕様書	2500
3.	座標データ	品質評価表	2500
4.	座標データ	製品仕様書	2500
5.	メタデータ	品質評価表	1/2,500

本問は，公共測量で作成される数値地形図データの特徴を問う問題である。ここでは，数値地形図データの作成における製品仕様書や地図情報レベルなどを理解しておく。

メタデータとは，作成された空間データの素性を明らかにし，利用者の便に供する目的で，本体のデータと同時に作成されるデータ（作成範囲，作成年月日，データの所有者，入手方法，料金など）をいう。

解説

a.　数値地形図データは，地形や地物などの位置と形状を表す［ア　**座標データ**］及びその内容を表す属性データなどで構成されるデータを，計算処理が可能な形態で表現したものである。

b.　当該地形測量及び写真測量の概覧，適用範囲，データの製品識別，数値地形図データの内容及び構造，データの品質などについて体系的に記載したものを，［イ　**製品仕様書**］という。

c.　地図情報レベルとは，数値地形図データの地図表現精度を表し，数値地形図における図郭内のデータの平均的な総合精度を示す指標である。地形図縮尺１／2,500 は，地図情報レベル［ウ　2500］に相当する。

よって，ア：座標データ，イ：製品仕様書，ウ：2500　となり，4. が最も適当である。

解答　4.

基本問題 6年 **5年** 4年 3年 2年 元年 30年 29年

問題　数値地形図データの作成

難易度 やや難

頻出度 低 ■■■□□□□□ 高

11 次の a～c の文は，公共測量における，地上レーザスキャナを用いた数値地形図データの作成について述べたものである。［ア］～［ウ］に入る語句の組合せとして**最も適当なもの**はどれか。次の中から選べ。

a.　地上レーザスキャナから計測対象物に対しレーザ光を照射し，対象物までの距離と方向を計測することにより，対象物の位置や形状を［ア］で計測する。

b.　レーザ光を用いた距離計測方法には，照射と受光の際の光の［イ］から距離を算出する［イ］方式と，照射から受光までの時間を距離に換算するTOF（タイム・オブ・フライト）方式がある。

c.　地上レーザスキャナを用いた計測方法は，平面直角座標系による方法と局地座標系による方法があり，局地座標系で計測して得られたデータは，相似変換による方法又は［ウ］交会による方法を用いて，平面直角座標系に変換する。

	ア	イ	ウ
1.	三次元	反射強度差	前方
2.	二次元	位相差	前方
3.	三次元	位相差	後方
4.	三次元	位相差	前方
5.	二次元	反射強度差	後方

本問は，地上レーザスキャナを用いた数値地形図データの作成を問う問題である。ここでは，地上レーザ測量の作業内容，地上レーザスキャナの距離観測方法などを理解しておく。

解説

a.　地上レーザスキャナとは，地上に設置してレーザ光を照射し，対象物の三次元観測データを取得する測量機器をいう。

地上レーザスキャナから計測対象物に対しレーザ光を照射し，対象物までの距離と方向を計測することにより，対象物の位置や形状を［ア　**三次元**］で計測することができる。

b.　レーザ光は，鋭い指向性を持つ光であり，レーザ光を用いた距離計測方法には，照射と受光の際の光の**イ　位相差**から距離を算出する**イ　位相差**方式と，照射から受光までの時間を距離に換算するTOF（タイム・オブ・フライト）方式がある。

位相差方式は，比較的短い距離で高精度・高密度に測定することを得意としているが，ノイズが出やすい。

TOF方式は，長距離を測定することを得意としている。また，測定に起因するノイズは，位相差方式よりも少ない。

c.　地上レーザスキャナを用いた計測方法は，平面直角座標系による方法と局地座標系による方法がある。

平面直角座標系で計測する場合は，器械点と後視点による方法を用いる。

局地座標系で計測する場合は，相似変換による方法又は**ウ　後方**交会による方法を用いて，平面直角座標系に変換する。

よって，ア：三次元，イ：位相差，ウ：後方となり，3. が最も適当である。

解答　3.

基本問題 6年 5年 4年 **3年** 2年 元年 30年 29年

問題 数値地形図データの特徴

難易度 普

頻出度 低 ■■■□□□□□ 高

12 次のa～dの文は，公共測量で作成される数値地形図データについて述べたものである。［ア］～［エ］に入る語句の組合せとして**最も適当なもの**はどれか。次の中から選べ。

a.　数値地形図データとは，地形や地物などの位置と形状を表す座標及び［ア］などで構成されるデータである。

b.　測量の概覧，数値地形図データの内容及び構造，データ品質などについて体系的に記載したものを，［イ］という。

c.　地図情報レベルとは，数値地形図データの［ウ］を表す指標である。

d.　細部測量や現地調査などの結果に基づき，数値地形図データを編集する工程を［エ］編集という。

	ア	イ	ウ	エ
1.	属性	製品仕様書	地図表現精度	追加
2.	属性	製品仕様書	地図表現精度	数値
3.	属性	製品証明書	地図表示範囲	追加
4.	定義	製品仕様書	地図表現精度	数値
5.	定義	製品証明書	地図表示範囲	追加

本問は，公共測量で作成される数値地形図データの特徴を問う問題である。ここでは，数値地形図データの製品仕様書や地図情報レベルなどを理解しておく。地形測量の作業手法がアナログ手法からデジタル手法に移ったことに伴い，地形図は数値地形図データに名称が変更した。また，デジタルにおいて縮尺の概念がないことから，縮尺は地図情報レベルで表示することとなった。

解説

①　数値地形図データとは，地形や地物などの位置と形状を表す座標及びその内容を表す［ア　**属性**］などで構成されるデータである。

②　測量の概覧，数値地形図データの内容及び構造，データ品質などについて体系的に記載したものを，［イ　**製品仕様書**］という。計画機関は公共測量の実施前に製品仕様書を策定しなければならない。

③　地図情報レベルとは，数値地形図データの**ウ　地図表現精度**を表し，数値地形図における図郭内のデータの平均的な総合精度を示す指標である。
④　細部測量や現地調査などの結果に基づき，図形編集装置を用いて，地形や地物などの数値地形図データを編集し，編集済データを作成する工程を，**エ　数値**編集という。

よって，ア：属性，イ：製品仕様書，ウ：地図表現精度，エ：数値　となり，2. が最も適当である。

解答　2.

基本問題 6年 5年 4年 3年 2年 元年 30年 29年

問題　等高線の表現方法

難易度 易

頻出度 低 ■■■■□□□□ 高

13 次の1～5の文は，地形測量における等高線による地形の表現方法について述べたものである。**明らかに間違っているもの**はどれか。次の1～5の中から選べ。

1. 1本の等高線は，原則として，図面の内又は外で閉合する。
2. 閉合する等高線の内部に必ずしも山頂があるとは限らない。
3. 傾斜の緩やかな斜面では，傾斜の急な斜面に比べて，地形図上における等高線の間隔は狭くなる。
4. 傾斜に変化のない斜面では，地形図上における等高線の間隔が等しくなる。
5. 計曲線は，等高線の標高値を読みやすくするため，一定本数ごとに太く描かれる主曲線である。

本問は，地形測量における地形の表現方法を問う問題である。等高線とは，地表面の高さの等しい点を結んだ線のことである。ここでは，地表の傾斜や凹凸などを表す等高線の性質を理解しておく。

☞ 要点5 参照

解説

1. **正しい**　1本の等高線は，図面の内または外で必ず閉合する。図面の内で閉合するのは，山頂・凹地・池沼などである。
2. **正しい**　等高線が図面内で閉合する場合は，その内部は山頂，凹地などである。凹地は山頂と区別するため，図1のように，低い方向に向けて単線または矢印を描く。

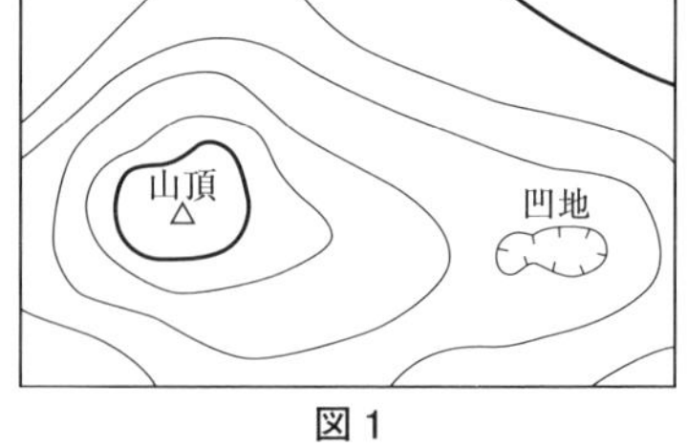

図1

3. **間違い**　傾斜の緩やかな斜面では，傾斜の急な斜面に比べて，地形図上における**等高線の間隔は広くなる**。
4. **正しい**　傾斜に変化のない斜面では，地形図上における等高線の間隔が等しくなる。

5.　**正しい**　計曲線は，等高線の標高値を読みやすくするため，０m 線およびこれより起算して５本ごとに太めの線で描かれる主曲線である。

よって，明らかに間違っているものは，3. である。

解答　**3.**

基本問題 | 6年 | 5年 | **4年** | 3年 | 2年 | 元年 | 30年 | 29年

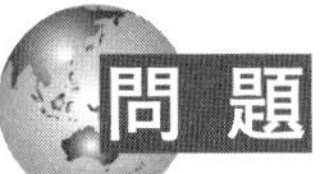

問題　等高線の表現方法

難易度 易

頻出度 低 ■■■■□□□□ 高

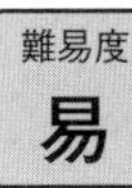

14 次のa～dの文は，公共測量の地形測量における等高線による地形表現について述べたものである。［ア］～［オ］に入る語句の組合せとして**最も適当なもの**はどれか。次の中から選べ。

a.　等高線は，間隔が広いほど傾斜が［ア］地形を表す。

b.　等高線の区分において，［イ］とは，0mの［ウ］及びこれより起算して5本目ごとの［ウ］をいう。

c.　等高線は，山頂のほか凹地でも［エ］する。

d.　等高線が谷を横断するときは，谷を［オ］から谷筋を直角に横断する。

	ア	イ	ウ	エ	オ
1.	緩やかな	計曲線	主曲線	閉合	上流の方へ上がって
2.	急な	補助曲線	計曲線	交差	下流の方へ下がって
3.	緩やかな	主曲線	補助曲線	閉合	下流の方へ下がって
4.	急な	計曲線	主曲線	閉合	下流の方へ下がって
5.	緩やかな	補助曲線	計曲線	交差	上流の方へ上がって

本問は，地形測量における地形の表現方法を問う問題である。等高線とは，地表面の高さの等しい点を結んだ線のことである。ここでは，地表の傾斜や凹凸などを表す等高線の性質を理解しておく。

☞ 要点5 参照

解説

a.　等高線の間隔が広いほど傾斜が［ア　**緩やかな**］地形を表し，等高線の間隔が狭いほど傾斜が急な地形を表す。

b.　等高線の区分には，主曲線，計曲線，間曲線，補助曲線がある。主曲線とは，各種の等高線の標準となるものをいい，細い実線で描かれる。

［イ　**計曲線**］とは，0mの［ウ　**主曲線**］及びこれより起算して5本目ごとの［ウ　**主曲線**］をいい，太い実線で描かれる。

c.　等高線は，山頂のほか凹地でも［エ　**閉合**］する。凹地は山頂と区別するため，図1のように，低い方向に向けて単線または矢印を描く。

d.　等高線が谷を横断するときは，谷を［オ　**上流の方へ上がって**］から谷筋を直角に横断する（図2）。

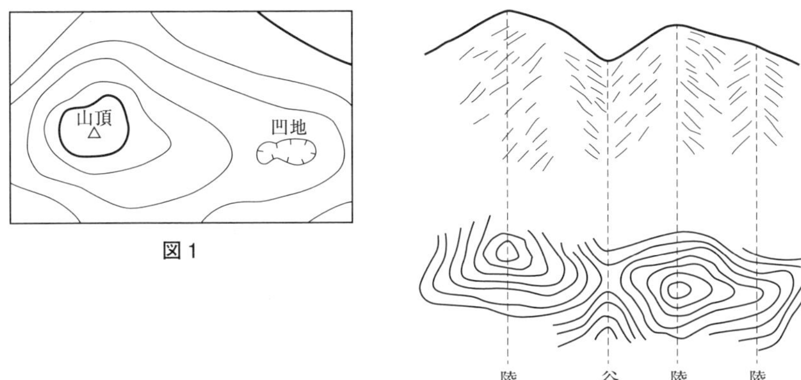

図１　　図２

よって，ア：緩やかな，イ：計曲線，ウ：主曲線，エ：閉合，オ：上流の方へ上がって，となり，最も適当な組合せは1. である。

解答　1.

基本問題 **6年** 5年 4年 3年 2年 元年 30年 29年

問題　数値標高モデルの特徴

難易度　易

頻出度　低 ■■■■□□□□ 高

15 次の1～5の文は，公共測量における数値地形モデル（以下「DTM」という。）について述べたものである。**明らかに間違っているもの**はどれか。次の1～5の中から選べ。

ただし，DTMとは，等間隔の格子の代表点の標高を表したデータとする。

1. DTMは地表面に加え，樹木や建物などの形状を表したデータである。
2. DTMでは，格子間隔が小さくなるほど詳細な地形を表現できる。
3. DTMは数値空中写真を正射変換し，正射投影画像を作成するときにも使われている。
4. DTMから2地点を直線で結んだ傾斜角を計算することができる。
5. DTMを用いて水害による浸水範囲のシミュレーションを行うことができる。

本問は，数値地形モデル（DTM）の特徴を問う問題である。数値地形モデル（DTM：Digital Terrain Model）とは，地表を不整三角網あるいは格子に区分し，その区分の代表とする位置の標高値で地形を表したモデルをいう。ここでは，DTMの特徴および活用事例を理解しておく。

解説

1. **間違い**　DTMは，**地表の樹木や建物などの地物の高さを含まない地形データ**である。地表の樹木や建物などの地物の高さを含む地形データは，数値標高モデル（DSM：Digital Surface Model）である。
2. **正しい**　DTMは，格子間隔が小さくなるほど，詳細な地形を表現することができる。
3. **正しい**　DTMは，中心投影である数値空中写真を，正射投影に変換して正射投影画像を作成するときにも使われる。
4. **正しい**　DTMを用いると，2地点を直線で結んだ傾斜角を計算することができる。

5.　**正しい**　DTM を用いると，水害による浸水範囲などの被災想定区域のシミュレーションを行うことができる。

よって，明らかに間違っているものは，1. である。

解答　1.

基本問題 6年 5年 4年 3年 2年 元年 30年 **29年**

問題 数値標高モデルの特徴

難易度 普

頻出度 低 ■■■■□□□□ 高

16 次の文は，数値標高モデル（以下「DEM」という。）の特徴について述べたものである。

［ア］～［オ］に入る語句の組合せとして**最も適当なもの**はどれか。次の中から選べ。

DEMとは，［ア］の標高を表した格子状のデータのことである。DEMは，既存の［イ］データや，［ウ］から作成することができる。DEMは，その格子間隔が［エ］ほど詳細な地形を表現でき，洪水などの［オ］のシミュレーションには欠かせないものである。

	ア	イ	ウ	エ	オ
1.	地表面	ジオイド高	正射投影画像	大きい	被災想定区域
2.	地表面	等高線	航空レーザ測量成果	小さい	被災想定区域
3.	地物の上面	等高線	正射投影画像	大きい	発生頻度
4.	地物の上面	ジオイド高	航空レーザ測量成果	小さい	発生頻度
5.	地表面	等高線	航空レーザ測量成果	大きい	被災想定区域

本問は，数値標高モデル（DEM）の特徴を問う問題である。数値標高モデル（DEM：Digital Elevation Model）とは，対象区域を等間隔の格子（メッシュ）に区分し，その交点（格子点）の地表面の標高を表したデータをいう。ここでは，DEMの作成方法および活用事例を理解しておく。

解説

① DEMとは，［ア **地表面**］の標高を表した格子状のデータのことである。

② DEMは，既存の［イ **等高線**］データや，［ウ **航空レーザ測量成果**］から作成することができる。

③ DEMは，その格子間隔が［エ **小さい**］ほど詳細な地形が表現でき，洪水などの［オ **被災想定区域**］のシミュレーションには欠かせないものである。

よって，ア：地表面，イ：等高線，ウ：航空レーザ測量成果，エ：小さい，オ：被災想定区域 となり，2. が最も適当である。

解答 2.

基本問題 | 6年 | 5年 | 4年 | 3年 | **2年** | 元年 | 30年 | 29年

問題　数値地形モデルの標高値の点検

難易度　普

頻出度　低 ■■■■□□□□ 高

17 数値地形モデルの標高値の点検を，現地の５地点で計測した標高値との比較により実施したい。

各地点における数値地形モデルの標高値と現地で計測した標高値は表のとおりである。標高値の精度を点検するための値 σ は幾らか。式を用いて算出し，**最も近いもの**を次の中から選べ。

なお，関数の値が必要な場合は，巻末の関数表を使用すること。

$$\sigma = \sqrt{\frac{(\text{地点1の標高値の差})^2 + (\text{地点2の標高値の差})^2 + \cdots + (\text{地点}N\text{の標高値の差})^2}{N}} \quad \cdots\cdots \text{式}$$

N：計測地点の数

表

地点番号	現地で計測した標高値（m）	数値地形モデルの標高値（m）
1	29.3	29.5
2	72.1	71.5
3	11.8	12.2
4	103.9	103.4
5	56.4	56.3

1.　0.16 m
2.　0.18 m
3.　0.35 m
4.　0.40 m
5.　0.60 m

本問は，標高値の精度を点検するための標準偏差 σ を，数値地形モデルの標高値と現地で計測した標高値から求める問題である。ここでは，与えられた式を用いて標準偏差 σ の計算ができるようにしておく。

解説

① 各地点における標高値の差 v を求める。

v＝現地で計測した標高値－数値地形モデルの標高値

② 各地点における標高値の差の二乗 $v \cdot v$ を求める。

$v \cdot v = v \times v$

地点番号	現地で計測した標高値（m）	数値地形モデルの標高値（m）	標高値の差 v（m）	標高値の差の二乗 $v \cdot v$
1	29.3	29.5	－0.2	0.04
2	72.1	71.5	＋0.6	0.36
3	11.8	12.2	－0.4	0.16
4	103.9	103.4	＋0.5	0.25
5	56.4	56.3	＋0.1	0.01
合計				0.82

③ 標準偏差σを求める。

$$\sigma = \sqrt{\frac{(\text{地点}1\text{の標高値の差})^2 + (\text{地点}2\text{の標高値の差})^2 + \cdots + (\text{地点}N\text{の標高値の差})^2}{N}}$$

より，　$\sigma = \sqrt{\dfrac{v \cdot v\text{の合計}}{N}}$

ここで，$v \cdot v$ の合計＝0.82，$N=5$ であるから，

よって，　$\sigma = \sqrt{\dfrac{0.82}{5}} = \sqrt{\dfrac{(82 / 100)}{5}} = \dfrac{\sqrt{82}}{\sqrt{100} \times \sqrt{5}} = \dfrac{\sqrt{82} \times \sqrt{5}}{10 \times \sqrt{5} \times \sqrt{5}}$

$$= \frac{\sqrt{82} \times \sqrt{5}}{10 \times 5} = \frac{9.055 \times 2.236}{50} = 0.404 \fallingdotseq 0.40$$

よって，最も近いものは 4. である。

解答　4.

基本問題　6年　5年　4年　3年　2年　元年　30年　29年

街区を構成する要素の識別コード

難易度 普

頻出度 低 ■■■□□□□□ 高

18 下図は，ある街区を構成する要素（点，線，面）および各要素の識別コードを表している。識別コードの数字の100番台は点，200番台は線，300番台は面を表している。0は計測対象街区以外である。次の表は，街区を構成する線について，線の始点，終点および線に隣接する面の情報を示したものである。ア～キにあてはまる**組合せで正しいもの**はどれか。次の中から選べ。

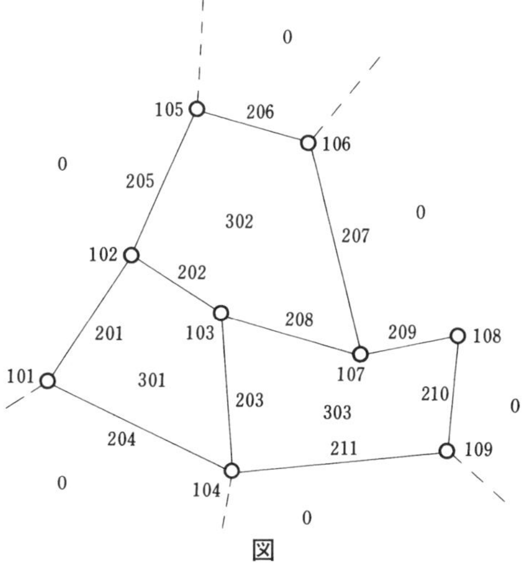

図

表

線	始点	終点	隣接する面	
			右	左
201	ア	102	301	イ
202	102	ウ	301	エ
203	103	オ	カ	303
204	104	101	301	キ
205	102	105	302	0
206	105	106	302	0
207	106	107	302	0
208	107	103	302	303
209	107	108	303	0
210	108	109	303	0
211	109	104	303	0

	ア	イ	ウ	エ	オ	カ	キ
1.	101	0	104	303	107	301	302
2.	105	302	104	302	104	0	0
3.	101	0	103	302	107	301	302
4.	105	302	104	303	107	0	302
5.	101	0	103	302	104	301	0

本問は，数値地形図のデータの構造と表示方法を問う問題である。ここでは，街区を構成する点・線・面のうち，線の始点・終点および線に隣接する面の識別コードの記入方法を理解しておく。

☞  参照

解説

点・線・面は，次の原則に従い表現する。

① 点（ノード）は，ノード番号と座標で定める。

② 線（アーク）は始点と終点をノード番号で定める。

③ 面（ポリゴン）は，その面を構成するアーク番号の集合で定める。

④ アークは，その左右に面を持つ。

問題の表を説明すると，

201 線：始点が［ア 101］，終点が 102 であり，201 線の右は 301 面，左は［イ 0］面となる。

202 線：始点が 102，終点が［ウ 103］であり，202 線の右は 301 面，左は［エ 302］面となる。

203 線：始点が 103，終点が［オ 104］であり，203 線の右は［カ 301］面，左は 303 面となる。

204 線：始点が 104，終点が 101 であり，204 線の右は 301 面，左は［キ 0］面となる。

よって，ア：101，イ：0，ウ：103，エ：302，オ：104，カ：301，キ：0 となり，5. の組合せが正しい。

解答 5.

参考：コード化は GIS のデータベースとなる

GIS（地理情報システム）では，道路の交差点などをこの問題の 101，102 のように点（ノード）で，道路などを 201，202 のように線（アーク）で，道路で区切られた区画を 301，302 のように面（ポリゴン）で表す。

そして，たとえば道路管理者が，点（ノード）となる交差点の信号の交替時間や，線（アーク）となる道路の幅員，長，路面形状，道路構造，交通量などの情報を付加して，道路管理に使用することができる。

また，面（ポリゴン）に，住宅個数，人口などの生活情報を記載して出店計画や開発計画などに使用することなどが考えられる。

こうして数値地図上にデジタル化したデータを付加することで GIS の活用が可能となる。

基本問題 6年 5年 4年 3年 2年 元年 30年 29年

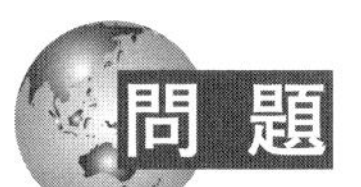

問題 GISにおけるデータの表示方法

難易度 普

頻出度 低 ■■■□□□□□ 高

19 図は，ある地域の交差点，道路中心線及び街区面のデータについて模式的に示したものである。この図において，P1～P7は交差点，L1～L9は道路中心線，S1～S3は街区面を表し，既にデータ取得されている。街区面とは，道路中心線に囲まれた領域をいう。この図において，P1とP7間に道路中心線L10を新たに取得した。次のa～eの文は，この後必要な作業内容について述べたものである。**明らかに間違っているもの**だけの組合せはどれか。次の中から選べ。

a.　道路中心線L6，L10，L8により街区面を取得する。
b.　道路中心線L8，L9，L4，L5により街区面を取得する。
c.　道路中心線L2，L3，L9，L7により街区面を取得する。
d.　道路中心線L1，L7，L10により街区面を取得する。
e.　道路中心線L1，L7，L8，L6により街区面を取得する。

1.　a，b，c
2.　a，c，d
3.　a，d，e
4.　b，c，e
5.　b，d，e

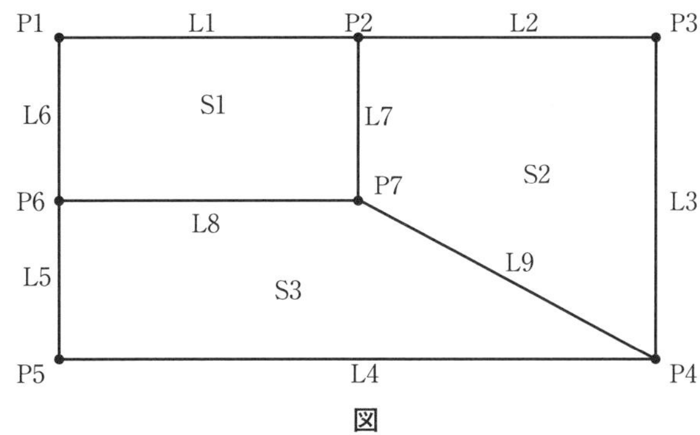

図

本問は，地理情報システム（GIS）における地理データ（地理空間情報）の構造と表示方法を問う問題である。ここでは，道路の交差点と交差点を結ぶ道路の中心線を新たに取得した場合，どのような街区面ができるのかを読み取れるようにしておく。

解説

P1とP7間に道路中心線L10を新たに取得すると，街区面S1は，図１のように，２つの街区面S4，S5に分けられる。この後の作業では，それぞれの街

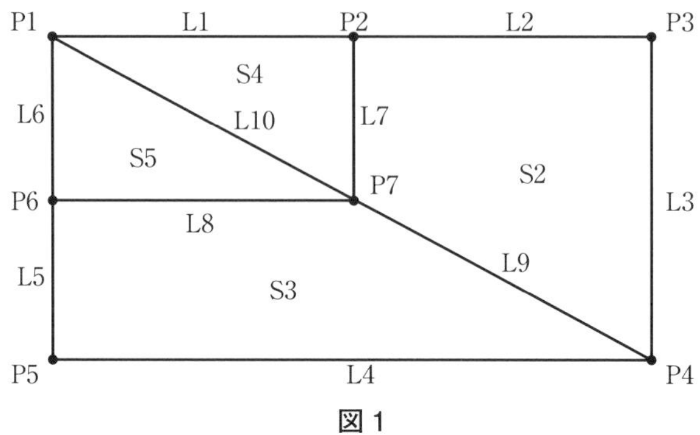

図 1

区面を取得しなければならない。

街区面 S4 は，道路中心線 L1，L7，L10 により取得し，街区面 S5 は，道路中心線 L6，L10，L8 により取得する。

よって，必要な作業内容の項目は，a，d，必要としない作業内容の項目は，b，c，e となり，4. が間違っているものだけの組合せである。

解答 4.

基本問題　6年　5年　4年　3年　2年　元年　30年　29年

問題　GISにおけるデータの表示方法

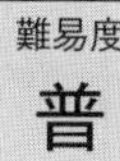

難易度　普

頻出度　低 ■■■□□□□□ 高

20 図は，ある地域の街区について数値化された道路中心線を模式的に示したものである。この図において，A～F は交差点，L1～L7 は道路中心線，S1 及び S2 は道路中心線 L1～L7 に囲まれた街区面を表したものである。

また，次のページの表１は，道路中心線 L1～L7 の始点及び終点を交差点 A～F で表したものであり，次のページの表２は，街区面 S1，S2 を構成する道路中心線 L1～L7 とその方向を表したものである。ここで，街区面を構成する道路中心線の方向は，面の内側から見て時計回りの方向を＋，その反対の方向を－とする。

次の文は，交差点，道路中心線及び街区面の関係について述べたものである。**明らかに間違っているもの**はどれか。次の中から選べ。

1.　交差点 A～F のうち，道路中心線が奇数本接続する交差点の数は偶数である。
2.　道路中心線 L1 の終点（表１の［ ア ］）は B である。
3.　S1 を構成する L2 の方向（表２の［ イ ］）は＋であり，S2 を構成する L7 の方向（表２の［ ウ ］）は－である。
4.　街区面 S1，S2 は，それぞれ４本の道路中心線から構成されている。
5.　道路中心線 L2 は，街区面 S1 及び S2 を構成する道路中心線である。

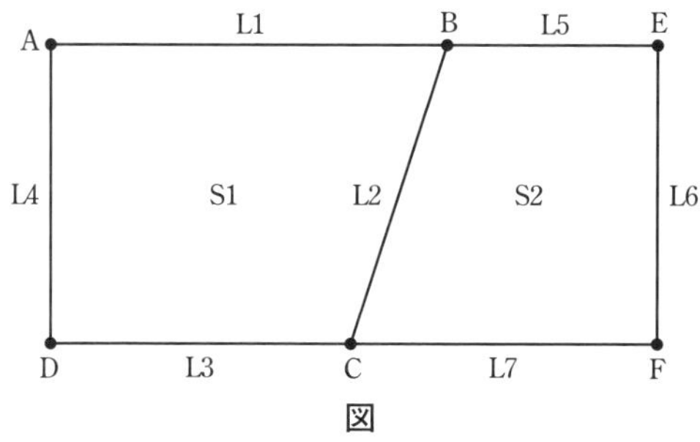

図

第４章　地形測量

表1

道路中心線	始点	終点
L1	A	ア
L2	C	B
L3	C	D
L4	D	A
L5	E	B
L6	F	E
L7	F	C

表2

街区面	道路中心線	方向
S1	L1	+
	L2	イ
	L3	+
	L4	+
S2	L2	+
	L5	−
	L6	−
	L7	ウ

本問は，地理情報システム（GIS）におけるデータの構造と表示方法を問う問題である。ここでは，道路の交差点と，道路の中心線の始点・終点を示した表および模式図から，道路の中心線で囲まれた街区面の構成を読み取れるようにしておく。

解説

表2をもとに，街区面S1，S2を構成する道路中心線の方向に対する符号は，次のようになる。

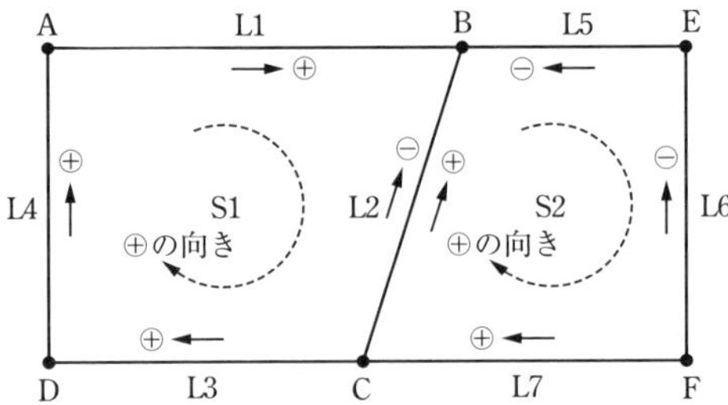

1.　**正しい**　模式図から，道路の中心線が奇数本（3本）接続する交差点の数は，B，Cの2点，すなわち，偶数である。

2.　**正しい**　道路中心線L1はAを始点とし，時計回りの方向に向う［ア　B］を終点とする。

3.　**間違い**　道路中心線L2はCを始点とし，反時計回りの方向に向うBを終点とするので，S1を構成するL2の方向は＋でなく，［イ　−］である。また，道路中心線L7はFを始点とし，時計回りの方向に向うＣを終点とするので，S2 を構成する L7 の方向は－でなく，［ウ　＋］である。よって，誤りである。

4.　**正しい**　街区面 S1 は，L1・L2・L3・L4 の４本の道路中心線から構成されている。また，街区面 S2 は，L2・L5・L6・L7 の４本の道路中心線から構成されている。

よって，3. が明らかに間違っている。

解答　3.

5

第５章
写真測量

「写真測量」の概要

写真測量は，空中写真測量と航空レーザ測量等に大別することができる。

空中写真測量とは，航空機等から撮影された空中写真を用いて，写真上に写された土地の形状・地物などを計測し，数値地形図データを作成する作業のことである。また，航空レーザ測量とは，航空機に搭載されたレーザ測距装置等を用いて，地表を平面座標（x，y），高さ（z）の3次元で計測し，標高データ等の数値地形図データファイルを作成する作業のことである。

●写真測量　最新8年間の出題状況●

No.	年度／出題内容	基本問題	令和6	5	4	3	2	元	平成30	29
1	撮影縮尺・撮影高度・実長・画素寸法の計算	1 4		2		5	□	□		3
2	コース間隔・重複度・撮影基線長・比高・シャッター間隔の計算	6	8			10		7	□	9
3	空中写真測量・同時調整	11 15	13		12 □	14		□		□
4	数値地形図データ作成	16								
5	写真地図作成			17			18		19	
6	UAV 写真測量・UAV 写真点群測量・UAV レーザ測量		20	23	21	22	□			
7	航空レーザ測量		24	27	25		26		□	□
8	車載写真レーザ測量							28		29
9	空中写真の判読	30								

注）□は，その年度に出題された問題で，番号は，本書に掲載された問題番号を示す。

◆写真測量　令和６年度出題の特徴◆

関連 No.	形　式	具体的な出題内容（特徴）	難易度
2	計　算	撮影基線長の計算	やや難
3	文　章	空中写真測量の特徴	普
6	文　章	UAV 写真測量・UAV レーザ測量の特徴	普
7	計　算	航空レーザ測量の三次元計測データの欠測率	普
		合　計	4問

出題の要点

要点1 対空標識の設置作業

(1) 対空標識の規格

① 基本型は，A 型（逆 Y 字三枚羽根形状）と，B 型（正方形）があり，一般に耐水ベニヤまたは化学合成板を用いる。最近は，デジタル処理に適した円形のものも用いることができる。

② 建物の屋上等に設置する場合は，A 型，C 型（十字四枚羽根形状）または D 型（ロ型形状）とし，ペンキで直接描くことができる。樹上に設置する場合は E 型（正方形）とする。

③ 色は白色を標準とし，周囲の状況を考慮して黄色または黒色とする。

(2) 対空標識の設置方法

① 対空標識の上空視界は，天頂から 45° 以上を確保する。

② 偏心して設置する場合は，偏心点に標杭を設置する。

③ 樹上に設置する場合は，樹高より 50 cm 程度高くする。

要点2 空中写真の撮影と縮尺

空中写真の撮影と縮尺に関する公式

撮影縮尺 $\frac{1}{m}=\frac{f}{H}$，比例の関係 $\frac{f}{H}=\frac{l}{L}$

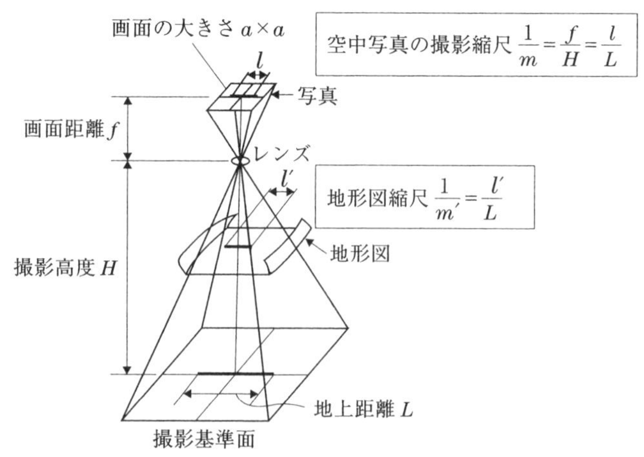

撮影基線長　$B = (1 - \frac{OL}{100}) \times S$

（OL：重複度またはオーバーラップ，S：地上１辺の長さ）

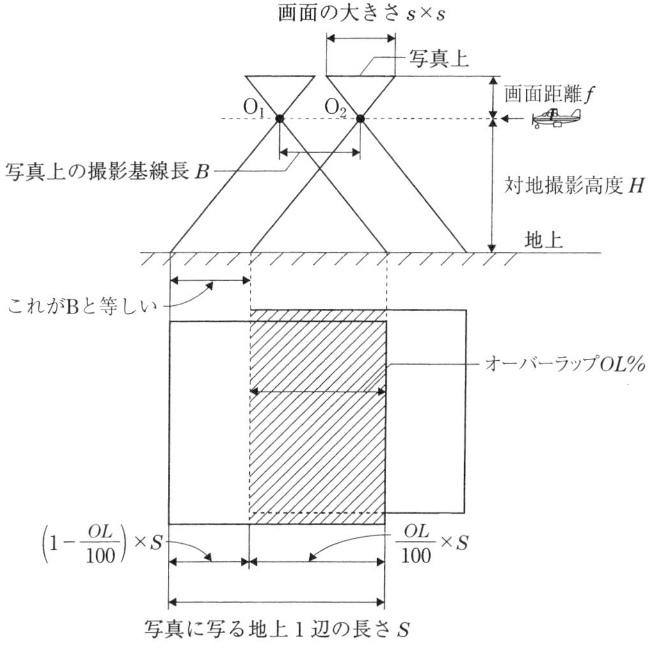

コース間隔　$C = (1 - \frac{SL}{100}) \times S$

（SL：重複度またはサイドラップ，S：写真に写る地上１辺の長さ）

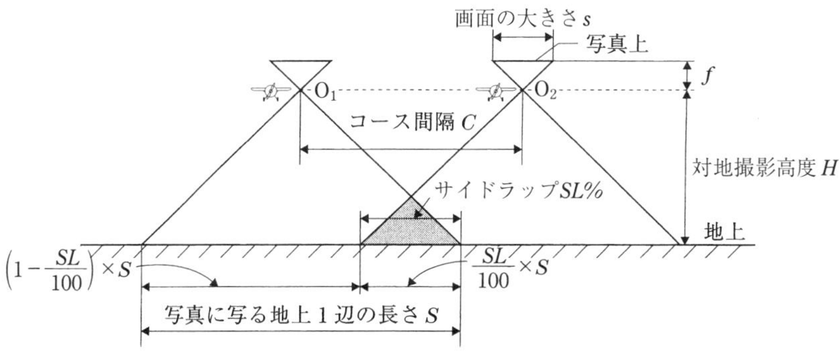

要点3 ひずみと比高

1枚の写真（ポジ）上の物体のひずみから，その物体の比高 h が求められる。

比高　$h=H\cdot\dfrac{dr}{r}$

h：比高，dr：ひずみ（mm），r：主点から物体の先端までの長さ（mm）

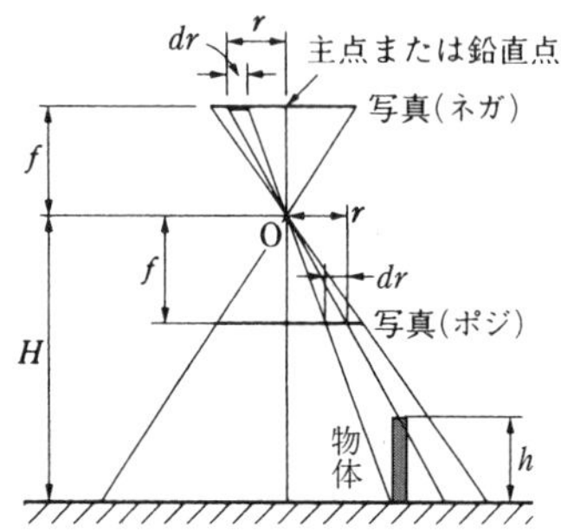

要点4 写真の標定

写真の標定は，2枚一組の写真を図化機にセットして，実体摸像（ステレオモデル）をつくり，縮尺・水準・方位を定めて地形図を作成できる状態にすることである。

標定には，内部定位と外部定位がある。

内部定位……図化機に写真を正しくセットすること。

外部定位

- 相互標定：グルーバー法（κ_1，κ_2，ϕ_1，ϕ_2，ω_1）によりステレオモデルをつくる。
- 絶対標定：縮尺，水準，方位を定める。
- 接続標定：絶対標定の完了したステレオモデルに接続する標定で，片側の投射器の要素だけを動かして定位する。

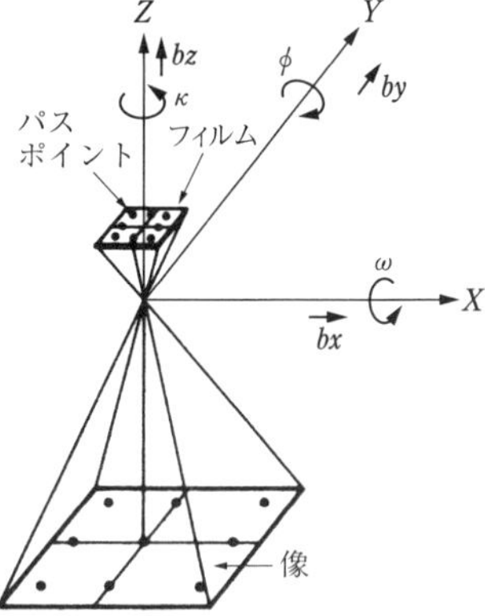

要点5　空中写真測量

空中写真測量は，空中写真を用いて数値地形図データを作成する作業をいう。

（1）　空中写真測量の特徴

① 現地測量に比べて広い範囲を一定の精度で測量ができる。

② 空中写真に写る建物の形状，大きさ，色調，模様などから，土地利用の状況を知ることができる。

③ 他の撮影条件が一定ならば，撮影高度の高いほど，１枚の空中写真に写る地上の範囲は広くなる。

④ 高塔や高層建物は，空中写真の鉛直点を中心として放射状に倒れ込むように写る。

⑤ 同一の写真の中でも，標高の高い部分は地上画素寸法が大きく写り，標高の低い部分は地上画素寸法が小さく写り，地上画素寸法は一定でない。

（2）　空中写真測量の作業手順

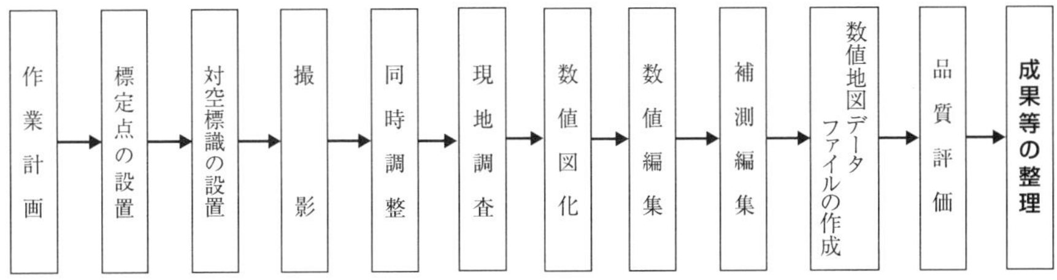

（3）　同時調整

同時調整は，ディジタルステレオ図化機（2点間の写真上の距離を測定する器械）を用いて，空中三角測量によりパスポイント・タイポイントおよび基準点等の写真上の座標を測定し，調整計算を行って，パスポイントとタイポイント等の水平位置と標高を定めることである。

パスポイント・タイポイントを選ぶ際には，以下の点に留意する

① パスポイントは同じコース上で連続する３枚の写真が重なり合う部分の中央と両端に１点ずつ３点選び，右図のように，写真を実体視しながら定めていく。ポジフィルムを用いる場合は点刻（小孔をあける）し，パスポイントを定める。

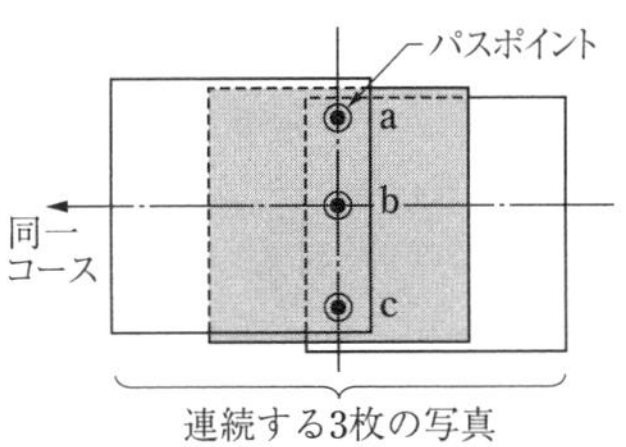

連続する3枚の写真

② タイポイントは，隣接する２つのコースの重複部分に選点される。同一点が4〜6枚の写真に選定されることになる。このとき，タイポイントがコース上で一直線とならないように実体視しながら選点し，コース間のひ

ずみを調整できるようにする。また，写真の端部はひずみが大きいので，少なくとも写真の端部から5 mm 以上内側に選点する。タイポイントは，パスポイントを兼ねてもよい。

要点6 航空レーザ測量

航空レーザ測量は，航空機にレーザ測距装置，GNSS 受信機，IMU（慣性計測装置），デジタルカメラなどを搭載して，航空機から地上に向けてレーザ光を発射し，地表面や地物で反射して戻ってきたレーザ光から，地表の標高データを求めることができる技術である。

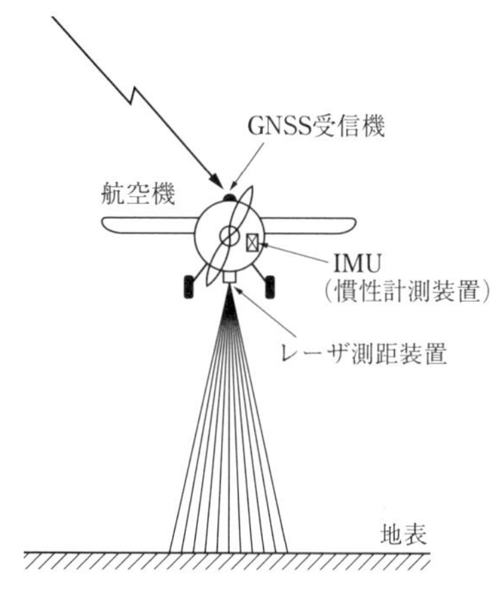

GNSS 受信機は，航空機の位置（X，Y，Z）を調べるための装置である。

IMU は，航空機の姿勢傾きや加速度を測定する装置で，この測定結果によって，レーザ光の発射された方向を正しく補正することができる。

(1) 数値標高モデルデータの作成手順

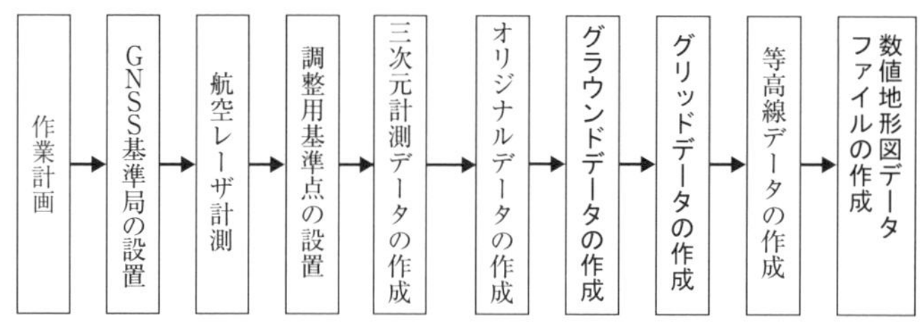

(2) オリジナルデータとグラウンドデータ

オリジナルデータは，三次元計測データからノイズ等のエラーデータを除去したデータである。これらは建物・樹木等を含むすべての高さのデータである。グラウンドデータは，オリジナルデータから，地表以外の高さのデータを取り除くフィルタリング処理を行い，地表の標高を示したデータである。

また，グラウンドデータは地表のランダムの位置の標高値が分布しているため，利用目的に応じて地表を格子状に区切ったグリッドデータに変換する。

(3)　水部ポリゴンデータ

水部ポリゴンデータは，レーザ測距と同時期に地表面を撮影した画像データを用いて，水部（海・河川・池等）の範囲を対象に作成したデータである。

(4) 三次元計測データの欠測率の計算

三次元計測データの欠測率の計算は，主に航空機の揺動による計測量の粗密が生じていないかを点検するために行うものである。対象面積は 1/2,500 国土基本図郭単位（2 km×1.5 km）を基準とし，この中に生じた欠測格子の割合で評価する。

欠測率は，対象面積に対する欠測の割合を示すもので，次式により求める。

$$\text{欠測率} = \frac{\text{欠測メッシュ数}}{\text{全メッシュ数} - \text{水部メッシュ数}} \times 100 \ (\%)$$

欠測率は，格子間隔が 1 m を超える場合は 10% 以下，1 m 以下の場合は 15% 以下を標準としている。

要点7　数値地形図

数値地形図とは，空中写真測量等により，地形・地物等にかかわる地図情報をデジタル（数値）形式で測定し，体系的に整理された地形図情報を構築し，数値地形図ファイルに記憶し，この数値地形図ファイルから必要な情報を取り出し，地形図等の原図を作成することをいう。

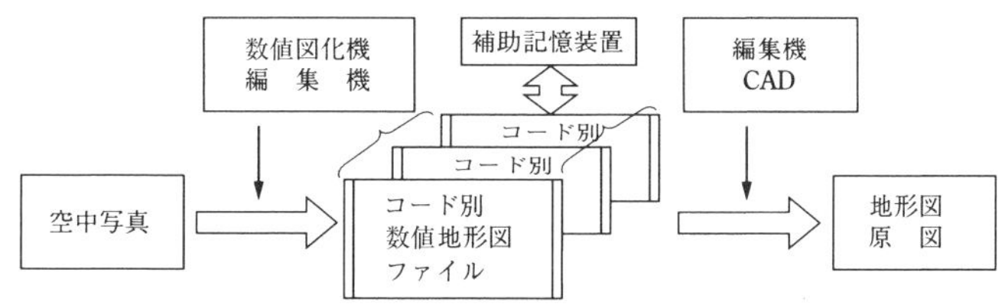

(1)　数値地形図の作業手順

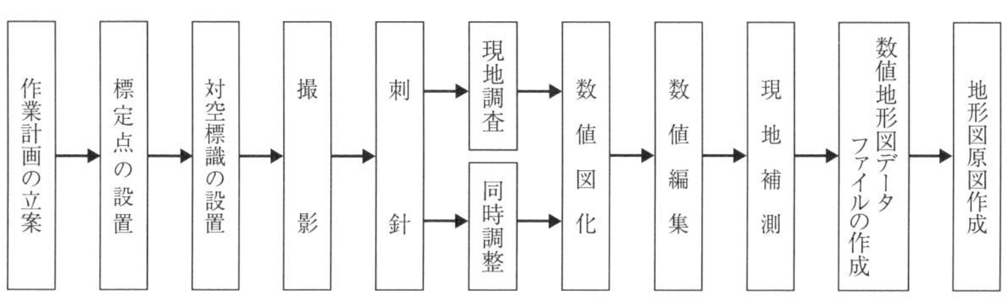

(2) 数値図化の用具

① 入力装置⇨デジタイザ，スキャナ

② 数値図化装置⇨解析図化機，座標読取付アナログ図化機，ディジタルステレオ図化機

③ 編集装置⇨コンピュータ，CAD

④ 補助記憶装置⇨MT テープ（磁気テープ），磁気ディスクドライブや光ディスクドライブ（FD，CD，DVD，MO，CMT，DAT などのメディア）

⑤ 出力装置⇨XY プロッタ，カラー静電プロッタ，インクジェットプリンタ，レーザプリンタ，グラフィックディスプレイ

(3) ベクタデータとラスタデータ

デジタイザや解析図化機で，座標（X, Y）を直接入力したデータをベクタデータという。スキャナは，写真や図を点（ドット）の集合体として感知し，このとき，解像度を dpi（dot per inch）や ppi（pixel per inch）で表し，幅 1 インチ（25.4 mm）に含まれるドット数で表現する。このデータをラスタデータという。

写真地図作成

写真地図作成は，空中写真から空中写真用スキャナにより数値化した数値写真またはデジタル航空カメラで撮影した数値写真を正射変換し，写真地図データファイルを作成する作業である。また，必要に応じて隣接する正射変換した画像をデジタル処理により結合し，モザイク画像を作成する作業も写真地図作成に含む。写真地図作成の作業は，次の手順で行う。

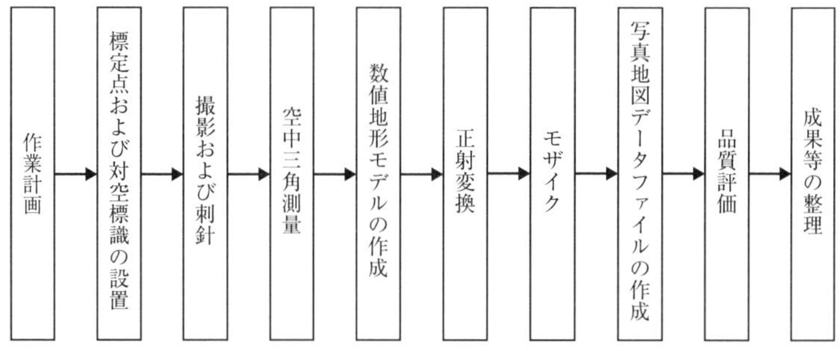

車載写真レーザ測量

車載写真レーザ測量は，車両に自車位置姿勢データ取得装置（GNSS/IMU 装置など）および数値図化用データ取得装置（レーザ測距装置，計測用カメラなど）を搭載して，主として道路およびその周辺の地形や地物などのデータを取得し，数値地形図データを作成する技術である。

（1）　車載写真レーザ測量の作業手順

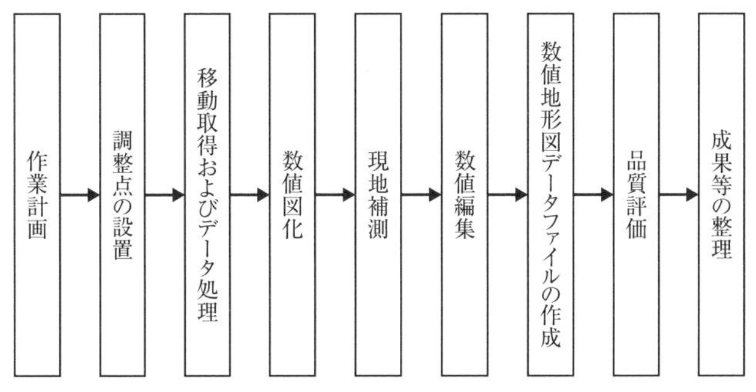

（2）　車載写真レーザ測量で使用する機器

① 自車位置姿勢データ取得装置⇒GNSS 測量機，IMU（慣性計測装置），走行距離計など

② 数値図化用データ取得装置⇒レーザ測距装置，計測用カメラ

③ 数値図化機および図形編集装置

（3）　数値地形図データの地図情報レベル

車載写真レーザ測量により作成する数値地形図データの地図情報レベルは，500 および 1000 を標準とする。

基本問題 6年 5年 4年 3年 2年 元年 30年 29年

問題 空中写真の撮影縮尺の計算

難易度 普

頻出度 低 ■■■■■■■■□ 高

1 画面距離 15 cm の航空カメラを用いて，撮影基準面を標高 0 m とした鉛直空中写真を撮影した。この撮影により得られた密着空中写真上で，ある橋の長さを計測したところ 12.8 mm であり，縮尺 1/25 000 の地形図上での長さは 6.4 mm であった。この密着空中写真の撮影基準面における撮影縮尺はいくらか。**最も近いもの**を次の中から選べ。ただし，橋の標高は 225 m とする。

1. 1/10 000
2. 1/11 000
3. 1/12 500
4. 1/14 000
5. 1/15 000

本問は，空中写真の撮影高度 H，画面距離 f および撮影縮尺 $1/m$ の関係から，空中写真の撮影基準面における撮影縮尺 $1/m_0$ を求める問題である。ここでは，撮影基準面を標高 0 m，すなわち，海面を基準とした撮影地点までの鉛直距離である海抜撮影高度 H_0 と，橋の対地撮影高度 H を使い分けできるようにしておく。☞ 要点2 参照

解説

このような問題は，与えられた条件を図に描いて求める。

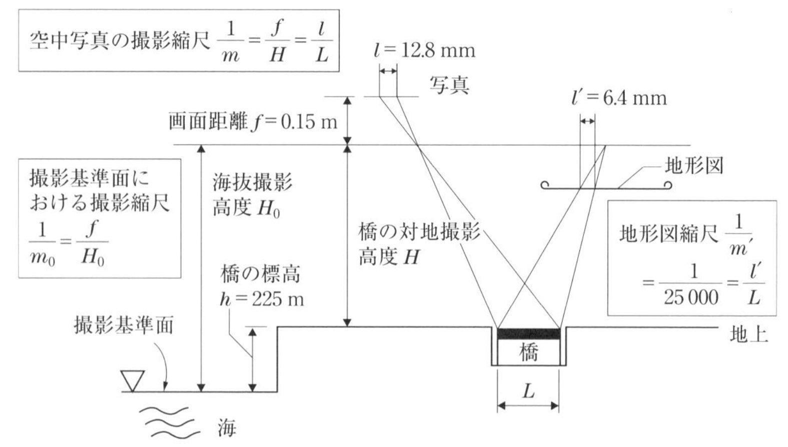

① 地上における橋の長さ L を求める。

$\dfrac{1}{m'}=\dfrac{l'}{L}$ より， $L=l'\times m'$

ここに， $l'=6.4\text{ mm}$，$m'=25\,000$

よって， $L=6.4\text{ mm}\times 25\,000=160\,000\text{ mm}=160\text{ m}$

② 橋の対地撮影高度 H，海抜撮影高度 H_0 を求める。

$\dfrac{f}{H}=\dfrac{l}{L}$ より， $H=\dfrac{L}{l}\times f$

ここに， $L=160\text{ m}$，$l=12.8\text{ mm}$，$f=0.15\text{ m}=150\text{ mm}$

よって， $H=\dfrac{160\text{ m}}{12.8\text{ mm}}\times 150\text{ mm}=1\,875\text{ m}$

$H_0=H+h=1\,875+225=2\,100\text{ m}$

③ 撮影基準面における撮影縮尺 $1/m_0$ を求める。

$\dfrac{1}{m_0}=\dfrac{f}{H_0}=\dfrac{0.15\text{ m}}{2\,100\text{ m}}$， $m_0=\dfrac{210\,000\text{ cm}}{15\text{ cm}}=14\,000$

以上により，基準面における撮影縮尺は 1/14 000 となる。

よって，最も近いものは 4. である。

解答 **4.**

基本問題 | 6年 | **5年** | 4年 | 3年 | 2年 | 元年 | 30年 | 29年

問題　空中写真の撮影高度の計算

難易度　普

頻出度　低 ■■■■■■■□ 高

2 画面距離 7 cm，画面の大きさ 17,000 画素 ×11,000 画素，撮像面での素子寸法 5 μm のデジタル航空カメラを用いて鉛直下に向けた空中写真撮影を計画した。撮影基準面での地上画素寸法を 20 cm とした場合，標高 0 m からの撮影高度は幾らか。**最も近いもの**を次の中から選べ。

ただし，撮影基準面の標高は 300 m とする。

なお，関数の値が必要な場合は，巻末の関数表を使用すること。

1. 1,900 m　　2. 2,200 m　　3. 2,500 m
4. 2,800 m　　5. 3,100 m

本問は，初めに航空カメラの撮像面での素子寸法と，撮影基準面での地上画素寸法から撮影基準面での撮影縮尺 $1/m_0$ を求める。次に数値空中写真の画面距離 f および撮影縮尺 $1/m_0$ の関係から，空中写真の対地撮影高度 H と標高 0 m からの撮影高度 H_0 を求める問題である。☞ 要点2 参照

解説

① 航空カメラの撮像面の素子寸法 5 μm をミリメートルの位に換算する。

$$5\ \mu\text{m} = \frac{5}{1{,}000}\ \text{mm}$$

② 撮影基準面の撮影縮尺 $1/m_0$ を求める。

$$\frac{1}{m_0} = \frac{\text{航空カメラの撮像面の素子寸法}}{\text{撮影基準面の地上画素寸法}}$$

ここに，撮影基準面の地上画素寸法　20 cm = 200 mm

$$\frac{1}{m_0} = \frac{\frac{5}{1{,}000}}{200} = \frac{5}{1{,}000 \times 200} = \frac{1}{40{,}000}$$

③ 数値空中写真の撮影高度 H を求める。

$\frac{1}{m_0} = \frac{f}{H_0}$　より，$H_0 = f \times m_0$　　ここに，$f = 7$ cm，$m_0 = 40{,}000$

$H = 7\ \text{cm} \times 40{,}000 = 280{,}000\ \text{cm} = 2{,}800\ \text{m}$

④ 標高 0 m からの撮影高度 H_0 を求める。

$H_0 = H +$ 撮影基準面の標高 $= 2{,}800 + 300 = 3{,}100$ m

よって，最も近いものは5. である。

解答　5.

基本問題　6年　5年　4年　3年　2年　元年　30年　**29年**

問題　空中写真の撮影高度の計算

難易度　やや難

頻出度　低 ■■■■■■■□ 高

3　画面距離 10 cm，画面の大きさ 20,000 画素 ×13,000 画素，撮像面での素子寸法 5 μm のデジタル航空カメラを用いて鉛直空中写真を撮影した。撮影基準面での地上画素寸法を 20 cm とした場合，撮影高度は幾らか。**最も近いもの**を次の中から選べ。

ただし，撮影基準面の標高は 0 m とする。

なお，関数の値が必要な場合は，巻末の関数表を使用すること。

1.　3,200 m
2.　3,600 m
3.　4,000 m
4.　4,400 m
5.　4,800 m

本問は，初めに航空カメラの撮像面での素子寸法と，撮影基準面での地上画素寸法から撮影基準面での撮影縮尺 $1/m_0$ を求める。次に数値空中写真の画面距離 f および撮影縮尺 $1/m_0$ の関係から，空中写真の撮影高度 H_0 を求める問題である。☞ 要点2 参照

解説

①　航空カメラの撮像面の素子寸法 5 μm をミリメートルの位に換算する。

$$5\,\mu\text{m} = \frac{5}{1{,}000}\ \text{mm}$$

②　撮影基準面の撮影縮尺 $1/m_0$ を求める。

$$\frac{1}{m_0} = \frac{\text{航空カメラの撮像面の素子寸法}}{\text{撮影基準面の地上画素寸法}}$$

ここに，撮影基準面の地上画素寸法　20 cm = 200 mm

$$\frac{1}{m_0} = \frac{\frac{5}{1{,}000}}{200} = \frac{5}{1{,}000 \times 200} = \frac{1}{40{,}000}$$

③　数値空中写真の撮影高度 H_0 を求める。

$$\frac{1}{m_0} = \frac{f}{H_0} \text{ より }\quad H_0 = f \times m_0 \qquad \text{ここに，} f = 10\ \text{cm},\ m_0 = 40{,}000$$

$$H_0 = 10\ \text{cm} \times 40{,}000 = 400{,}000\ \text{cm} = 4{,}000\ \text{m}$$

よって，最も近いものは 3. である。　**解答　3.**

基本問題 6年 5年 4年 3年 2年 元年 30年 29年

問題 空中写真における2点間の距離

難易度 普

頻出度 低 ■■■■■■■□ 高

4 画面距離 10 cm，撮像面での素子寸法 12 μm のデジタル航空カメラを用いて，海面からの撮影高度 2,500 m で，標高 500 m 程度の高原の鉛直空中写真の撮影を行った。この写真に写っている橋の長さを数値空中写真上で計測すると 1,000 画素であった。

この橋の実長は幾らか。**最も近いもの**を次の中から選べ。

ただし，この橋は標高 500 m の地点に水平に架けられており，写真の短辺に平行に写っているものとする。

1. 180 m
2. 240 m
3. 300 m
4. 360 m
5. 420 m

本問は，数値空中写真において，数値空中写真上の橋の長さ L が与えられたとき，地上での橋の長さ L を求める問題である。ここでは，撮像面での素子寸法 12 μm のとき，画面上の長さ 1,000 画素をミリメートル単位で表せるようにしておく。☞ 要点2 参照

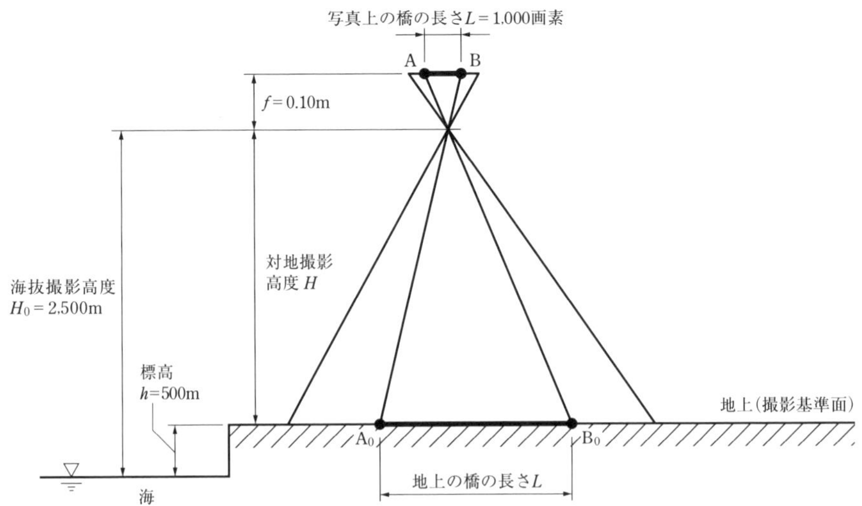

解説

① 対地撮影高度 H を求める。

$$H = H_0 - h = 2{,}500 - 500 = 2{,}000 \text{ m}$$

② 撮影基準面における撮影縮尺 $1/m$ を求める。

$$\frac{1}{m} = \frac{f}{H} \quad \text{より} \quad m = \frac{H}{f}$$

ここに，$H = 2{,}000$ m，$f = 0.10$ m

$$m = \frac{2{,}000}{0.1} = 20{,}000$$

③ 航空カメラの撮像面の素子寸法 12 μm をミリメートル単位に換算する。

$$12\,\mu\text{m} = \frac{12}{1{,}000} \text{ mm}$$

④ 数値空中写真上の橋の長さ 1,000 画素をミリメートル単位に換算する。

$$1{,}000 \times \frac{12}{1{,}000} = 12 \text{ mm}$$

⑤ 橋の実長 L は，数値空中写真上の 20,000 倍となるので，

$$L = 12 \times 20{,}000 = 240{,}000 \text{ mm} = 240 \text{ m}$$

よって，最も近いものは 2. である。

解答　2.

撮影基準面における地上画素寸法の計算

難易度 やや難

頻出度 低 ■■■■■■■□ 高

5 画面距離 9 cm，画面の大きさ 16,000 画素×14,000 画素，撮像面での素子寸法 5 μm のデジタル航空カメラを鉛直下に向けて空中写真を撮影した。

海面からの撮影高度を 3,100 m とした場合，撮影基準面での地上画素寸法は幾らか。**最も近いもの**を次の中から選べ。ただし，撮影基準面の標高は 400 m とする。

なお，関数の値が必要な場合は，巻末の関数表を使用すること。

1. 10 cm
2. 12 cm
3. 15 cm
4. 17 cm
5. 20 cm

本問は，デジタル航空カメラの撮像面での素子寸法をもとに，撮影基準面での地上画素寸法を求める問題である。ここでは，空中写真の撮影高度 H と，画面距離 f を用いて，空中写真の撮影基準面にお

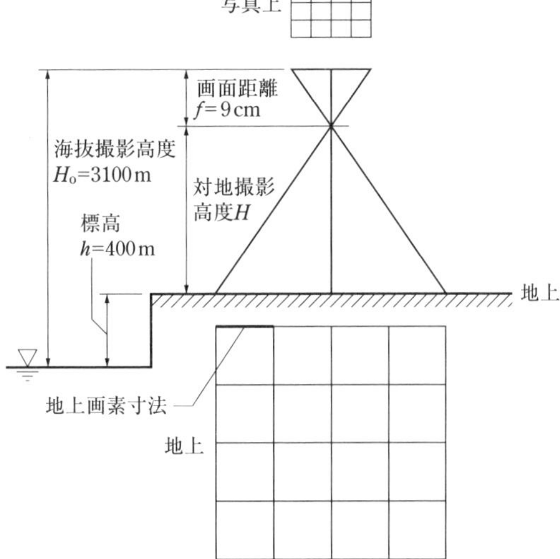

ける撮影縮尺 $1/m_0$ を求められるようにしておく。 ☞要点2参照

解説

① 対地撮影高度 H を求める。

$$H = H_0 - h = 3{,}100 - 400 = 2{,}700\ \text{m}$$

② 撮影基準面の撮影縮尺 $1/m_0$ を求める。

$$\frac{1}{m_0} = \frac{f}{H} \text{より，} \quad m_0 = \frac{H}{f}$$

ここに，$H = 2{,}700\ \text{m}$，$f = 9\ \text{cm} = 0.09\ \text{m}$

$$m_0 = \frac{2{,}700}{0.09} = 30{,}000 \ \left(\text{写真縮尺}\frac{1}{m_0} = \frac{1}{30{,}000}\right)$$

③ 航空カメラの撮像面の素子寸法 5 μm をミリメートルの単位に換算する。

$$5\ \mu\text{m} = \frac{5}{1{,}000}\ \text{mm}$$

④ 撮影基準面での地上画素寸法は，空中写真の 30,000 倍となるので，

$$\frac{5}{1{,}000} \times 30{,}000 = 150\ \text{mm} = 15\ \text{cm}$$

よって，最も近いものは，3. である。

解答　3.

基本問題 6年 5年 4年 3年 2年 元年 30年 29年

問題　空中写真のコース間隔の計算

難易度　普

頻出度　低 ■■■■■■□□ 高

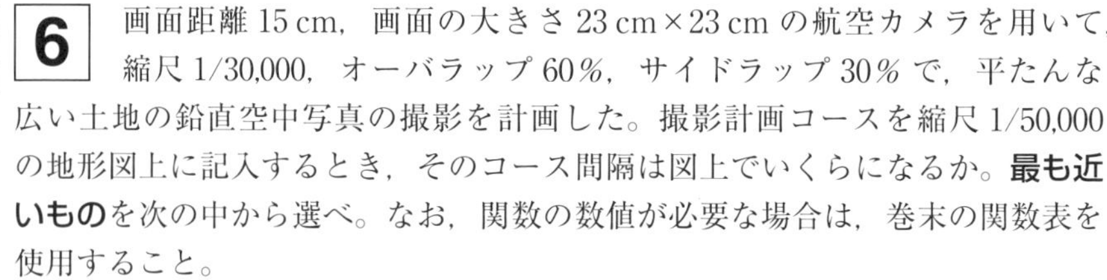

6 画面距離 15 cm，画面の大きさ 23 cm×23 cm の航空カメラを用いて，縮尺 1/30,000，オーバラップ 60％，サイドラップ 30％ で，平たんな広い土地の鉛直空中写真の撮影を計画した。撮影計画コースを縮尺 1/50,000 の地形図上に記入するとき，そのコース間隔は図上でいくらになるか。**最も近いもの**を次の中から選べ。なお，関数の数値が必要な場合は，巻末の関数表を使用すること。

1.　4.1 cm
2.　5.5 cm
3.　6.3 cm
4.　8.3 cm
5.　9.7 cm

本問は，空中写真の撮影を計画するとき，地形図上における航空機のコース間隔を求める問題である。ここでは，地上のコース間隔を地形図上のコース間隔に変換できるようにしておく。 ☞ 要点2 参照

解説

問題の条件を図示すると，次のようになる。

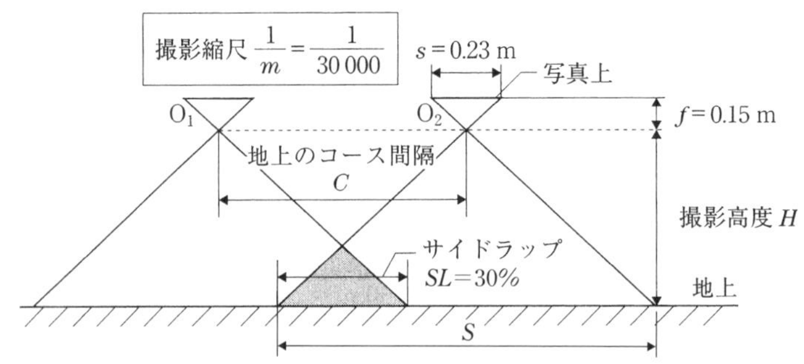

① 画面の大きさ s に対する地上の距離 S は，画面の大きさ $s=23$ cm $=0.23$ m，撮影縮尺の分母数 $m=30{,}000$ とすると，

$$S=s\times m=0.23\text{ m}\times 30{,}000=6{,}900\text{ m}$$

② 地上のコース間隔 C は，サイドラップ $SL=30\%$，画面の大きさ s に対する地上の距離 $S=6{,}900\ \mathrm{m}$ とすると，

$$C=\left(1-\frac{SL}{100}\right)\times S=\left(1-\frac{30}{100}\right)\times 6{,}900\ \mathrm{m}=4{,}830\ \mathrm{m}$$

③ 地形図上のコース間隔 c' は，地上のコース間隔 $C=4{,}830\ \mathrm{m}=483{,}000\ \mathrm{cm}$，地形図縮尺の分母数 $m'=50{,}000$ とすると，

$$c'=C\times\frac{1}{m'}=483{,}000\ \mathrm{cm}\times\frac{1}{50{,}000}=9.66\ \mathrm{cm}$$

よって，最も近いものは5. である。

解答 5.

基本問題 6年 5年 4年 3年 2年 **元年** 30年 29年

問題　空中写真の重複度の計算

難易度 普

頻出度 低 ■■■■■■□□ 高

7 空中写真測量において，同一コース内での隣接写真との重複度（オーバーラップ）を 80% として平たんな土地を撮影したとき，一枚おき（例えばコースの 2 枚目と 4 枚目）の写真の重複度は何% となるか。**最も近いもの**を次の中から選べ。

なお，関数の値が必要な場合は，巻末の関数表を使用すること。

1. 36%
2. 40%
3. 50%
4. 60%
5. 64%

本問は，同一コース内で写真の重複度（オーバーラップ）を 80% として平たんな土地を撮影したとき，一枚おきの写真の重複度を求める問題である。ここでは，オーバーラップとサイドラップの違いを理解しておく。 ☞要点2参照

解説

問題の条件を図示すると，次のようになる。

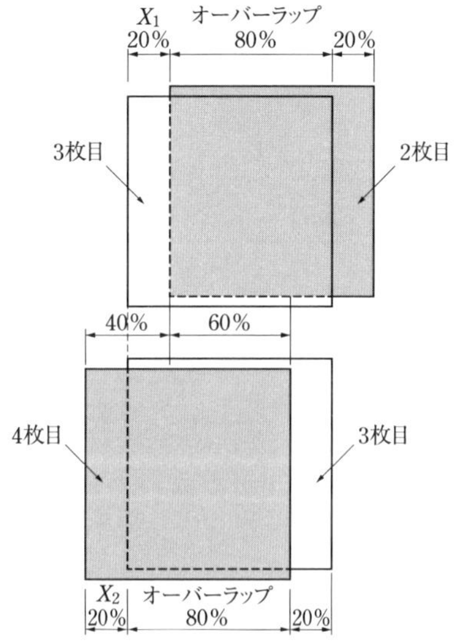

① コースの3枚目の写真において，オーバーラップしていない部分 X_1 は，重複度 OL＝80% とすると，　$X_1 = 100 - 80 = 20\%$

② コースの4枚目の写真において，オーバーラップしていない部分 X_2 は，重複度 OL＝80% とすると，　$X_2 = 100 - 80 = 20\%$

③ コースの2枚目と4枚目の写真の重複度 OL_{24} は，次のようになる。

$$OL_{24} = 100 - (①+②) = 100 - (20 + 20) = 60\%$$

よって，最も近いものは4. である。

解答　4.

問題　撮影基線長の計算

難易度 やや難

頻出度 低 ■■■■■■□□ 高

8 画面距離 12 cm，画面の大きさ 17,000 画素 ×10,000 画素，撮像面での素子寸法 5 μm のデジタル航空カメラを用いて鉛直下に向けた空中写真撮影を計画した。

撮影高度を標高 3,000 m，撮影基準面における同一撮影コース内の隣接する空中写真との重複度を 60% とするとき，撮影基線長は幾らか。**最も近いもの**を次の１～５の中から選べ。

ただし，撮影基準面の標高は 600 m とし，画面の短辺が撮影基線と平行であるとする。

なお，関数の値が必要な場合は，巻末の関数表を使用すること。

1.　400 m
2.　500 m
3.　600 m
4.　680 m
5.　750 m

本問は，デジタル航空カメラを用いて空中写真を撮影した場合の地上の撮影基線長を求める問題である。ここでは，デジタル航空カメラは，撮影コースを少なくするため，画面短辺が撮影基線と平行となるように設置することを理解しておく。☞ 要点2 参照

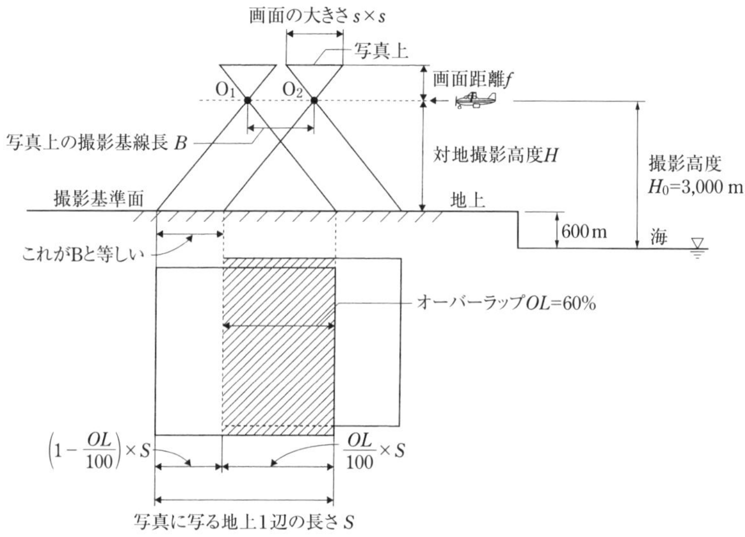

解説

①　航空カメラの撮像面での素子寸法 5 μm をセンチメートルの位に換算する。

$$5\,\mu\text{m} = \frac{5}{1{,}000}\,\text{mm} = \frac{5}{10{,}000}\,\text{cm}$$

②　画面の大きさ 17,000 画素×10,000 画素を cm 単位で表す。

$$\boxed{17{,}000 \times \frac{5}{10{,}000} = 8.5\ \text{cm}} \times \boxed{10{,}000 \times \frac{5}{10{,}000} = 5\ \text{cm}}$$ である。

③　画面の短辺が撮影基線と平行であるため，撮影基線長方向の画面サイズは，5 cm である。

④　撮影基準面の撮影縮尺 $1/m$ を求める。

画面距離 $f = 12\ \text{cm} = 0.12\ \text{m}$，対地撮影高度 $H = 3{,}000 - 600 = 2{,}400\ \text{m}$

$$\frac{1}{m} = \frac{f}{H} \text{ より，}\quad m = \frac{H}{f} = \frac{2{,}400}{0.12} = 20{,}000$$

⑤　写真に写る地上の範囲 S は，画面サイズ $s = 5\ \text{cm} = 0.05\ \text{m}$，撮影縮尺の分母数 $m = 20{,}000$ とすると，

$$S = s \times m = 0.05 \times 20{,}000 = 1{,}000\ \text{m}$$

⑥　地上の撮影基線 B は，重複度 $OL = 60\%$，写真に写る地上の範囲 $S = 1{,}000\ \text{m}$ とすると，

$$B = \left(1 - \frac{OL}{100}\right) \times S = \left(1 - \frac{60}{100}\right) \times 1{,}000 = 400\ \text{m}$$

よって，最も近いものは 1. である。

解答　1.

基本問題 6年 5年 4年 3年 2年 元年 30年 **29年**

ひずみによる比高の計算

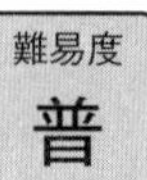

頻出度 低 ■■■■■■□□ 高

9 航空カメラを用いて，海面からの撮影高度 1,900 m で標高 100 m の平たんな土地を撮影した鉛直空中写真に，鉛直に立っている直線状の高塔が写っていた。図のように，この高塔の先端は主点 P から 70.0 mm 離れた位置に写っており，高塔の像の長さは 2.8 mm であった。

この高塔の高さは幾らか。**最も近いもの**を次の中から選べ。

なお，関数の値が必要な場合は，巻末の関数表を使用すること。

1. 68 m
2. 72 m
3. 76 m
4. 80 m
5. 84 m

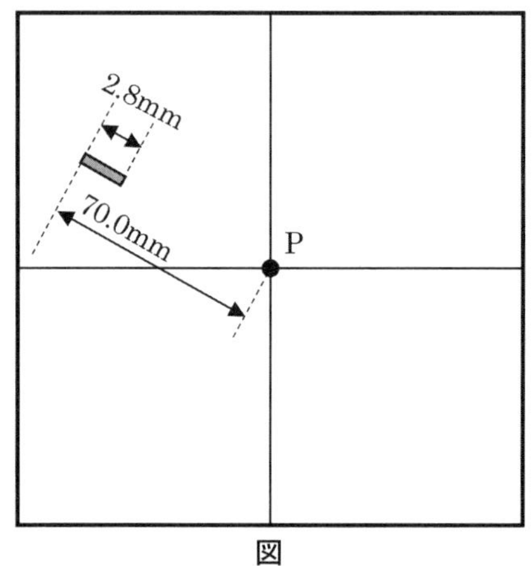

図

本問は，空中写真上の高塔の像の長さ，撮影高度を用いて，高塔の高さを求める問題である。ここでは，空中写真に写し出される建物の像の長さ dr が建物の高さ（比高）h に比例することを理解しておく。

☞ 要点3 参照

解説

問題の条件を図示すると，次のようになる。

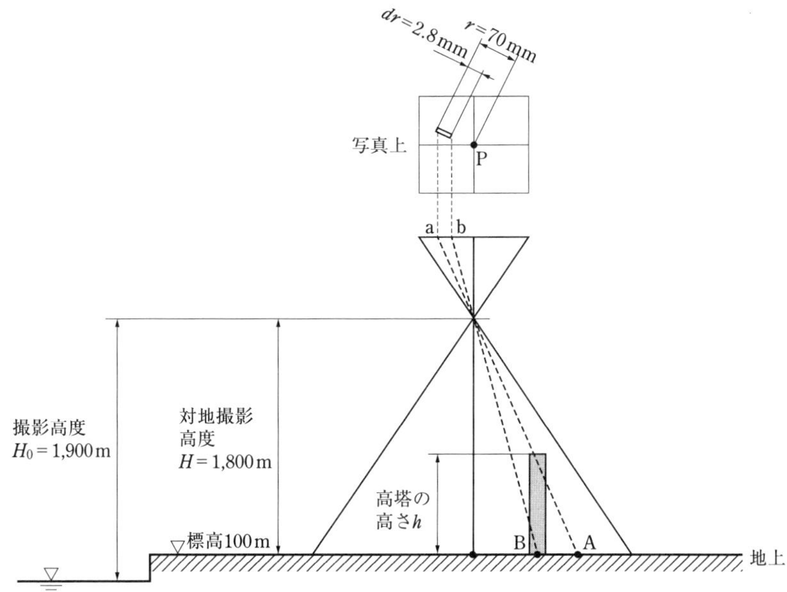

高塔の高さ h を求める。

$$\frac{h}{H}=\frac{dr}{r} \text{ より，} \quad h=\frac{dr}{r}\times H$$

ここに，$r=70$ mm，$dr=2.8$ mm，$H=1{,}800$ m を代入すると，

$$h=\frac{2.8\ \text{mm}}{70\ \text{mm}}\times 1{,}800\ \text{m}=72\ \text{m}$$

よって，最も近いものは 2. である。

解答　2.

問題 高塔の高さの計算

難易度 **難**

頻出度 低 ■■■■■■□□ 高

10 画面距離 10 cm，撮像面での素子寸法 10 μm のデジタル航空カメラを用いて，対地高度 2,000 m から平たんな土地について，鉛直下に向けて空中写真を撮影した。空中写真には，東西方向に並んだ同じ高さの二つの高塔 A，B が写っている。地理院地図上で計測した高塔 A，B 間の距離が 800 m，空中写真上で高塔 A，B の先端どうしの間にある画素数を 4,200 画素とすると，この高塔の高さは幾らか。**最も近いもの**を次の中から選べ。

ただし，撮影コースは南北方向とする。

また，高塔 A，B は鉛直方向にまっすぐに立ち，それらの先端の太さは考慮に入れないものとする。

なお，関数の値が必要な場合は，巻末の関数表を使用すること。

1. 40 m
2. 53 m
3. 64 m
4. 84 m
5. 95 m

本問は，初めに画面距離 f と空中写真の対地高度 H から撮影基準面での撮影縮尺 $1/m_0$ を求める。次に航空カメラの撮像面の素子寸法および撮影縮尺 $1/m_0$ から，撮影基準面での地上画素寸法を求める。最後に空中写真の対地高度 H，撮影基準面での地上画素寸法および地理院地図上で計測した高塔 A，B 間の距離から，高塔 A，B の先端どうしの撮影高度 H_1 および高塔の高さ h を求める問題である。 ☞要点2参照

解説

問題の条件を図示すると，次のようになる。

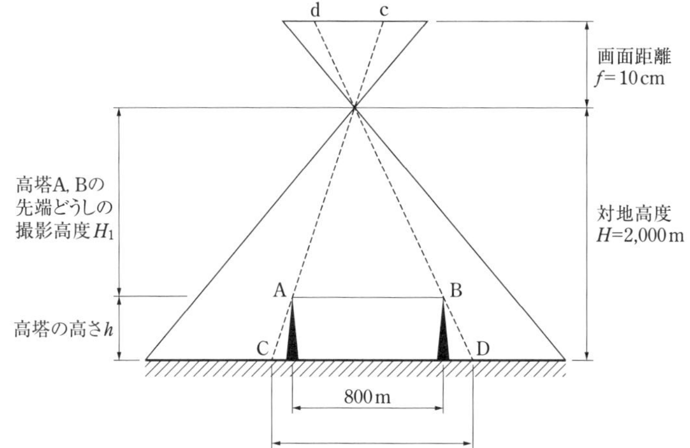

① 撮影基準面の撮影縮尺 $1/m_0$ を求める。

$$\frac{1}{m_0}=\frac{\text{画面距離}\,f}{\text{対地高度}\,H}$$

ここに，画面距離 $f=10$ cm $=0.1$ m，対地高度 $H=2{,}000$ m であるので，

$$\frac{1}{m_0}=\frac{0.1}{2{,}000}=\frac{1}{20{,}000}$$

② 航空カメラの撮像面の素子寸法 10 μm をミリメートル単位に換算する。

$$10\ \mu\text{m}=\frac{10}{1{,}000}=\frac{1}{100}\ \text{mm}$$

③ 高塔 A，B の先端どうしの撮影基準面での地上画素寸法は，空中写真上の画素数の 20,000 倍となるので，

$$\frac{1}{100}\times 4{,}200\times 20{,}000=840{,}000\ \text{mm}=840\ \text{m}$$

④ 高塔 A，B の先端どうしの撮影高度 H_1 を求める。

$2000 : 840 = H_1 : 800$ より，　$840H_1=2000\times 800$

$$H_1=\frac{1{,}600{,}000}{840}=1{,}904.7\fallingdotseq 1{,}905\ \text{m}$$

⑤ 高塔の高さ h を求める。

$$h=H-H_1=2{,}000-1{,}905=95\ \text{m}$$

よって，最も近いものは，5. である。

解答 5.

基本問題 6年 5年 4年 3年 2年 元年 30年 29年

問題 対空標識の規格とその取扱い方

難易度 普

頻出度 低 ■■■■■■■ 高

11 次の文は，公共測量における対空標識の設置について述べたものである。**明らかに間違っているもの**はどれか。次の中から選べ。

1. 対空標識は，あらかじめ土地の所有者又は管理者の許可を得て設置する。
2. 上空視界が得られない場合は，基準点から樹上等に偏心して設置することができる。
3. 対空標識の保全等のため，標識板上に測量計画機関名，測量作業機関名，保存期限などを標示する。
4. 対空標識のD型を建物の屋上に設置する場合は，建物の屋上にペンキで直接描く。
5. 対空標識は，他の測量に利用できるように撮影作業完了後も設置したまま保存する。

本問は，公共測量作業規程の準則に基づき実施する対空標識の設置作業を問う問題である。ここでは，対空標識の規格とその取扱い方について整理しておく。☞要点1参照

解説

1. **正しい**　対空標識は，あらかじめ土地の所有者または管理者の許可を得て，堅固に設置する。
2. **正しい**　上空視界が得られない場合は，基準点から樹木等に対空標識を偏心して設置する。
3. **正しい**　対空標識の保全のため，標識板上に測量計画機関名，測量作業機関名，保存期限などを標示する。
4. **正しい**　対空標識のD型を建物の屋上に設置する場合は，建物の屋上にペンキで直接描く。

　対空標識の形状は，次の図のとおりである。

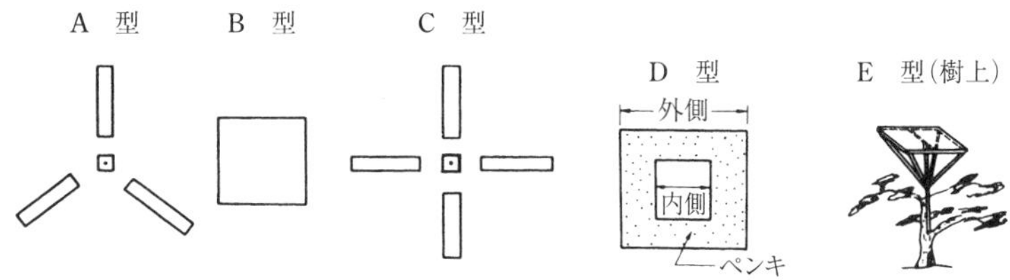

5.　**間違い**　設置した対空標識は，撮影作業完了後，**速やかに現状を回復**する。

よって，間違っているものは5. である。

解答　**5.**

基本問題 | 6年 | 5年 | **4年** | 3年 | 2年 | 元年 | 30年 | 29年

空中写真測量の作業工程

難易度 やや易

頻出度 低 ■■■■■■■■ 高

12 図は，公共測量における空中写真測量の標準的な作業工程を示したものである。

ア ～ エ に入る語句の組合せとして**最も適当なもの**はどれか。次の中から選べ。

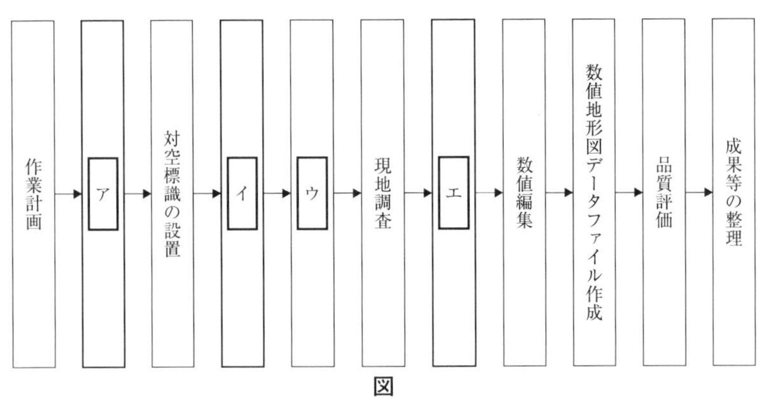

図

	ア	イ	ウ	エ
1.	撮影	バンドル調整	調整用基準点の設置	数値図化
2.	撮影	バンドル調整	同時調整	数値地形モデルの作成
3.	撮影	バンドル調整	調整用基準点の設置	数値地形モデルの作成
4.	標定点の設置	撮影	調整用基準点の設置	数値図化
5.	標定点の設置	撮影	同時調整	数値図化

本問は，空中写真測量の作業工程の順序を問う問題である。ここでは，空中写真測量の主要な作業手順を理解しておく。空中写真測量とは，空中写真を用いて数値地形図データを作成する作業である。

☞ 要点5 参照

解説

空中写真測量の作業は，次の手順で行う。

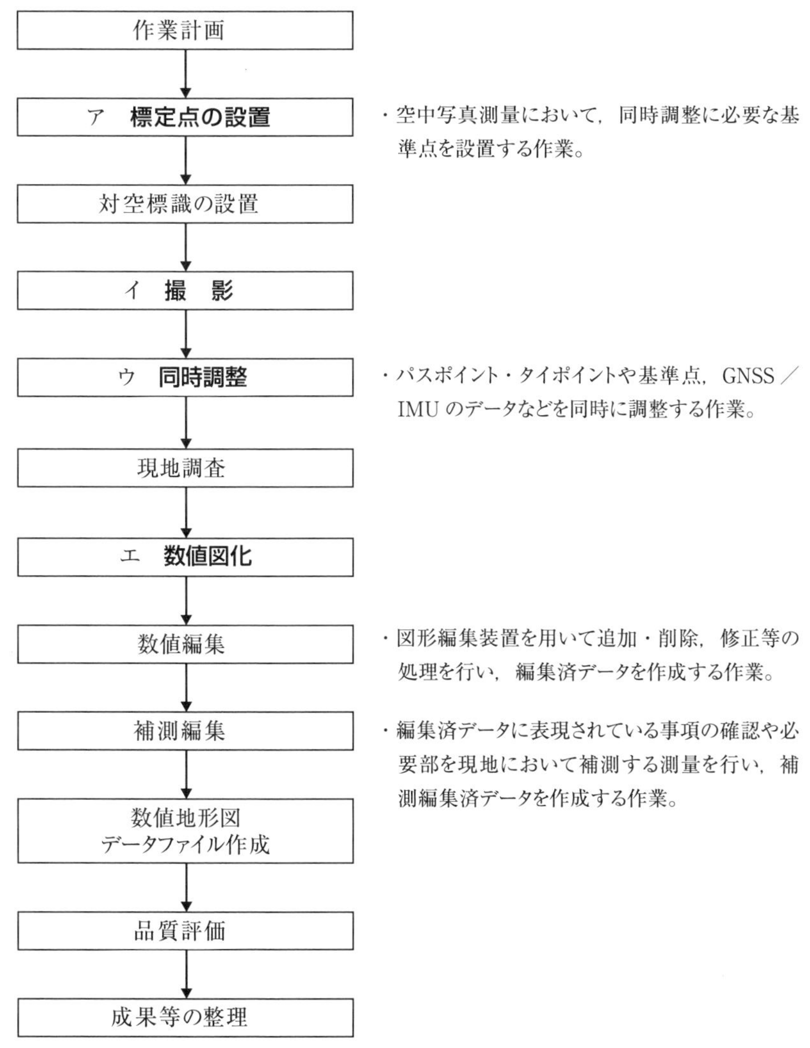

よって，ア　標定点の設置，イ　撮影，ウ　同時調整，エ　数値図化　となり，最も適切な組合せは5. である。

解答　**5.**

問題　空中写真測量の特徴

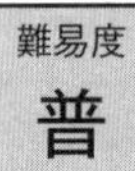

難易度 普

頻出度 低 ■■■■■■■■ 高

13 次のａ～ｅの文は，空中写真測量の特徴について述べたものである。**明らかに間違っているもの**だけの組合せはどれか。次の１～５の中から選べ。

a. 起伏のある土地を撮影した空中写真は，同じ大きさの地物でも標高の違いにより空中写真に写る大きさが異なる。

b. 撮影高度以外の撮影条件が一定ならば，撮影高度が高いほど，地上画素寸法は小さくなる。

c. 画面距離以外の撮影条件が一定ならば，画面距離が短いほど，１枚の空中写真に写る地上の範囲は大きくなる。

d. 空中写真はレンズの中心を投影中心とする中心投影像であり，鉛直点から離れるほど，高塔や高層建物などの高いものが鉛直点を中心として内側に倒れ込んだように写る。

e. 平たん地を撮影する場合，撮影高度，画面距離及び撮像面での素子寸法が一定ならば，カメラの画面の大きさが異なっていても，地上画素寸法は変わらない。

1. a，c
2. a，d
3. b，d
4. b，e
5. c，e

解く

本問は，空中写真測量の特徴を問う問題である。ここでは，空中写真の性質，空中写真の縮尺と撮影高度の関係などを理解しておく。

☞ 要点5 参照

解説

a. **正しい**　起伏のある土地を撮影した空中写真は，同じ大きさの地物でも標高の違いにより，空中写真に写る大きさが異なる。高層ビルなどの高い建物の像は，空中写真の中心から外側に傾いているように写る。

b.　**間違い**　撮影高度以外の撮影条件が一定ならば，図１のように，撮影高度が高いほど，**地上画素寸法は大きく**なる。

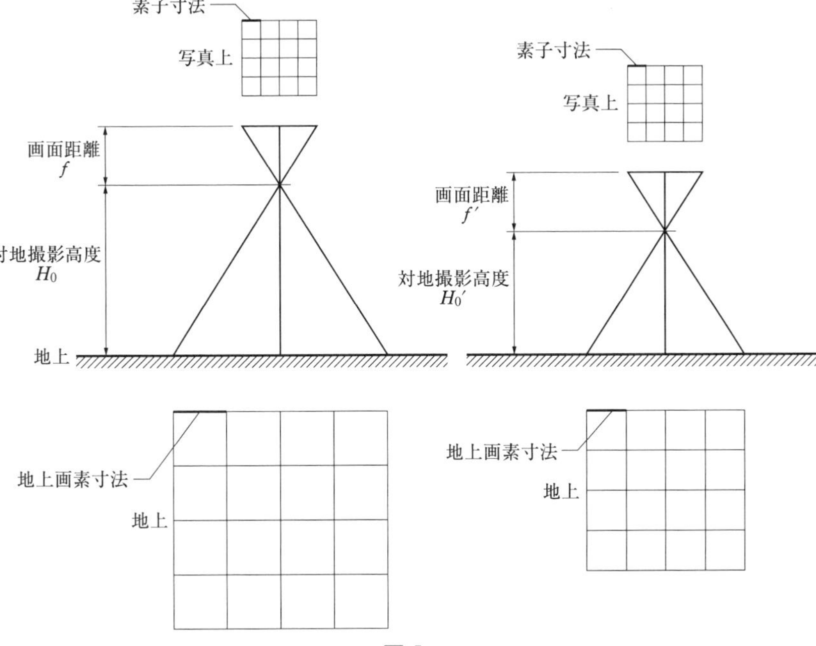

図１

c.　**正しい**　画面距離以外の撮影条件が一定ならば，図２のように，画面距離が短いほど，１枚の空中写真に写る地上の範囲は大きくなる。

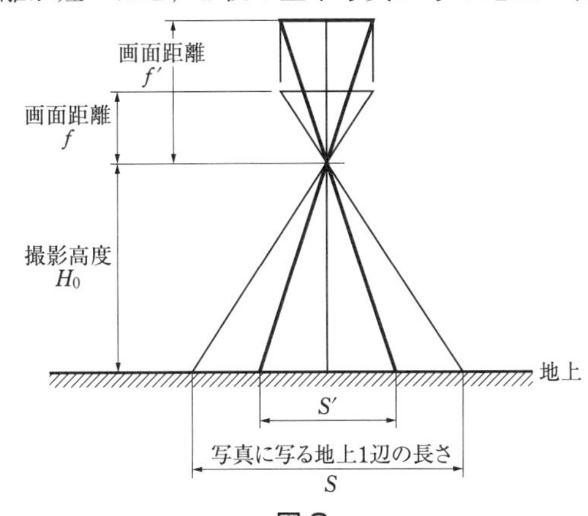

図２

d.　**間違い**　空中写真はレンズの中心を投影中心とする中心投影像である。空中写真は，図３のように，鉛直点から離れるほど，高塔や高層建物などの高いものが鉛直点を中心として**外側に倒れこむように写る**。

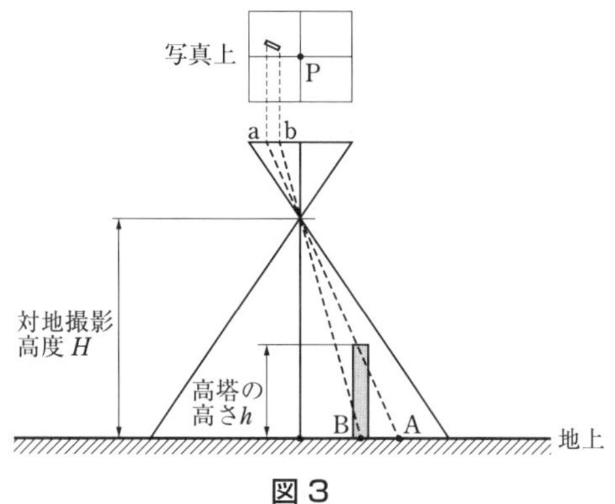

図３

e.　**正しい**　平たん地を撮影する場合，撮影高度，画面距離および撮像面での素子寸法が一定ならば，カメラの画面の大きさが異なっているときも，地上の画素寸法は変わらない。

よって，明らかに間違っているものは，b，d であり，その組合せは 3. である。

解答　3.

基本問題 6年 5年 4年 **3年** 2年 元年 30年 29年

問題　空中写真測量の特徴

難易度 普

頻出度 低 ■■■■■■■■ 高

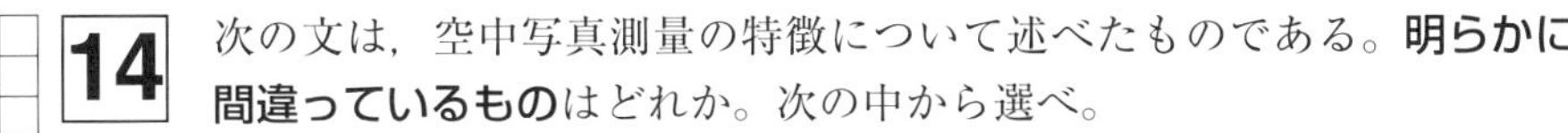

14 次の文は，空中写真測量の特徴について述べたものである。**明らかに間違っているもの**はどれか。次の中から選べ。

1.　撮影高度及び画面距離が一定ならば，航空カメラの撮像面での素子寸法が大きいほど，撮影する空中写真の地上画素寸法は小さくなる。
2.　高塔や高層建物は，空中写真の鉛直点を中心として外側へ倒れこむように写る。
3.　他の撮影条件が一定ならば，山頂部における地上画素寸法は，その山の山麓部におけるそれより小さくなる。
4.　空中写真に写る地物の形状，大きさ，色調，模様などから，土地利用の状況を知ることができる。
5.　自然災害時に空中写真を撮影することで，迅速に広範囲の被災状況を把握することができる。

本問は，空中写真測量の特徴を問う問題である。ここでは，空中写真の性質，空中写真の縮尺と撮影高度の関係などを理解しておく。

☞ 要点5 参照

解説

1.　**間違い**　空中写真の撮影基準面における撮影縮尺 $1/m_0$ は，撮影高度 H_0 と画面距離 f を用いると，$\frac{1}{m_0}=\frac{f}{H_0}$，$m_0=\frac{f}{H_0}$ となる。撮影する空中写真の地上画素寸法は，航空カメラの撮像面での素子寸法 $\times m_0$ で求められる。よって，撮影高度及び画面距離が一定であれば，航空カメラの撮像面での素子寸法が大きいほど，撮影する空中写真の地上画素寸法は大きくなる。

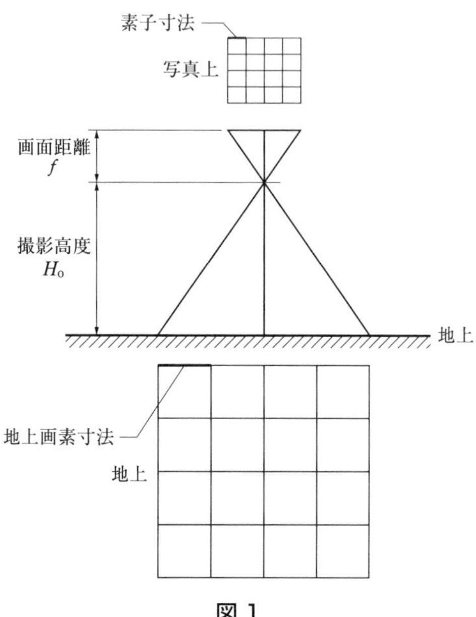

図 1

2. **正しい**　高塔や高層建物は，図２のように，空中写真の鉛直点を中心として外側へ倒れこむように写る。

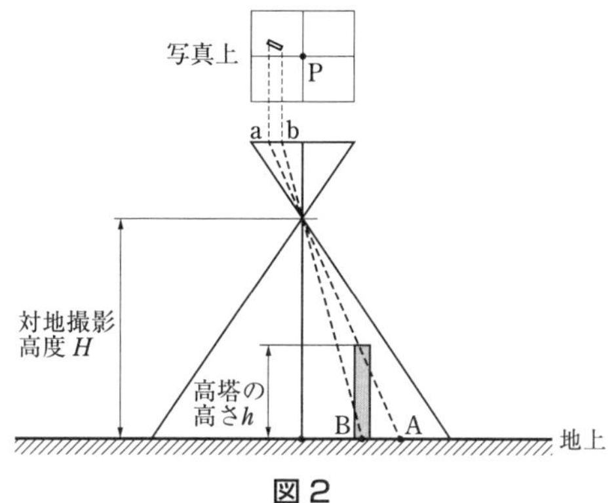

図 2

3. **正しい**　他の撮影条件が一定であれば，図３のように，山頂部における地上画素寸法は，その山の山麓部（山のふもと）における地上画素寸法より小さくなる。

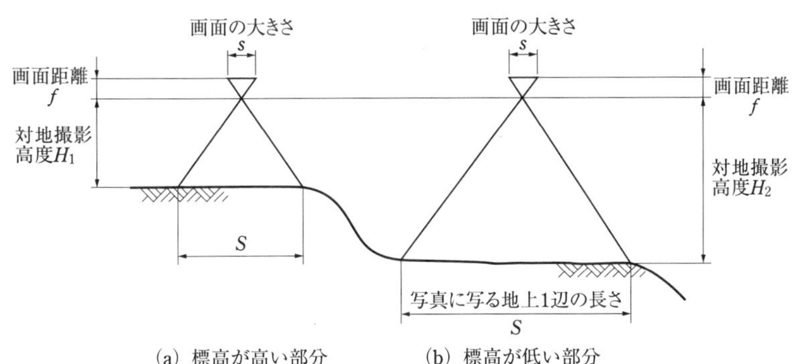

図３

4.　**正しい**　空中写真に写る地物の形状，大きさ，色調，模様などから，道路・河川・家・畑などを読み取ることができる。

5.　**正しい**　自然災害時では，空中写真を撮影することで，迅速に広範囲の被災状況を把握することができる。

よって，明らかに間違っているものは1. である。

解答　1.

基本問題 6年 5年 4年 3年 2年 元年 30年 29年

問題　パスポイント・タイポイントの選定

難易度　普

頻出度　低 ■■■■■■■■ 高

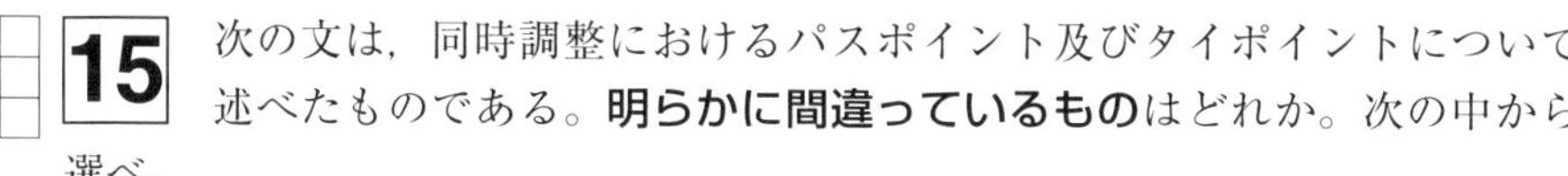

15 次の文は，同時調整におけるパスポイント及びタイポイントについて述べたものである。**明らかに間違っているもの**はどれか。次の中から選べ。

1. パスポイントは，撮影コース方向の写真の接続を行うために用いられる。
2. パスポイントは，各写真の主点付近及び主点基線に直角な両方向の，計3箇所以上に配置する。
3. タイポイントは，隣接する撮影コース間の接続を行うために用いられる。
4. タイポイントは，撮影コース方向に直線上に等間隔で並ぶように配置する。
5. タイポイントは，パスポイントで兼ねて配置することができる。

本問は，公共測量作業規程の準則に基づき実施する，同時調整のパスポイントおよびタイポイントの選定位置を問う問題である。ここでは，パスポイントおよびタイポイントを比較し，それぞれの違いを整理しておく。 ☞ 要点5 参照

解説

1. **正しい**　パスポイントは，撮影コース方向の写真の接続に用いる点である。
2. **正しい**　パスポイントは，各写真の主点付近と，主点基線に直角な両端に1箇所ずつの計3箇所以上を配置する。
3. **正しい**　タイポイントは，隣接する撮影コース間の接続に用いる点である。
4. **間違い**　タイポイントは，同時調整の精度を向上させるため，撮影コース方向に**直線上にならないようジグザグに配置**する。
5. **正しい**　タイポイントは，パスポイントで兼ねることができる。
関連する公共測量作業規程の準則の条項は，第167条である。

よって，間違っているものは4. である。

解答　4.

基本問題　6年　5年　4年　3年　2年　元年　30年　29年

数値地形図データ作成の作業工程の順序

難易度　やや易

頻出度　低 ■□□□□□□□ 高

16　図は，公共測量における，空中写真測量により数値地形図データを作成する場合の標準的な作業工程を示したものである。 ア ～ オ に入る語句の組合せとして**最も適当なもの**はどれか。次の中から選べ。

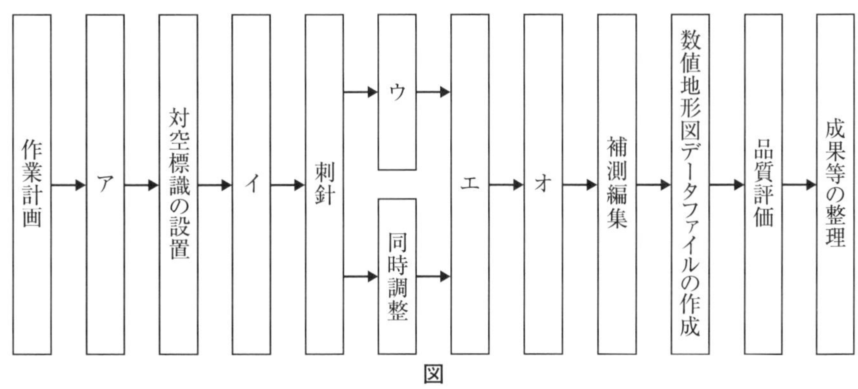

図

	ア	イ	ウ	エ	オ
1.	標定点の設置	撮影	現地調査	数値図化	数値編集
2.	標定点の設置	現地調査	撮影	数値地形モデルの作成	数値編集
3.	計測用基図作成	現地調査	撮影	数値地形モデルの作成	数値図化
4.	標定点の設置	撮影	現地調査	数値地形モデルの作成	数値図化
5.	計測用基図作成	撮影	現地調査	数値図化	数値編集

本問は，空中写真測量による数値地形図データ作成の作業工程の順序を問う問題である。ここでは，数値地形図データ作成の主要な作業手順を理解しておく。☞ 要点7 参照

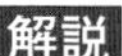

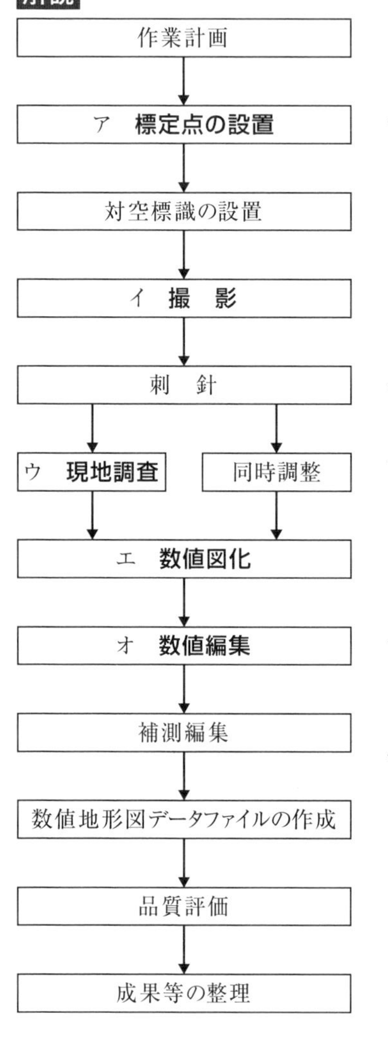

・数値図化において，空中写真の標定に必要な基準点を設置する作業。

・基準点等の位置を現地において空中写真上に表示する作業。

・パスポイント・タイポイントや基準点，GNSS／IMUのデータなどを同時に調整する作業。

・図形編集装置を用いて追加・削除，修正等の処理を行い，編集済データを作成する作業。

・編集済データに表現されている重要事項の確認や必要部分を現地において補測する測量を行い，補測編集済データを作成する作業。

よって，ア　標定点の設置，イ　撮影，ウ　現地調査，エ　数値図化，オ数値編集　となり，最も適切な組合せは1. である。

解答　1.

基本問題 | 6年 | **5年** | 4年 | 3年 | 2年 | 元年 | 30年 | 29年

問題　写真地図作成の作業

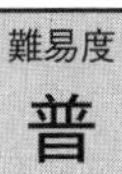

頻出度 低 ■■■□□□□□ 高

17 次のa〜eの文は，公共測量における写真地図作成について述べたものである。**明らかに間違っているもの**だけの組合せはどれか。次の中から選べ。

a.　正射変換とは，数値写真を中心投影から正射投影に変換し，正射投影画像を作成する作業をいう。

b.　写真地図は，図上で水平距離を計測することができる。

c.　ブレークライン法により標高を取得する場合，なるべく段差の小さい斜面等の地性線をブレークラインとして選定する。

d.　使用する数値写真は，撮影時期，天候，撮影コースと太陽位置との関係などによって現れる色調差や被写体の変化を考慮する必要がある。

e.　モザイクとは，隣接する中心投影の数値写真をデジタル処理により結合する作業をいう。

1.　a，c
2.　a，d
3.　b，d
4.　b，e
5.　c，e

本問は，公共測量における写真地図作成の作業内容を問う問題である。ここでは，正射変換，ブレークライン法による標高の取得，モザイクなどを理解しておく。☞要点8参照

解説

a.　**正しい**　正射変換は，デジタル航空カメラで撮影された数値写真を，中心投影から正射投影に変換し，正射投影画像を作成する作業である。

b.　**正しい**　写真地図は，空中写真を地図と同じ投影である正射投影に変換した画像であるので，図上で水平距離を計測することができる。

c.　**間違い**　ブレークライン法とは，数値図化により地形形状が連続的に変化する被覆の上端・下端や地性線等を三次元の線として取得す

る方法をいう。ブレークライン法により標高を取得する場合は，**段差の大きい斜面**，**被覆等の地性線**をブレークラインとして選定しなければならない。

d.　**正しい**　使用する数値写真は，撮影時期，天候，撮影コースと太陽位置との関係などによって現れる色調差や被写体の変化を考慮して用いる。

e.　**間違い**　モザイクは，隣接する正射投影画像の重複部分を利用して位置合わせと色合わせを行った後，隣接する中心投影の**正射投影画像**をデジタル処理により結合する作業である。

よって，明らかに間違っているものはc，eであり，その組合せは5．である。

解答　**5.**

基本問題 | 6年 | 5年 | 4年 | 3年 | **2年** | 元年 | 30年 | 29年

問題　写真地図の特徴

難易度 普

頻出度 低 ■■■□□□□□ 高

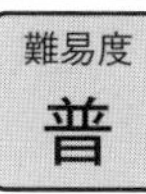

18 次の a～e の文は，写真地図について述べたものである。**明らかに間違っているもの**だけの組合せはどれか。次の中から選べ。

ただし，注記など重ね合わせるデータはないものとする。

a.　写真地図は，図上で水平距離を計測することができない。

b.　写真地図は，図上で土地の傾斜を計測することができない。

c.　写真地図は，写真地図データファイルに位置情報が付加されていなくても，位置情報ファイルがあれば地図上に重ね合わせることができる。

d.　写真地図は，正射投影されているので，隣接する写真が重複していれば実体視することができる。

e.　写真地図には，平たんな場所より起伏の激しい場所の方が，標高差の影響によるゆがみが残りやすい。

1.　a，c
2.　a，d
3.　b，d
4.　b，e
5.　c，e

本問は，写真地図の特徴を問う問題である。写真地図は，航空カメラで撮影された空中写真をもとに，カメラの傾きと土地の比高によるひずみを補正し，地形図と同じ正射投影に変換した画像である。

ここでは，正射投影画像の主な特徴を理解しておく。

解説

a.　**間違い**　写真地図は，正射投影した画像であるため，図上で**水平距離を計測することができる**。

b.　**正しい**　写真地図は，地形図のように等高線が描かれていないため，図上で土地の傾斜を計測することができない。

c.　**正しい**　写真地図は，地形図と同じ正射投影に変換した画像であるため，写真地図データファイルに位置情報が付加されていなくても，位置情報ファイルがあれば地図上に重ね合わせることができる。

d.　**間違い**　写真地図は，正射投影状態の写真であるため，隣接する写真

が重複しても実体視することができない。

e.　**正しい**　写真地図には，平たんな場所より起伏の激しい場所の方が，標高差が大きく，それに伴いゆがみが残りやすい。

よって，明らかに間違っているものはa，dであり，その組合せは2. である。

解答　**2.**

基本問題　6年　5年　4年　3年　2年　元年　**30年**　29年

問題　オルソ画像の特徴

難易度　易

頻出度　低 ■■■□□□□□ 高

19 次の文は，数値空中写真を正射変換し位置情報を付与した正射投影画像データ（以下「オルソ画像」という。）の特徴について述べたものである。**正しいもの**はどれか。次の中から選べ。

1.　オルソ画像は，正射投影されているため実体視に用いることができない。
2.　オルソ画像は，画像上で距離を計測することができない。
3.　フィルム航空カメラで撮影された写真からは，オルソ画像を作成することができない。
4.　オルソ画像は，画像上で土地の傾斜を計測することができる。
5.　オルソ画像は，起伏が大きい場所より平坦な場所の方が地形の影響によるひずみが生じやすい。

本問は，数値空中写真を正射変換し，位置情報を付与した正射投影画像データ（オルソ画像）の特徴を問う問題である。ここでは，中心投影と正射投影の違いを理解しておく。

解説

1.　**正しい**　オルソ画像は，地形図と同様に正射投影された画像であるため，実体視することができない。実体視するには，航空写真などのように中心投影された画像が必要となる。

2.　**間違い**　オルソ画像は，画像の形状にひずみがなく，位置も正しく配置されているため，画像上で**位置，距離および面積を正確に計測することができる**。

3.　**間違い**　フィルム航空カメラで撮影された写真は，空中写真用スキャナによる数値化とデジタルステレオ図化機による正射変換を行うことで，**オルソ画像を作成することができる**。

4.　**間違い**　オルソ画像には等高線データが含まれていないため，画像上で**土地の傾斜を計測することができない**。

5.　**間違い**　オルソ画像は，土地の比高等による画像のひずみを補正するため，**平坦な場所より起伏が大きい場所の方**が地形の影響によるひずみが生じやすい。

よって，正しいものは1. である。

解答　1.

基本問題 **6年** 5年 4年 3年 2年 元年 30年 29年

UAV 写真測量・UAV レーザ測量の特徴

難易度 普

頻出度 低 ■■■■■□□□ 高

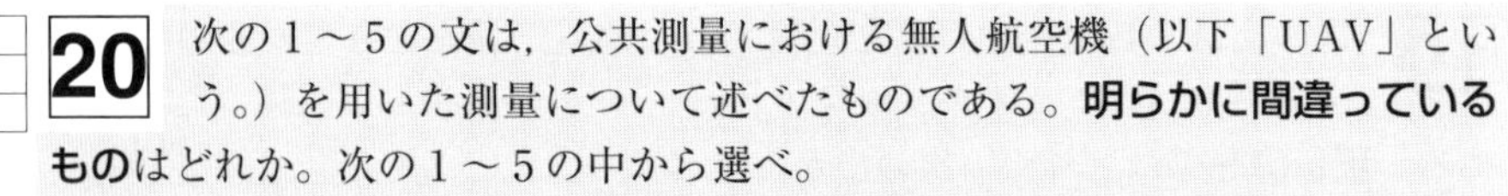

20 次の1～5の文は，公共測量における無人航空機（以下「UAV」という。）を用いた測量について述べたものである。**明らかに間違っているもの**はどれか。次の1～5の中から選べ。

1. UAV の使用に当たっては，UAV の運航に関わる法律，条例，規制などを遵守し，UAV を安全に運航することが求められる。
2. UAV により撮影された空中写真を用いて三次元点群データを作成することができる。
3. UAV 写真測量において，数値写真上で周辺地物との色調差が明瞭な構造物が測定できる場合は，その構造物を標定点及び対空標識として使うことができる。
4. UAV 写真測量に用いるカメラは，性能等が当該測量に適用する作業規程に規定されている条件を満たしていれば，市販されているデジタルカメラでもよい。
5. UAV レーザ測量では，対地高度以外の計測諸元が同じ場合，対地高度が高くなると，計測点間隔は小さくなる。

本問は，ドローン・ラジコン機等の無人航空機（UAV）で撮影した空中写真を用いた UAV 写真測量・UAV レーザ測量の特徴を問う問題である。UAV 写真測量は，UAV により地形・地物等を撮影し，その数値写真を用いて数値地形図データを作成する作業である。UAV レーザ測量は，UAV 測量システムを用いて地形・地物等を撮影し，取得したデータから三次元点群データおよび数値地形図データを作成する作業である。ここでは，UAV 写真測量における標定点および対空標識，使用するデジタルカメラ，対地高度と計測点間隔の関係などを理解しておく。

解説

1. **正しい**　UAV を使用する場合は，UAV の運航に関わる法律，条例，規制などを遵守し，UAV を安全に運航するよう努めなければならない。
2. **正しい**　UAV レーザ測量では，UAV により撮影された空中写真を用いて，オリジナルデータ等の三次元点群データを作成することができる。

3. **正しい**　UAV 写真測量では，数値写真上で周辺地物との色調差が明瞭な構造物が測定できる場合は，その構造物を標定点および対空標識に代えることができる。

4. **正しい**　UAV 写真測量に用いるカメラは，性能および機能が当該測量に適用する作業規程に規定されている条件を満たしていれば，市販されているデジタルカメラを使用してもよい。条件には，焦点距離，露光時間，絞り，ISO 感度が手動で設定できることなどがある。

5. **間違い**　UAV レーザ測量では，対地高度以外の計測諸元が同じ場合は，対地高度が高くなるほど，**計測点間隔は大きく**なる。

よって，明らかに間違っているものは，5. である。　**解答**　**5.**

基本問題 6年 5年 **4年** 3年 2年 元年 30年 29年

問題 UAV写真測量の特徴

難易度 普

頻出度 低 ■■■■■□□□ 高

21 次の文は，公共測量におけるUAV（無人航空機）写真測量について述べたものである。**明らかに間違っているもの**はどれか。次の中から選べ。

1. UAV写真測量により作成する数値地形図データの地図情報レベルは，250及び500を標準とする。
2. UAV写真測量に用いるデジタルカメラは，性能等が当該測量に適用する作業規程に規定されている条件を満たしていれば，一般的に市販されているデジタルカメラを使用してもよい。
3. UAV写真測量において，数値写真上で周辺地物との色調差が明瞭な構造物が測定できる場合は，その構造物を標定点及び対空標識に代えることができる。
4. 計画対地高度に対する実際の飛行の対地高度のずれは，30％以内とする。
5. 撮影飛行中に他のUAV等の接近が確認された場合には，直ちに撮影飛行を中止する。

本問は，ドローン・ラジコン機等の無人航空機（UAV）で撮影した空中写真を用いた公共測量の特徴を問う問題である。UAV写真測量は，UAVにより地形，地物等を撮影し，その数値写真を用いて数値地形図データを作成する作業である。ここでは，UAV写真測量における数値地形図データの地図情報レベル，使用するデジタルカメラ，撮影飛行などを理解しておく。

解説

1. **正しい**　UAV写真測量により作成する数値地形図データの地図情報レベルは，250及び500を標準とする。また，撮影する数値写真の地上画素寸法は，地図情報レベル250で2cm以内，地図情報レベル500で3cm以内とする。
2. **正しい**　UAV写真測量に用いるデジタルカメラは，性能及び機能が当該測量に適用する作業規程に規定されている条件を満たしていれば，一般的に市販されているデジタルカメラを使用してもよい。条件には，焦点距離，露光時間，絞り，ISO 感度が手動で設定できることなどがある。

3.　**正しい**　UAV 写真測量では，数値写真上で周辺地物との色調差が明瞭な構造物が測定できる場合は，その構造物を標定点及び対空標識に代えることができる。

4.　**間違い**　撮影飛行は，計画対地高度及び計画撮影コースを保持し，計画対地高度に対する実際の飛行の対地高度のずれは，**10% 以内**としなければならない。

5.　**正しい**　撮影飛行中に他の UAV 等の接近が確認された場合は，直ちに撮影飛行を中止しなければならない。

よって，明らかに間違っているものは，4. である。

解答　4.

基本問題 6年 5年 4年 **3年** 2年 元年 30年 29年

問題 UAV写真測量の特徴

難易度 普

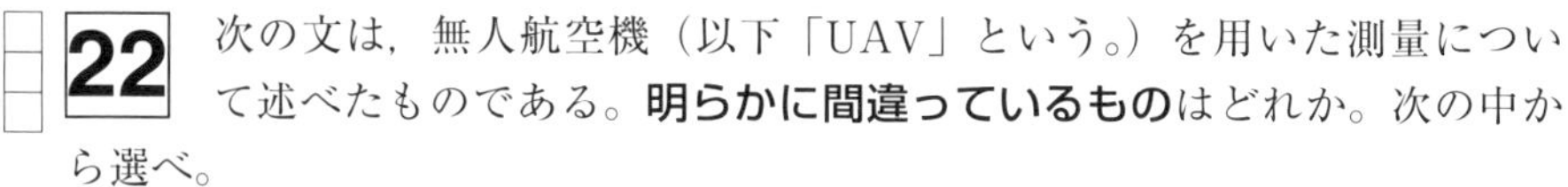

頻出度 低 ■■■■□□□□ 高

22 次の文は，無人航空機（以下「UAV」という。）を用いた測量について述べたものである。**明らかに間違っているもの**はどれか。次の中から選べ。

1. UAVの使用にあたっては，UAVの運航に関わる法律，条例，規制などを遵守し，UAVを安全に運航することが求められる。
2. UAVによる撮影は事前に計画をたて，現場での状況に応じて見直しが生じることを考慮しておく。
3. 空港周辺以外であれば，自由にUAVを用いた測量を行うことができる。
4. 成果品の種類や，その必要精度などに応じて，適切に作業を実施することが求められる。
5. 一般に，UAVは有人航空機と比べ低空で飛行ができることから，局所の詳細なデータ取得に適している。

本問は，ドローン・ラジコン機等の無人航空機（UAV）で撮影した空中写真を用いた公共測量の特徴を問う問題である。UAV写真測量は，UAVにより地形，地物等を撮影し，その数値写真を用いて数値地形図データを作成する作業である。ここでは，UAVによる公共測量における飛行禁止区域，UAVによる撮影などを理解しておく。

解説

1. **正しい**　UAVを使用する場合には，UAVの運航に関わる法律，条例，規制などを遵守し，UAVを安全に運航するよう努めなければならない。
2. **正しい**　UAVによる撮影は事前に計画をたて，撮影時の明るさや風速，風向あるいは地形・地物の経年変化等により，現場での見直しが生じることを考慮しておく。
3. **間違い**　空港周辺の他に，**高度150m以上の空域，人口集中地区の空域の場所では，UAVの飛行が禁止**されている。このような場所で，UAVを飛行させる場合には，国土交通大臣による許可が必要となる。

4.　**正しい**　成果品の種類や必要精度などに応じて，適切に作業を実施しなければならない。

5.　**正しい**　UAV は飛行高度 150 m 以下の上空から撮影を行うため，有人航空機と比べ，局所の詳細なデータ取得に適している。

よって，明らかに間違っているものは，3. である。　**解答**　**3.**

問題 UAV写真点群測量の特徴

難易度 やや難

頻出度 低 ■■■■■□□□ 高

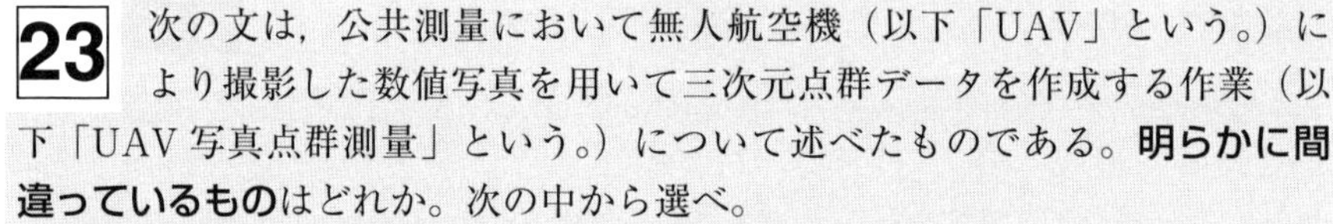

23 次の文は，公共測量において無人航空機（以下「UAV」という。）により撮影した数値写真を用いて三次元点群データを作成する作業（以下「UAV写真点群測量」という。）について述べたものである。**明らかに間違っているもの**はどれか。次の中から選べ。

1. UAVを飛行させるに当たっては，機器の点検を実施し，撮影飛行中に機体に異常が見られた場合，直ちに撮影飛行を中止する。
2. 三次元形状復元計算とは，撮影した数値写真及び標定点を用いて，地形，地物などの三次元形状を復元し，反射強度画像を作成する作業をいう。
3. 検証点は，標定点からできるだけ離れた場所に，作業地域内に均等に配置する。
4. UAV写真点群測量は，裸地などの対象物の認識が可能な区域に適用することが標準である。
5. カメラのキャリブレーションについては，三次元形状復元計算において，セルフキャリブレーションを行うことが標準である。

解く

本問は，UAV写真点群測量の特徴を問う問題である。UAV写真点群測量とは，ドローン・ラジコン機等の無人航空機（UAV）により地形・地物を撮影し，その数値写真を用いて三次元点群データを作成する作業のことをいう。ここでは，三次元形状復元計算，検証点の配置などを理解しておく。

解説

1. **正しい**　UAVを飛行させるに当たっては，機器の点検を実施し，撮影飛行中に機体に異常が見られたときは，直ちに撮影飛行を中止しなければならない。
2. **間違い**　三次元形状復元計算は，撮影した数値写真及び標定点を用いて，数値写真の外部標定要素および数値写真に撮像された地点の位置座標を求め，地形・地物等の三次元形状を復元し，**オリジナルデータを作成**する作業である。
3. **正しい**　検証点は，UAV写真に外部標定要素を与えるとともに，三次元点群データに平面直角座標を与える役割をもっている。

検証点は，標定点からできるだけ離れた場所に，作業地域内に均等に配置する。設置する検証点の数は，設置する標定点の総数の半数以上とする。

4.　**正しい**　UAV 写真点群測量は，裸地などの対象物の認識が可能な区域に適用することを標準としている。

5.　**正しい**　カメラのキャリブレーションについては，三次元形状復元計算において，セルフキャリブレーションを行うことを標準としている。

よって，明らかに間違っているものは，2. である。

解答　2.

航空レーザ測量の三次元計測データの欠測率

難易度 普

頻出度 低 ■■■■■■□□ 高

24 次のａ～ｃの文は，公共測量における航空レーザ測量の欠測率について述べたものである。［ア］及び［イ］に入る語句又は数値の組合せとして**最も適当なもの**はどれか。次の１～５の中から選べ。

なお，関数の値が必要な場合は，巻末の関数表を使用すること。

a. 「欠測」とは，点群データを格子間隔で区切り，一つの格子内に点群データがない場合をいう。

b. 欠測率は，対象面積に対する欠測の割合を示すものであり，欠測率＝(欠測格子数／格子数)×100 で求めるものとする。なお，欠測率の計算対象に，水部［ア］ものとする。

c. 800 m×600 m の範囲において，計画する格子間隔が 1 m になるように計測した点群データがある。この範囲内に水部はなく，点群データがない格子の個数を数えたところ，36,000 であった。この範囲における欠測率として最も近い値は［イ］% である。

	ア	イ
1.	は含まない	7.0
2.	は含まない	7.5
3.	は含まない	8.1
4.	も含む	7.0
5.	も含む	7.5

本問は，航空レーザ測量における三次元計測データの欠測率を問う問題である。ここでは，三次元計測データの欠測率の計算方法を理解しておく。☞ 要点6 参照

解説

a. 欠測とは，航空レーザ測量を行い，得られた点群データを格子間隔で区切り，1つの格子内に点群データがない場合をいう。

b. 欠測率は，対象面積に対する欠測の割合を示したもので，次の計算式で求める。

欠測率＝(欠測格子数／格子数)×100

なお，欠測率の計算対象に，水部［ア は含まない］ものとする。

c.　800 m × 600 m の範囲において，格子間隔が 1 m のときの全ての点群データ数は，800 × 600 = 480,000 個となる。

この範囲内に水部はなく，欠測格子数が 36,000 であった場合，この範囲における欠測率は，

欠測率 = (欠測格子数／格子数) × 100

= (36,000／480,000) × 100 = ［イ　7.5］ %

である。

よって，ア：は含まない，イ：7.5　となり，最も適当なものは 2. である。

解答　2.

基本問題 6年 5年 **4年** 3年 2年 元年 30年 29年

航空レーザ測量の三次元計測データの欠測率

難易度 **難**

頻出度 低 ■■■■■■□□ 高

25 公共測量における航空レーザ測量において，格子状の標高データである数値標高モデルを格子間隔 1 m で作成する計画に基づき航空レーザ計測を行い，三次元計測データを作成した。図は得られた三次元計測データの一部範囲の分布を示したものである。この範囲における欠測率は幾らか。**最も近いもの**を次の中から選べ。

なお，関数の値が必要な場合は，巻末の関数表を使用すること。

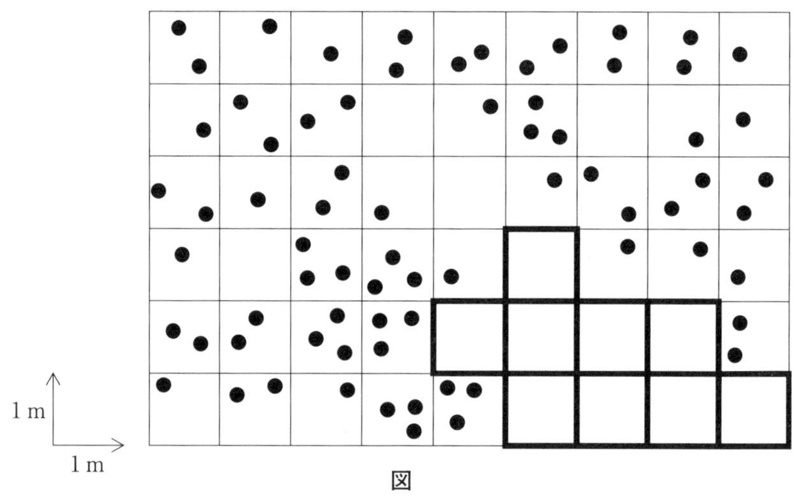

図

1. 7%
2. 9%
3. 17%
4. 24%
5. 29%

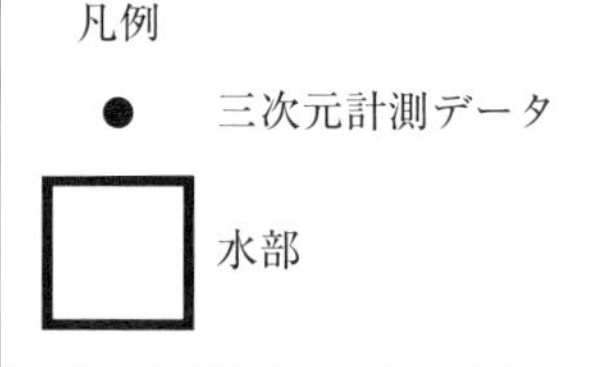

本問は，航空レーザ計測を行い，得られた三次元計測データをもとに，データの範囲における欠測率を求める問題である。ここでは，三次元計測データの欠測率の計算方法を理解しておく。☞ 要点6 参照

解説

① 全メッシュ数を求める。

全メッシュ数＝9×6＝54 メッシュ

② 欠測メッシュ，水部メッシュを求める。

欠測メッシュ（①～④）＝4 メッシュ

水部メッシュ（1～9）＝9 メッシュ

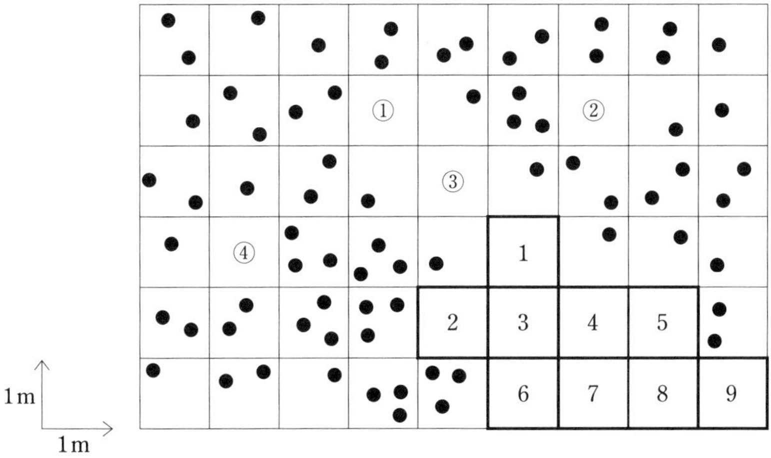

1m 1m ① ② ③ ④ 1 2 3 4 5 6 7 8 9

③ データの範囲における欠測率を求める。

$$欠測率 = \frac{欠測メッシュ数}{全メッシュ数 - 水部メッシュ数} \times 100$$

$$= \frac{4}{54-9} \times 100 = \frac{4}{45} \times 100 = 8.9 \fallingdotseq 9\%$$

よって，最も近いものは，2. である。

解答 2.

基本問題 6年 5年 4年 3年 **2年** 元年 30年 29年

問題 航空レーザ測量の特徴

難易度 普

頻出度 低 ■■■■■■□□ 高

26 次のa～dの文は，公共測量における航空レーザ測量について述べたものである。

［ア］～［エ］に入る語句の組合せとして**最も適当なもの**はどれか。次の中から選べ。

a.　航空レーザ測量では，［ア］及び点検のための航空レーザ用数値写真を同時期に撮影する。

b.　航空レーザ測量システムは，レーザ測距装置，［イ］，解析ソフトウェアなどにより構成されている。

c.　グラウンドデータとは，取得したレーザ測距データから，［ウ］以外のデータを取り除く［ア］処理を行い作成した，［ウ］の三次元座標データである。

d.　三次元計測データの点検及び補正を行うために［エ］を設置する必要がある。

	ア	イ	ウ	エ
1.	リサンプリング	GNSS/IMU 装置	水面	簡易水準点
2.	フィルタリング	オドメーター	水面	調整用基準点
3.	リサンプリング	オドメーター	地表面	簡易水準点
4.	フィルタリング	GNSS/IMU 装置	地表面	簡易水準点
5.	フィルタリング	GNSS/IMU 装置	地表面	調整用基準点

本問は，航空レーザ測量の特徴を問う問題である。ここでは，航空レーザ用数値写真の撮影時期，航空レーザ測量システム，調整用基準点の設置などを理解しておく。☞要点6参照

解説

a.　航空レーザ測量では，［ア　**フィルタリング**］及び点検のための航空レーザ用数値写真を航空レーザ計測と同時期に撮影する。フィルタリングとは，地表面以外のデータを取り除く作業をいう。

b.　航空レーザ測量システムは，レーザ測距装置，航空機の位置と傾きを同時に測定する［イ　**GNSS／IMU 装置**］，解析ソフトウェアなどにより構成されている。

c.　グラウンドデータとは，取得したレーザ測距データから，**ウ　地表面** 以外のデータを取り除くフィルタリング処理を行い作成した，地表面の三次元座標データである。

d.　航空レーザ測量では，計測結果がGNSSに強く依存しているため，三次元計測データの点検及び補正を行うための **エ　調整用基準点** を設置する必要がある。

よって，ア：フィルタリング，イ：GNSS／IMU装置，ウ：地表面，エ：調整用基準点，となり，最も適切な組合せは5. である。

解答　**5.**

基本問題 | 6年 | **5年** | 4年 | 3年 | 2年 | 元年 | 30年 | 29年

問題 航空レーザ測量の特徴

難易度 普

頻出度 低 ■■■■■■□□ 高

27 次の文は，公共測量における航空レーザ測量について述べたものである。**明らかに間違っているもの**はどれか。次の中から選べ。

1. グラウンドデータとは，オリジナルデータから，地表面以外のデータを取り除くフィルタリング処理を行い作成した，地表面の三次元座標データである。
2. 航空レーザ測量では，主に近赤外波長のレーザ光を用いているため，レーザ計測で得られるデータは雲の影響を受けない。
3. 対地高度以外の計測諸元が同じ場合，対地高度が高くなると，取得点間距離は長くなる。
4. 航空レーザ測量システムは，GNSS/IMU 装置，レーザ測距装置及び解析ソフトウェアから構成される。
5. フィルタリング及び点検のために撮影する数値写真は，航空レーザ計測と同時期に撮影する。

本問は，航空レーザ測量の特徴を問う問題である。ここでは，グラウンドデータ，計測するための天候条件，航空レーザ用数値写真などを理解しておく。☞ 要点6 参照

解説

1. **正しい** グラウンドデータは，オリジナルデータ（三次元計測データの点検・調整を行った三次元座標データ）から，地表面以外のデータを取り除くフィルタリング処理を行い作成した，地表面の三次元座標データである。計測データとは，航空レーザ測量によって得られたデータをいう。

 三次元計測データとは，計測データを統合解析し，ノイズ等のエラー計測部分を削除した標高値の集合である三次元座標データをいう。

2. **間違い** 航空レーザ測量は，主に近赤外波長のレーザを用いて標高を計測する。計測するための天候条件としては，風速は 20 ノット（約 10 m/s）を超えず，降雨・降雪・濃霧などがなく，曇天でも雲が航空機より上空にある場合に計測が可能である。したが

って，**雲がある場合は，雲でレーザ光が反射され，計測が不可能**である。

3. **正しい**　対地高度以外の計測諸元が同じ航空レーザ計測では，対地高度が高くなると，レーザ光線の照射の位置が地表面から離れ，かつ，レーザ光線は広がりながら進むため，計測データを取得する点間距離は長くなる。

4. **正しい**　航空レーザ測量システムは，航空機の位置と傾きを同時に測定するGNSS/IMU装置，レーザ測距装置および解析ソフトウェアから構成される。

5. **正しい**　フィルタリングおよび点検のために撮影する航空レーザ用数値写真（空中から地表を撮影した画像）は，航空レーザ計測と同時期に撮影する。

よって，明らかに間違っているものは2. である。　**解答**　**2.**

基本問題 | 6年 | 5年 | 4年 | 3年 | 2年 | **元年** | 30年 | 29年

問題 車載写真レーザ測量の特徴

難易度 普

頻出度 低 ■■□□□□□□ 高

28 次の文は，車載写真レーザ測量について述べたものである。［ア］～［エ］に入る語句の組合せとして**最も適当なもの**はどれか。次の中から選べ。

車載写真レーザ測量とは，計測車両に搭載した［ア］と［イ］を用いて道路上を走行しながら三次元計測を行い，取得したデータから数値地形図データを作成する作業であり，空中写真測量と比較して［ウ］な数値地形図データの作成に適している。ただし，車載写真レーザ測量では［エ］の確保ができない場所の計測は行うことができない。

	ア	イ	ウ	エ
1.	レーザ測距装置	GNSS/IMU 装置	高精度	計測車両から視通
2.	レーザ測距装置	高度計	高精度	計測車両の上空視界
3.	レーザ測距装置	GNSS/IMU 装置	広範囲	計測車両の上空視界
4.	トータルステーション	GNSS/IMU 装置	広範囲	計測車両から視通
5.	トータルステーション	高度計	高精度	計測車両の上空視界

本問は，車載写真レーザ測量の特徴を問う問題である。ここでは，車載写真レーザ測量で使用する機器と数値図化用データの作成方法などを理解しておく。☞要点9参照

解説

① 車載写真レーザ測量とは，計測車両に搭載した［ア **レーザ測距装置**］と［イ **GNSS/IMU 装置**］を用いて道路上を走行しながら三次元計測を行い，取得したデータから数値地形図データを作成する作業である。

② 車載写真レーザ測量は，空中写真測量と比較して［ウ **高精度**］な数値地形図データの作成に適している。

③ 車載写真レーザ測量では，［エ **計測車両から視通**］の確保ができない場所の計測を行うことができない。

よって，ア：レーザ測距装置，イ：GNSS/IMU 装置，ウ：高精度，エ：計測車両から視通 となり，最も適切な組合せは1. である。 **解答** 1.

基本問題　6年　5年　4年　3年　2年　元年　30年　**29年**

問題　車載写真レーザ測量の特徴

難易度　普

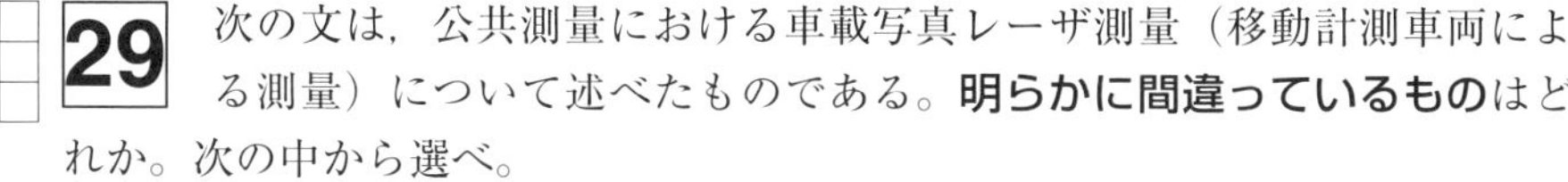

頻出度　低 ■■□□□□□□ 高

29 次の文は，公共測量における車載写真レーザ測量（移動計測車両による測量）について述べたものである。**明らかに間違っているもの**はどれか。次の中から選べ。

1. 車両に搭載したGNSS/IMU装置やレーザ測距装置，計測用カメラなどを用いて，主として道路及びその周辺の地形や地物などのデータ取得をする技術である。
2. 航空レーザ測量では計測が困難である電柱やガードレールなど，道路と垂直に設置されている地物のデータ取得に適している。
3. トンネル内など上空視界の不良な箇所における数値地形図データ作成も可能である。
4. 道路及びその周辺の地図情報レベル500や1000などの数値地形図データを作成する場合，トータルステーションなどを用いた現地測量に比べて，広範囲を短時間でデータ取得できる。
5. 地図情報レベル1000の数値地形図データ作成には，地図情報レベル500の数値地形図データ作成と比較して，より詳細な計測データが必要である。

本問は，公共測量における車載写真レーザ測量の特徴を問う問題である。ここでは，車載写真レーザ測量で使用する機器と数値図化の方法を理解しておく。☞ 要点9 参照

解説

1. **正しい**　車載写真レーザ測量は，車両に自車位置姿勢データ取得装置（GNSS/IMU装置など）および数値図化用データ取得装置（レーザ測距装置，計測用カメラなど）を搭載して，主として道路およびその周辺の地形や地物などのデータ取得をする技術である。
2. **正しい**　車両に搭載されたレーザ測距装置や計測用カメラを用いることで，電柱やガードレールなど，道路と垂直に設置されている地物のデータ取得ができる。
3. **正しい**　GNSS衛星からの電波の受信ができる箇所では，調整点（調整処理に必要な水平位置や標高の基準となる点）やIMUなどに

より，所定の位置精度を確保しているため，トンネル内などの数値地形図データ作成もできる。

4. **正しい** 車載写真レーザ測量は，トータルステーションなどを用いた現地測量に比べて，車両で移動しながら測量を行うため，広範囲を短時間でデータ取得ができる。

5. **間違い** 地図情報レベルは，数値地形図データの地図表現精度を表し，地図情報レベル 1000 は地形図縮尺 1/1,000 に，地図情報レベル 500 は地形図縮尺 1/500 に相当する。地図情報レベル 1000 の数値地形図データの作成には，地図情報レベル 500 の数値地形図データ作成と比較して，**詳細な計測データを必要としない**。

よって，間違っているものは5. である。

解答 **5.**

基本問題　6年　5年　4年　3年　2年　元年　30年　29年

問題　空中写真の判読

難易度　やや易

頻出度　低 ■□□□□□□□ 高

30 次の文は，夏季に航空カメラで撮影した空中写真の判読結果について述べたものである。**明らかに間違っているもの**はどれか。次の中から選べ。

1.　道路に比べて直線又は緩やかなカーブを描いており，淡い褐色を示していたので，鉄道と判読した。
2.　山間の植生で，比較的明るい緑色で，樹冠が丸く，それぞれの樹木の輪郭が不明瞭だったので，針葉樹と判読した。
3.　水田地帯に，適度の間隔をおいて高い塔が直線状に並んでおり，塔の間をつなぐ線が見られたので，送電線と判読した。
4.　丘陵地で，林に囲まれた長細い形状の緑地がいくつも隣接して並んでいたので，ゴルフ場と判読した。
5.　耕地の中に，緑色の細長い筋状に並んでいる列が何本もみられたので，茶畑と判読した。

本問は，航空カメラで撮影した空中写真の判読結果を問う問題である。ここでは，空中写真の判読に関する基本的な事項を理解しておく。

解説

1.　**正しい**　道路に比べて直線または緩やかなカーブで，淡い褐色を示す場合は，鉄道と判読できる。
2.　**間違い**　比較的明るい緑色で，樹冠が丸く，それぞれの樹木の輪郭が不明瞭な場合は，**広葉樹と判読**できる。針葉樹は，全体的に黒い色調で，とがった樹冠が見える。
3.　**正しい**　適度の間隔をおいて高い塔が直線上に並び，塔の間をつなぐ線が見える場合は，送電線と判読できる。
4.　**正しい**　丘陵地で，林に囲まれた長細い形状の緑地がいくつも隣接して並んでいる場合は，ゴルフ場と判読できる。
5.　**正しい**　耕地の中に，緑色の細長い筋状に並んでいる列が何本も見える場合は，茶畑と判読できる。

よって，明らかに間違っているものは2. である。　**解答**　**2.**

6

第 6 章
地図編集

「地図編集」の概要

地図編集とは，既成の数値地形図データを基に，編集資料を参考にして，必要とする表現事項を定められた方法によって編集し，新たな数値地形図データを作成する作業のことである。

●地図編集　最新８年間の出題状況●

No.	年度／出題内容	基本問題	令和6	5	4	3	2	元	平成30	29
1	地図の投影法（UTM 図法と平面直角座標系）		1	2	3	4	5	□	□	□
2	地図編集		6	7	8	9	□	□	□	□
3	距離計算を含む地形図の読図								10	11
4	地図計測（経緯度の計算）		12	13	□	□	□	□		
5	GIS（地理情報システム）		14		15			16		17
6	ベクタデータ・ラスタデータ			18		19	20		21	

注）□は，その年度に出題された問題で，番号は，本書に掲載された問題番号を示す。

◆地図編集　令和６年度出題の特徴◆

関連 No.	形　式	具体的な出題内容（特徴）	難易度
1	文　章	地図の投影法	易
2	文　章	数値地形図編集の表示の原則	易
4	計　算	目標物の経緯度計算	普
5	文　章	基盤地図情報の特徴	普
		合　計	4問

出題の要点

要点１　地図の投影法

地球の球状面を平面に直して地形図をつくることを**投影**という。このとき，必ず距離，角度，面積などに誤差が生じる。この誤差を**歪曲の３要素**という。この３つの要素すべてを満足させる投影法はない。要素の１つを正確に表す方法として投影法がある。

投影法には等距離投影法（正距図法），等角投影法（正角図法），等積投影法（正積図法）がある。同一図法の中で距離と面積，距離と角度を同時に満足することはできるが，面積と角度は同時に満足することはできない。

UTM図法と平面直角座標系の投影法は，ガウス・クリューゲル図法の等角投影法（正角図法）を用いている。

図法問題としてよく出題されるUTM（ユニバーサル横メルカトル）図法と平面直角座標系を比較しながら合わせて覚える。

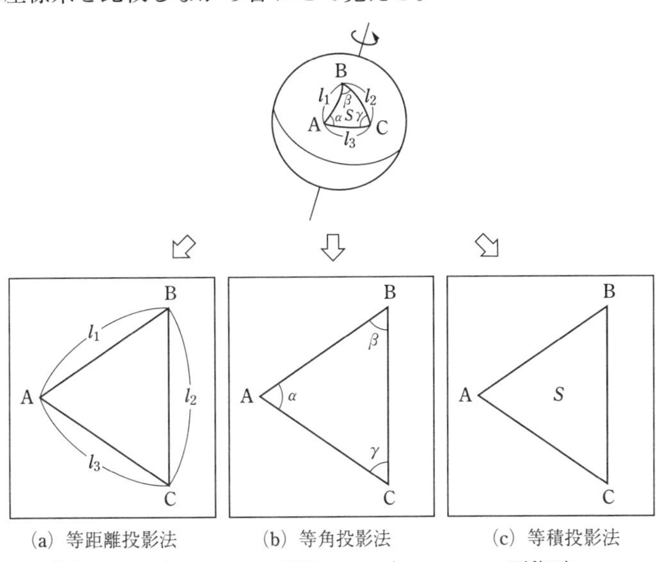

(a) 等距離投影法
長さl_1，l_2，l_3を等しく投影する。

(b) 等角投影法
角度 α，β，γ を等しく投影する。

(c) 等積投影法
面積Sを等しく投影する。

要点2 UTM 図法と平面直角座標系

(1) UTM 図法

① UTM 図法（Universal Transverse Mercator's projection）はユニバーサル横メルカトル図法の略で，ガウス・クリューゲル図法に，UTM システムを導入したものである。

② UTM 図法は，地球を経度 6° ごとに 60 の帯に分け，西経 180°〜174° のゾーンを No. 1 とし，左回りに No. 2，No. 3 と番号を付け，東経 174°〜180° のゾーンを No. 60 とする。

③ UTM 図法は，赤道と中央子午線を原点

北半球では $X=0.000$ m，$Y=5\times10^5$ m，

南半球では $X=10^7$ m，$Y=5\times10^5$ m

とし，全座標を正の値で表す。

④ UTM 図法の中央子午線上縮尺係数は原点で 0.999 6，原点から横座標で 180 km 離れた地点で 1.000 0 となる。

⑤ UTM 図法の適用範囲は，北緯 84°〜南緯 80° で，1/25 000，1/50 000 の地形図等に用いられる。

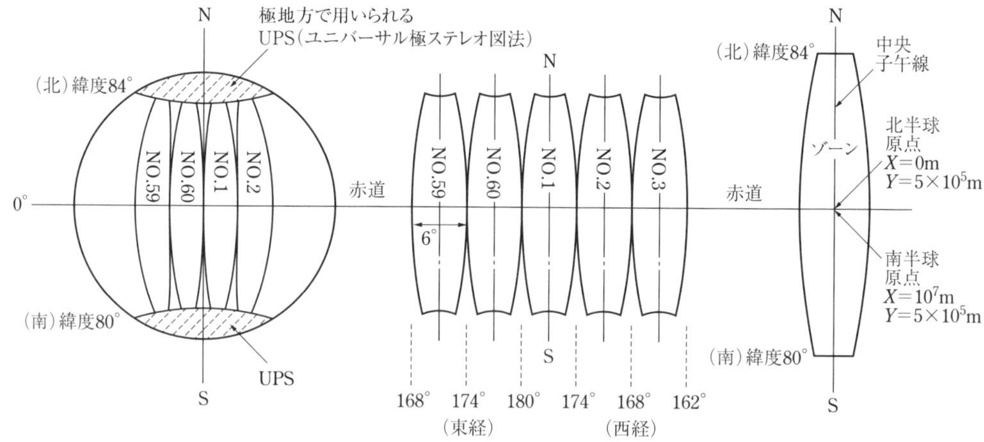

(2) 平面直角座標系

① 投影法は，UTM 図法と同様に，ガウス・クリューゲル図法の等角投影法（正角図法）を用いている。

② 平面直角座標系は，日本全体を 19 の区域に分割し，それぞれの区域に中央経線を設けて①の投影法によって平面上に設置された座標系である。

③ 縮尺係数は，中央子午線上で 0.999 9，中央子午線から東西方向に約

90 km 離れたところで 1.000 0 となり，130 km 離れた地点で 1.000 1 となる。

④　平面直角座標系の座標原点の値は，$X=0.000$ m，$Y=0.000$ m である。

⑤　平面直角座標系では，座標系原点より北側および東側を「正（+）」とし，座標系原点より南側および西側を「負（−）」とする。

⑥　平面直角座標系は，1/2 500，1/5 000 の国土基本図に用いられる。

⑦　投影に用いる回転楕円体は，現在では GRS 80 楕円体である。

(3)　UTM 図法と平面直角座標系の関係

UTM 図法と平面直角座標系との相違点を理解しておく。

UTM 図法と平面直角座標系の関係

投影法	UTM（ユニバーサル横メルカトル）図法	平面直角座標系
	ガウス・クリューゲル図法	
座標原点	赤道と中央子午線の交点を原点とする。 北半球 $X=0.000$ m，$Y=5\times10^5$ m 南半球 $X=10^7$ m，$Y=5\times10^5$ m	日本の 19 か所を原点とする。 $X=0.000$ m，$Y=0.000$ m
中央子午線上の縮尺係数	中央子午線上の縮尺係数は 0.9996 で誤差 4/10 000 で，東西 180 km で縮尺係数 1.000 0 となり，200 km で縮尺係数 1.000 1 となる。	中央子午線上の縮尺係数は，0.999 9 で誤差 1/10 000 で，東西 90 km で縮尺係数 1.000 0 となり，130 km で縮尺係数 1.000 1 となる。
適用範囲	北緯 84°〜南緯 80°	日本の 19 か所の原点から東西の経度で 1° 30′ 程度
用途	1/25 000 や 1/50 000 の地形図	1/2 500 や 1/5 000 の国土基本図
地形図のひずみ	最大誤差 0.0004＝4/10000 180km　180km （UTM システム） 1.0000　0.9996　1.0000 （縮尺係数） （地球表面）	最大誤差 1/10000 90km　90km （直角座標） 1.0000　0.9999　1.0000 （縮尺係数） （地球表面）

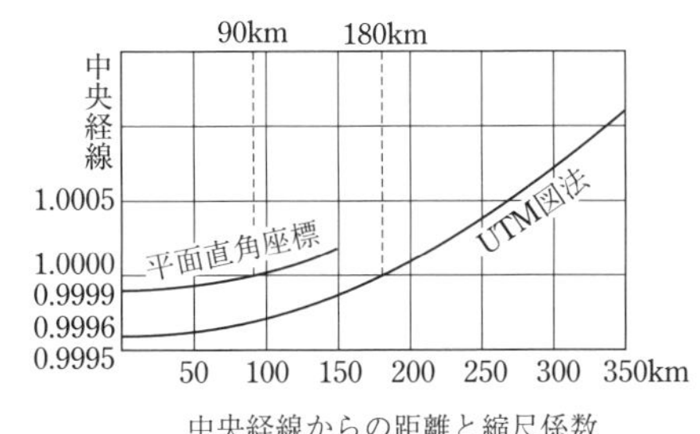

中央経線からの距離と縮尺係数

要点3　地図の種類

地図とは，地球表面の一部あるいは全部の状況を，縮小したり，記号化したりと約束ごとを決めて，平面上に表現したものである。

現在では地図のデジタル化(GIS)が進み，地図上に多くの情報をあわせてもつことができるようになって，用途に応じたさまざまな地図が利用されている。

地図の分類

(1)　地図の内容による分類

①　一般図：地表の形状，土地利用，植生，交通，施設等総合的に表した地図
②　主題図：ある特定の主題（テーマ）について表した地図
③　特殊図：特定の目的のため作られた地図

(2)　地図の作り方による分類

①　実 測 図：測量や調査の結果を基に直接作られる地図
②　編 集 図：既成の実測図を基図に編集して作られる地図
③　統計地図：統計を解析して地図表現したもの

(3)　縮尺による分類

①　大縮尺図：縮尺が 1/500，1/5000 等の地図
②　中縮尺図：縮尺が 1/25000，1/50000 等の地図
③　小縮尺図：縮尺が 1/100000 より小さい地図

要点4　地図編集

地図編集とは，既成の数値地形図データを基図とし，編集資料を参考にして，必要とする表現事項を所定の方法によって編集し，新たな数値地形図データを作成する作業をいう。ここでは，工程別作業および順序を十分に理解することが必要である。

(1)　描画順序

①　図郭線および基準点の展開
②　自然骨格地物（河川，海岸線，湖沼等）
③　人工骨格地物（鉄道，道路）
④　建　物
⑤　地　形（等高線，変形地）
⑥　境　界，行政界
⑦　植生界，植生記号
⑧　注　記（文字または数値による表示）

(2)　転位の原則

①　やむを得ない場合に限り，必要最小限の転位を行うことができる。

②　形状および関係位置は，転位によって現況を著しく損なうことのないようにしなければならない。

③　水準点を除いた基準点は転位できない。

④　転位する場合の平面位置の移動は，図上 0.5 mm 以内とし，やむを得ない場合に限り図上 1.2 mm まで移動させることができる。

⑤　基準点および海岸線，湖岸線，河川等有形の自然物は転位しない。

(3)　転位の優先順位

一般的な地図編集では，描画順序が転位の優先順位となり，順位の低いものを転位する。

①　有形線（河川，道路など）と無形線（等高線，境界等）とが接近し，どちらかを転位する場合は無形線を転位する。

②　有形の自然地物と人工地物が近接し，どちらかを転位する場合は，人工地物を転位する。

③　骨格となる人工地物（道路，鉄道等）とその他の人工地物（建物等）が接近する場合は，その他の地物を転位する。

要点5　地形図の読図

読図とは，文章の示す目的地を地形図から探すことである。一般に 1/25 000 の地形図が与えられる。地形図の測図記号の意味や地形図上の距離と実際の距離の関係，方位，縮尺，等高線についてもしっかり理解することが大切である。

(1) 地図記号

よく出題される地図記号（間違えやすい記号）

記号	名称	記号	名称
	小,中学校		高等学校
	市役所		町村役場
	保健所		病院
	発電所		工場
	三角点		電子基準点
	電波塔		高塔
	送電線		輸送管
	JR線単線		JR線複線

注. 他の図記号で主なものは，巻末付録 2（p. 327）に掲載してあるので，参考にされたい。

(2) 地形図の縮尺

実際の長さ $L=l_1\times m_1$

縮尺がわからない地形図の縮尺 $\dfrac{1}{m}=\dfrac{l}{L}=\dfrac{l}{l_1\times m_1}$

l_1：縮尺がわかっている地形図での図上の長さ
m_1：縮尺がわかっている地形図の縮尺の分母数
l：縮尺がわからない地形図での図上の長さ
m：縮尺がわからない地形図の縮尺の分母数

経緯度の計算

① 地形図に示された座標位置 P$(x,\ y)$ を求めるには，その建物や地点の真位置を知る必要がある。

② 国土地理院発行の地形図には，経緯度の値が記述されている。この値と地形図上の長さを知ることにより比例計算で求めることができる。

③　地形図の左下の緯度X_0，経度Y_0，左上緯度X_1，右下経度Y_1，とし，緯度差ΔX（″），経度差ΔY（″）とし，地形図上の距離Lx, lx, Ly, lyを0.1 mm単位まで測定し，下の公式より座標を求める。

$$x=\frac{lx}{Lx}\cdot\Delta x \qquad y=\frac{ly}{Ly}\cdot\Delta y$$

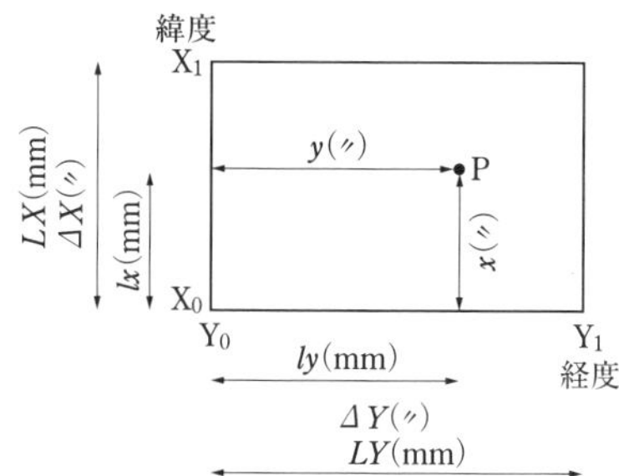

要点7　地理情報システム

（1）　基盤地図情報の作成

基盤地図情報の作成とは，新たな測量作業による方法および既存の測量成果等の編集により基盤地図情報を作成することをいう。

①　基盤地図情報の整備項目

基盤地図情報の整備項目には，次の13項目が定めれている。

・測量の基準点
・海岸線
・公共施設の境界線（道路区域界）
・公共施設の境界線（河川区域界）
・行政区画の境界線及び代表点
・道路縁
・河川堤防の表法肩の法線
・軌道の中心線
・標高点
・水涯線
・建築物の外周線
・市町村の町若しくは字の境界線及び代表点
・街区の境界線及び代表点

②　シームレスな基盤地図情報の整備基準

基盤地図情報の整備又は更新を行うときは，その対象地域に隣接する地域において，位置精度が当該基盤地図情報と同等以上かつ同じ項目の基盤地図情報が既に存在し，かつ，その隣接基盤地図情報が現状を適切に反映している場合には，その対象地域と隣接地域の境界部において，隣接基盤地図情報の位置座標を基準に，基盤地図情報を接合することができる。

(2) 地理空間情報の標準化

① 地理情報標準

測量成果の種類・内容・構造・品質・記録方法等の共通ルールを地理情報標準プロファイルという。

測量法に基づく全測量の製品仕様書は，このプロファイルに準拠していなければならない。

② クリアリングハウス（clearinghouse）

クリアリングハウスは，一般的に情報センターという意味をもつが，GISの分野では，通信ネットワークを活用した地理的情報の流通機構全体を指す言葉である。クリアリングハウスのサーバを検索することにより，どこに，どんな情報が，どのような形であり，どうすれば使えるのかを知ることができる。利用者が必要な情報を入手することが容易で，不必要な重複投資が回避できる。

地理情報クリアリングハウスは，インターネット上に分散・点在する地理情報の所在情報を一斉に検索するためのシステムである。

③ メタデータ（metadata）

ある測量作業の内容や電子成果の概要を，項目（リスト）的に表現した電子ファイル。空間データ（地理情報）の所在，内容，品質，利用条件等を記述したデータや，メタデータを用いて，全ての測量作業を管理したり，また，ある特定の測量作業や成果を探す検索用のキーワードとして利用される。

メタデータは，どこに，どんな形で存在して，どうすれば利用できるか等の利用者にとって必要な情報が含まれる。

(3) GIS（Geographical Information System）

GISとは，地理情報システムのことで，数値地図を最も基本のデータとしてこれにさまざまな数値情報を層状に重ねて表現し，さらに付加価値の高い情報をコンピュータ上で統合的に処理するシステムである。

① GISは，ディジタルデータを用いて，各種の情報をレイヤーごとにつくり自由に重ねたり，必要とする情報を組み合わせて表示することができる。

② GISは，数値地図を有しているので，地図を拡大・縮小・回転などが自由にできる。

③ GISは，地図上で最短距離を見出したり，地図の特定地域の面積，人口密度などの情報を入手することができる。

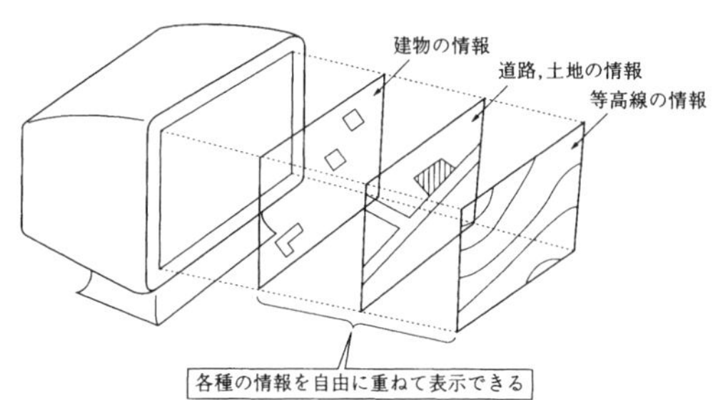

要点8　ベタデータとラスタデータ

(1)　既成図数値化

既成図数値化とは，すでに作成された地形図等の数値化を行い，数値地形図データを作成する作業をいう。

ベクタデータは，座標値をもった点列によって表現される図形データをいう。

①　既成図数値化における成果の形式は，ベクタデータを標準とする。

②　ベクタデータは，点，線，面を表現でき，道路や河川といった属性を付加することができる。

③　ネットワーク解析による最短経路検索には，ラスタデータよりベクタデータのほうが適している。

④　GISを用いると，個々のベクタデータから一定の距離内にある範囲を抽出し，その面積値を算出することができる。

ラスタデータは，行と列に並べられた画素の配列によって構成される画像データをいう。

①　衛星画像データやスキャナを用いて取得した地図データは，ラスタデータである。

②　ラスタデータは，セルと呼ばれる点で構成されている。ラスタデータ画像を拡大表示するとセルの図形がそのまま拡大されるだけで，詳細な形状を見ることができない。

(2)　ラスタベクタ変換

ラスタデータを変換処理することにより，ベクタデータを作成することができる。しかし，元のデータ以上の精度は得られない。現実には，変換により元のデータより若干精度が落ちる。

基本問題 **6年** 5年 4年 3年 2年 元年 30年 29年

問題 地図の投影法

難易度 易

頻出度 低 ■■■■■■■■ 高

1 次の1～5の文は，地図投影法について述べたものである。**明らかに間違っているもの**はどれか。次の1～5の中から選べ。

1. 地図投影では，立体である地球の表面を平面で表すため，地図には必ず何らかのひずみが生じる。このため，表現したい地図の目的に応じて投影法を選択する必要がある。
2. 正角図法は，地球上と地図上との対応する点において，任意の2方向の夾（きょう）角が等しくなり，ごく狭い範囲での形状が相似となる図法である。
3. ユニバーサル横メルカトル図法は，北緯84°以南，南緯80°以北の地域に適用され，緯度幅6°ごとの範囲が一つの平面に投影されている。
4. 平面直角座標系（平成14年国土交通省告示第9号）におけるY軸は，座標系原点において子午線に直交する軸とし，真東に向かう方向を正としている。
5. 国土地理院の「500万分1日本とその周辺」は，地図主点である東京から方位と距離が正しく表される地図であり，ガウス・クリューゲル図法で地図投影されている。

本問は，地図の投影法の特徴を問う問題である。ここでは，地球の球状面を平面に直し地形図をつくるときの各投影法の特徴を理解しておく。☞要点1参照

解説

1. **正しい** 地図投影では，立体である地球の表面を平面で表すため，地図には必ず何らかのひずみが生じる。このため，表現したい地図の目的に応じて，最も適切な投影法を選択する必要がある。
2. **正しい** 正角図法は，地球上のどこにおいても角が等しく表現される投影法であるので，地球上と地図上との対応する点において，任意の2方向の夾角が等しくなり，ごく狭い範囲での形状が相似となる図法である。
3. **正しい** ユニバーサル横メルカトル図法（UTM図法）の適用範囲は，北緯84°以南から南緯80°以北で，地球全体を経度幅6°ごとの

60 の帯に分け，それぞれ中央経線と赤道の交点を原点として，それぞれを平面に投影している。

4.　**正しい**　平面直角座標系における Y 軸は，座標系原点において子午線に直交する軸とし，真東に向かう方向を正としている。平面直角座標系における X 軸は，座標系原点において座標系の子午線に一致する軸とし，真北に向かう値を正としている。

5.　**間違い**　国土地理院の「500 万分 1 日本とその周辺」は，地図の中心である東京から全ての地点への方位と距離が正しく表される地図であり，**正距方位図法で地図投影**されている。ガウス・クリューゲル図法は，正角図法で地図投影されている。

よって，明らかに間違っているものは，5. である。

解答　**5.**

基本問題 6年 **5年** 4年 3年 2年 元年 30年 29年

問題　地図の投影法

難易度 易

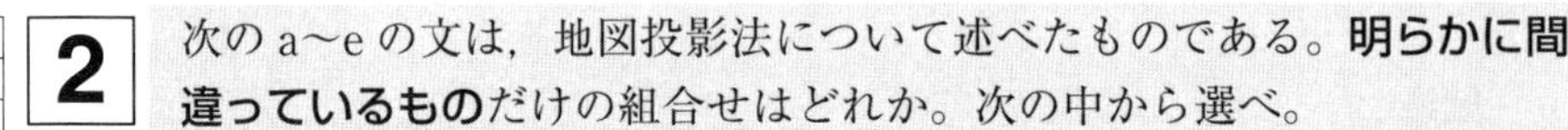

頻出度 低 ■■■■■■■■ 高

2 次のa～eの文は，地図投影法について述べたものである。**明らかに間違っているもの**だけの組合せはどれか。次の中から選べ。

a.　平面直角座標系（平成14年国土交通省告示第9号）におけるX軸は，座標系原点において子午線に一致する軸とし，真北に向かう値を正としている。

b.　正角図法は，地球上と地図上との対応する点において，任意の2方向の夾（きょう）角が等しくなり，ごく狭い範囲での形状が相似となる図法である。

c.　平面に描かれた地図において，正積の性質と正角の性質を同時に満足させることは理論上不可能である。

d.　ユニバーサル横メルカトル図法（UTM図法）は，北緯84°から南緯80°の間の地域を緯度差6°ずつの範囲に分割して投影している。

e.　平面直角座標系に用いることが定められている地図投影法は，ランベルト正角円錐図法である。

1.　a，b
2.　a，e
3.　b，c
4.　c，d
5.　d，e

本問は，地図の投影法の特徴を問う問題である。ここでは，地球の球状面を平面に直し地形図をつくるときの各投影法の特徴を理解しておく。☞ 要点1 参照

解説

a.　**正しい**　平面直角座標系におけるX軸は，座標系原点において子午線に一致する軸とし，真北に向かう値を正としている。平面直角座標系におけるY軸は，座標系原点において座標系のX軸に直交する軸とし，真東に向かう値を正としている。

b.　**正しい**　正角図法は，地球上のどこにおいても角が等しく表現される投影法であるので，地球上と地図上との対応する点において，

任意の2方向の夾角が等しくなり，ごく狭い範囲での形状が相似となる図法である。

c.　**正しい**　平面に描かれた地図において，正角の性質と正距の性質，正積の性質と正距の性質を同時に満足させることは理論上可能であるが，正積の性質と正角の性質を同時に満足させることは理論上不可能である。

d.　**間違い**　ユニバーサル横メルカトル図法（UTM図法）は，北緯84°以南から南緯80°以北の地域を対象に，**経度180°より経度差6°の座標帯**に分割して投影したものである。

e.　**間違い**　平面直角座標系には，**ガウス・クリューゲル図法の等角投影法**が用いられている。

よって，明らかに間違っているものはdとeであり，5. の組合せが正しい。

解答　**5.**

基本問題 6年 5年 **4年** 3年 2年 元年 30年 29年

問題　地図の投影法

難易度 易

頻出度 低 ■■■■■■■■ 高

3 次の文は，地図投影法について述べたものである。**明らかに間違っているもの**はどれか。次の中から選べ。

1. メルカトル図法は，球面上の角度が地図上に正しく表現される正角円筒図法である。
2. ユニバーサル横メルカトル図法（UTM 図法）は，北緯 84 度から南緯 80 度の間の地域を経度差 6 度ずつの範囲に分割して投影している。
3. 平面直角座標系（平成 14 年国土交通省告示第 9 号）は，横円筒図法の一種であるガウス・クリューゲル図法を適用している。
4. 正距図法は，地球上の距離と地図上の距離を正しく対応させる図法であり，すべての地点間の距離を同一の縮尺で表示することができる。
5. 正積図法は，地球上の任意の範囲の面積が，縮尺に応じて地図上に正しく表示される図法である。

本問は，地図の投影法の特徴を問う問題である。ここでは，地球の球状面を平面に直し地形図をつくるときの各投影法の特徴を理解しておく。 ☞ 要点1 参照

解説

1. **正しい**　メルカトル図法は，球面上の角度が地図上に正しく表現される正角円筒図法であり，海図や航空図等に用いられる。高緯度になるほど，距離や面積のひずみが大きくなる。
2. **正しい**　UTM 図法は，北緯 84 度以南から南緯 80 度以北の地域を対象に，経度 180 度より経度差 6 度の座標帯に分割し，その座標帯ごとにガウス・クリューゲル図法で投影するものである。
3. **正しい**　平面直角座標系に用いられる投影法は，UTM 図法と同様に，横円筒図法の一種であるガウス・クリューゲル図法の等角投影法である。
4. **間違い**　正距図法は，すべての地点間の**距離を同一に表示できるわけではなく**経線上，緯線上等の特定の方向の**距離が正しく表示**されるものである。

5.　**正しい**　正積図法は，地球上の任意の範囲の面積が，縮尺に応じて地図上に正しく表示される図法である。

よって，明らかに間違っているものは4. である。

解答　4.

基本問題 6年 5年 4年 **3年** 2年 元年 30年 29年

問題　地図の投影法

難易度　易

頻出度　低 ■■■■■■■■ 高

4 次の文は，地図投影法について述べたものである。**明らかに間違っているもの**はどれか。次の中から選べ。

1.　正距図法は，地球上の距離と地図上の距離を正しく対応させる図法であり，任意の地点間の距離を正しく表示することができる。
2.　正積図法では，球面上の図形の面積比が地図上でも正しく表される。
3.　ガウス・クリューゲル図法は，平面直角座標系（平成 14 年国土交通省告示第 9 号）で用いられている。
4.　平面直角座標系では，日本全国を 19 の区域に分けている。
5.　ユニバーサル横メルカトル図法は，北緯 84° 以南，南緯 80° 以北の地域に適用され，経度幅 6° ごとの範囲が一つの平面に投影されている。

本問は，地図の投影法の特徴を問う問題である。ここでは，地球の球状面を平面に直し地形図をつくるときの各投影法の特徴を理解しておく。☞ 要点1 参照

解説

1.　**間違い**　正距図法は，すべての地点間の距離を同一に表示できるわけではなく，**経線上，緯線上等の特定の方向の距離**が正しく表示される。
2.　**正しい**　正積図法では，球面上の図形の面積比が地図上でも正しく表される。
3.　**正しい**　平面直角座標系の投影法は，ガウス・クリューゲル図法の等角投影法を用いている。
4.　**正しい**　平面直角座標系では，日本全国を 19 の区域に分割し，それぞれに原点をもつ。
5.　**正しい**　ユニバーサル横メルカトル図法（UTM 図法）の適用範囲は，北緯 84° ～南緯 80° で，地球全体を経度幅 6° ごとに 60 の帯に分け，それぞれ中央経線と赤道の交点を原点として，それぞれ平面に投影している。

よって，明らかに間違っているものは 1. である。

解答　1.

基本問題 | 6年 | 5年 | 4年 | 3年 | **2年** | 元年 | 30年 | 29年

平面直角座標系の特徴

頻出度　低 ■■■■■■■■■ 高

5 次の a～e の文は，平面直角座標系（平成 14 年国土交通省告示第 9 号）について述べたものである。**明らかに間違っているもの**だけの組合せはどれか。次の中から選べ。

a.　平面直角座標系に用いることが定められている地図投影法は，ガウスの等角二重投影法である。

b.　平面直角座標系における Y 軸は，座標系原点において子午線に直交する軸とし，真東に向かう方向を正としている。

c.　平面直角座標系では，日本全国を 19 の座標系に分けている。

d.　平面直角座標系における座標系原点はすべて赤道上にはない。

e.　各平面直角座標系の原点を通る子午線上における縮尺係数は 0.9999 であり，この子午線から離れるに従って縮尺係数は小さくなる。

1.　a，b
2.　a，e
3.　b，d
4.　c，d
5.　c，e

本問は，平面直角座標系の投影法の特徴を問う問題である。ここでは，平面直角座標系の原点の位置や原点を通る子午線上における縮尺係数などを覚えておく。

☞ 要点2 参照

解説

a.　**間違い**　平面直角座標系は，**ガウス・クリューゲル図法の等角投影法**を用いている。

b.　**正しい**　平面直角座標系における Y 軸は，座標系原点において子午線に直交する軸とし，真東に向かう方向を正としている。

c.　**正しい**　平面直角座標系では，日本全国を 19 の座標系に分けている。

d.　**正しい**　平面直角座標における座標系原点は，日本全体を 19 の区域に分割し，それぞれに原点をもつので，赤道上にはない。

e.　**間違い**　座標原点を通る子午線上における縮尺係数は 0.9999 であり，この子午線から東西に 90 km 離れた場所での縮尺係数は 1.0000，子午線から東西に 130 km 離れた場所での縮尺係数は 1.0001 となり**大きく**なる。

誤差を 1/10000 に収めるため，座標原点より東西 130 km を適用範囲としている。

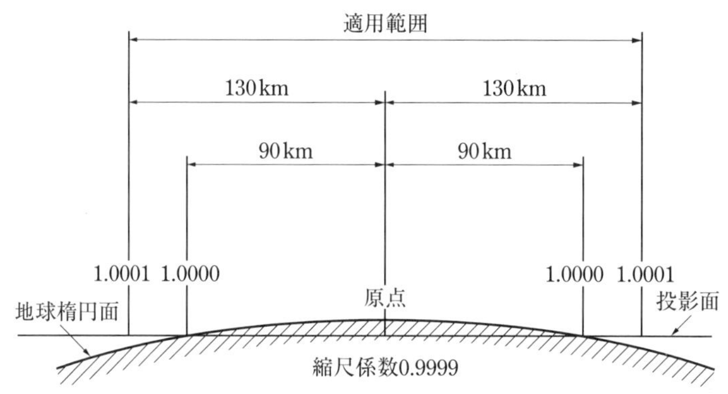

平面直角座標系の投影面と地球楕円面の関係

よって，明らかに間違っているものの組合せは a，e の 2．である。

解答　2.

基本問題 **6年** 5年 4年 3年 2年 元年 30年 29年

問題　数値地形図編集の表示の原則

難易度 易

頻出度 低 ■■■■■■■■ 高

6 次の1～5の文は，公共測量において数値地形図を編集する場合の表示の原則について述べたものである。**明らかに間違っているもの**はどれか。次の1～5の中から選べ。

1. 表示する対象は，測量作業時に現存し，永続性のあるものとする。
2. 数値地形図への表現は，地表面の状況を地図情報レベルに応じて正確かつ詳細に表示する。
3. 表示する対象は，上方からの中心投影でその形状を表示する。
4. 特定の記号のないもので，特に表示する必要がある対象は，その位置を指示する点を表示し，名称，種類等を文字により表示する。
5. 数値地形図に表示する地物の水平位置の転位は，原則として行わない。

本問は，数値地形図編集の表示の原則を問う問題である。ここでは，数値地形図編集における表示の対象，表示の方法，表示事項の転位などを理解しておく。☞要点4参照

解説

1. **正しい**　数値地形図に表示する対象は，測量作業時に現存し，永続性のあるものとする。ただし，建設中のものでおおむね1年以内に完成する見込のものや，永続性のないもので特に必要と認められるものは，数値地形図に表示することができる。
2. **正しい**　数値地形図への表現は，地表面の状況を地図情報レベルに応じて，正確かつ詳細に表示する。
3. **間違い**　表示する対象は，上方からの**正射影**で，その形状を表示する。ただし，正射影で表示することが困難なものは，正射影の位置に定められた記号で表示する。
4. **正しい**　特定の記号のないもので，特に表示する必要がある対象は，その位置を指示する点を表示し，名称，種類などを文字により表示する。
5. **正しい**　数値地形図に表示する地物の水平位置の転位は，原則として行わない。地図情報レベル2500以上に表示する地物の水平位置

は，やむを得ない場合には，地図情報レベルに対応する相当縮尺の出力図に限り，図上 0.7 mm まで転位させることができる。

よって，明らかに間違っているものは，3. である。

解答 3.

基本問題 6年 **5年** 4年 3年 2年 元年 30年 29年

問題　地図編集の原則

難易度 易

頻出度 低 ■■■■■■■■ 高

7 次の文は，地図編集の原則について述べたものである。**明らかに間違っているもの**はどれか。次の中から選べ。

1.　編集の基となる地図（基図）は，新たに作成する地図（編集図）の縮尺より小さく，かつ最新のものを使用する。
2.　地物の取捨選択は，編集図の目的を考慮して行い，重要度の高い対象物を省略することのないようにする。
3.　注記は，地図に描かれているものを分かりやすく示すため，その対象により文字の種類，書体，字列などに一定の規範を持たせる。
4.　有形線（河川，道路など）と無形線（等高線，境界など）とが近接し，どちらかを転位する場合は無形線を転位する。
5.　山間部の細かい屈曲のある等高線を総描するときは，地形の特徴を考慮する。

本問は，地図編集の原則を問う問題である。ここでは，地図編集における取捨選択，転位，総描を理解しておく。☞ 要点4 参照

解説

1.　**間違い**　地図編集において，編集の基となる地図は，新たに作成する地図の縮尺より**大きく**，かつ最新のものを使用する。

　縮尺が大きい地図（大縮尺図）とは，縮尺を示す分数の分母の値が小さく，狭い範囲を詳しく表現することができる地図である。基本図においては，通常，縮尺１万分の１程度より大きい（分母が小さい）地図をいう。

2.　**正しい**　地物の取捨選択は，編集図の目的を考慮して行い，重要度の高い対象物を選択し，その他の対象物を適切に省略する。

3.　**正しい**　注記は，地図に描かれているものを分かりやすく示すための文字情報であり，その対象地物により文字の種類・書体・字列などに一定の規範を持たせる。

4.　**正しい**　有形線（河川，道路など）と無形線（等高線，境界など）が近接している場合は，有形線を真位置に表示し，無形線を転位する。

5.　**正しい**　山間部の細かい屈曲のある等高線を総描するときは，地形の特徴を考慮する。

総描とは，地図の縮尺が小さくなるにつれ，地形や地物を基図の形状どおりに描示すると，画線が錯綜して読図が困難になるため，建物の形状が複雑な場合は，小さな凹凸を省略するなど，現況との相似性を失わない範囲で形状を修飾し，現況を理解しやすくすることである。

よって，明らかに間違っているものは，1である。

解答　1.

基本問題 | 6年 | 5年 | **4年** | 3年 | 2年 | 元年 | 30年 | 29年

問題　地図編集の原則

難易度　易

頻出度　低 ■■■■■■■■ 高

8　次の文は，一般的な地図編集における地形，地物の取捨選択，転位及び総描についての技術的手法を述べたものである。**明らかに間違っているもの**はどれか。次の中から選べ。

1. 一般的に重要度が低い対象物でも，局地的に極めて重要度の高い場合は省略しないようにする。
2. 河川と市町村界が近接し転位が必要となる場合は，河川を転位する。
3. 三角点が道路と近接し転位が必要となる場合は，三角点を真位置に描画し，位置関係を変えないように道路を転位する。
4. 建物が密集して，全てを表示することができない場合は，取捨選択して表示することができる。
5. 建物の形状が複雑な場合は，小さな凹凸を省略するなど，現況との相似性を失わない範囲で形状を修飾して現況を理解しやすく総描する。

本問は，地図編集の原則を問う問題である。ここでは，地図編集における取捨選択，転位，総描を理解しておく。☞ 要点4 参照

解説

1. **正しい**　一般的に重要度が低い対象物でも，局地的に極めて重要度の高い対象物の場合は省略しないようにする。
2. **間違い**　河川と市町村界が近接し転位が必要となる場合は，**優先順位の低い市町村界を転位**する。河川，道路などの有形線と等高線，境界等の無形線が接近し，どちらかを転位する必要がある場合は，無形線を転位する。
3. **正しい**　三角点が道路と近接し転位が必要となる場合は，三角点を真位置に描画し，位置関係を変えないように道路を転位する。水準点を除いた基準点は，転位できない。
4. **正しい**　建物が密集して，全てを表示することができない場合は，建物の向きと並びを考慮し，取捨選択して表示する。
5. **正しい**　地図の縮尺が小さくなるにつれ，地形や地物を基図の形状どおりに描示すると，画線が錯綜して読図が困難になる。そのため，建物の形状が複雑な場合は，小さな凹凸を省略するなど，現況との相似性を失わない範囲で形状を修飾し，現況を理解しやすく総合描示（総描）する。

よって，明らかに間違っているものは，２である。

解答 2.

基本問題 | 6年 | 5年 | 4年 | **3年** | 2年 | 元年 | 30年 | 29年

問題　地図編集における転位の原則

難易度　易

頻出度　低 ■■■■■■■■ 高

9　次のａ～ｅの文は，一般的な地図編集における転位の原則について述べたものである。**明らかに間違っているもの**だけの組合せはどれか。次の中から選べ。

a.　道路と三角点が近接し，どちらかを転位する必要がある場合，三角点の方を転位する。

b.　河川と等高線が近接し，どちらかを転位する必要がある場合，等高線の方を転位する。

c.　海岸線と鉄道が近接し，どちらかを転位する必要がある場合，鉄道の方を転位する。

d.　鉄道と河川と道路がこの順に近接し，道路を転位する際にそのスペースがない場合においては，鉄道と河川との間に道路を転位してもよい。

e.　一般に小縮尺地図ほど転位による地物の位置精度への影響は大きい。

1.　a，b
2.　a，d
3.　b，c
4.　c，e
5.　d，e

本問は，地図編集の原則を問う問題である。ここでは，地図編集における転位の原則を理解しておく。☞ 要点4 参照

解説

a.　**間違い**　水準点を除いた基準点は，転位できない。よって，道路と三角点のどちらかを転位する場合は，**道路を転位**する。

b.　**正しい**　河川と等高線のどちらかを転位する場合は，優先順位の低い等高線を転位する。河川，道路などの有形線と等高線，境界等の無形線が近接し，どちらかを転位する必要がある場合は，無形線を転位する。

c.　**正しい**　海岸線と鉄道のどちらかを転位する場合は，優先順位の低い鉄道を転位する。

d.　**間違い**　形状および位置関係は，**転位によって現況を著しく損なうことのないように**しなければならない。

e.　**正しい**　地図の縮尺が小縮尺ほど地物を真位置に表示しようとすると錯雑する。転位の量は，小縮尺地図ほど大きくなり，地物の位置精度への影響が大きい。

よって，明らかに間違っているものはａとｄであり，2. の組合せが正しい。

解答　**2.**

基本問題 | 6年 | 5年 | 4年 | 3年 | 2年 | 元年 | **30年** | 29年

問題　地形図上の距離計算

難易度　普

頻出度　低 ■■□□□□□□ 高

10　図は，国土地理院刊行の 1/25,000 地形図の一部（縮尺を変更，一部を改変）である。次の文は，この図に表現されている内容について述べたものである。**明らかに間違っているもの**はどれか。次の中から選べ。

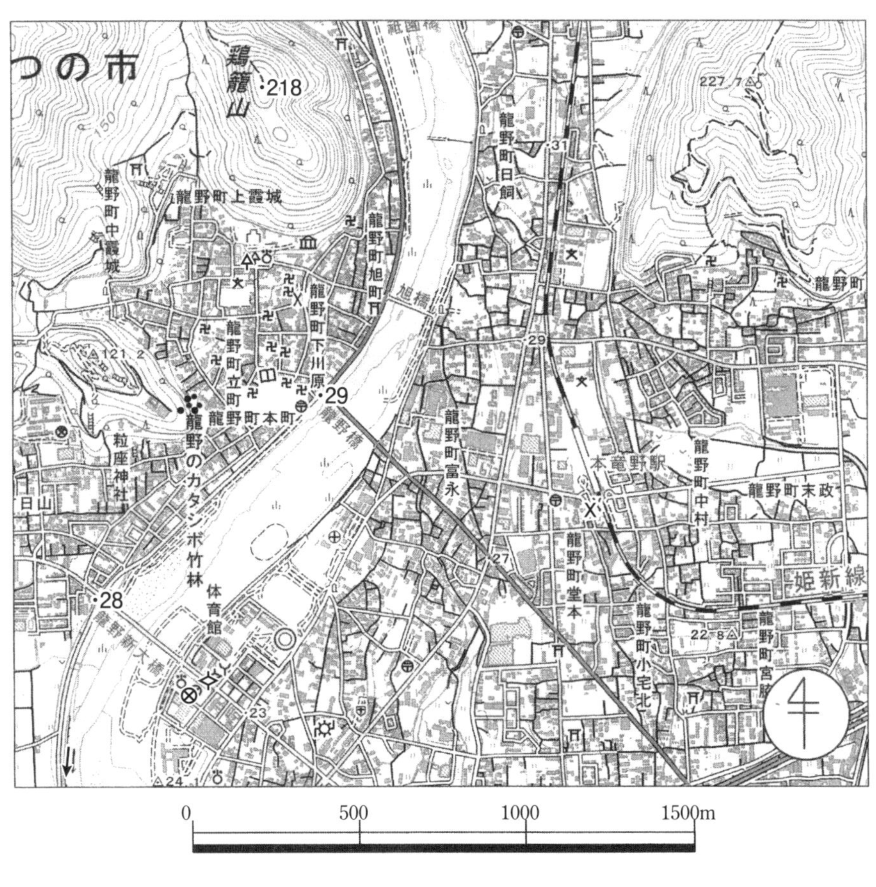

図

1.　龍野新大橋と鶏籠山の標高差は，およそ 190 m である。

2.　龍野のカタシボ竹林は，史跡，名勝又は天然記念物である。

3.　龍野橋と龍野新大橋では龍野新大橋の方が下流に位置する。

4.　裁判所と税務署では税務署の方が北に位置する。
5.　本竜野駅の南に位置する交番から警察署までの水平距離は，およそ 1,320 m である。

本問は，地形図に表現されている内容を問う問題である。ここでは，地形図上の距離を実際の距離に計算できるようにしておく。
☞ 要点5 参照

解説

1. **正しい**　龍野新大橋付近の標高は，（・28）の標高点より 28 m であることがわかる。鶏籠山の標高は，（・218）の標高点より 218 m であることがわかる。標高差は，218－28＝190 m である。
2. **正しい**　龍野のカタシボ竹林は，（ ∴ ）より史跡・名勝・天然記念物である。
3. **正しい**　龍野橋と龍野新大橋では，標高点(・29)（・28)を見ても流水方向(→)を見ても龍野新大橋が下流にあることがわかる。
4. **間違い**　裁判所（ 裁判所の地図記号 ）と税務署（ 税務署の地図記号 ）では，**裁判所**（ 裁判所の地図記号 ）**の方が北**に位置する。
5. **正しい**　本竜野駅の南に位置する交番（ X ）から警察署（ ⊗ ）までの地形図上の直線距離は，5.8 cm である。この地形図は，1/25,000 であるが一部縮尺が変更されていることが問題に示されている。本書の地形図の場合，示されているスケールバーを基準として距離を求める。地形図上のスケールバーの 1000 m を物差しで測ると 4.4 cm である。
　よって，本竜野駅の南に位置する交番から警察署までの実際の距離は，$\frac{5.8\ \text{cm}}{4.4\ \text{cm}} \times 1000\ \text{m} = 1318 \fallingdotseq 1320\ \text{m}$

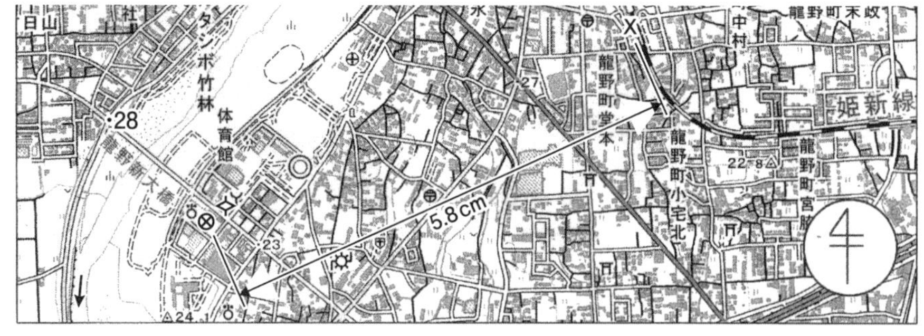

よって，明らかに間違っているものは，4. となる。　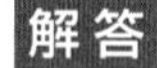 **解答 4.**

基本問題　6年　5年　4年　3年　2年　元年　30年　**29年**

問題　地形図上の標高差計算

難易度　普

頻出度　低 ■■□□□□□□ 高

11　図は，国土地理院刊行の電子地形図25000の一部（縮尺を変更，一部を改変）である。次の文は，この図に表現されている内容について述べたものである。**明らかに間違っているもの**はどれか。次の中から選べ。

0　500　1000　1500m

図

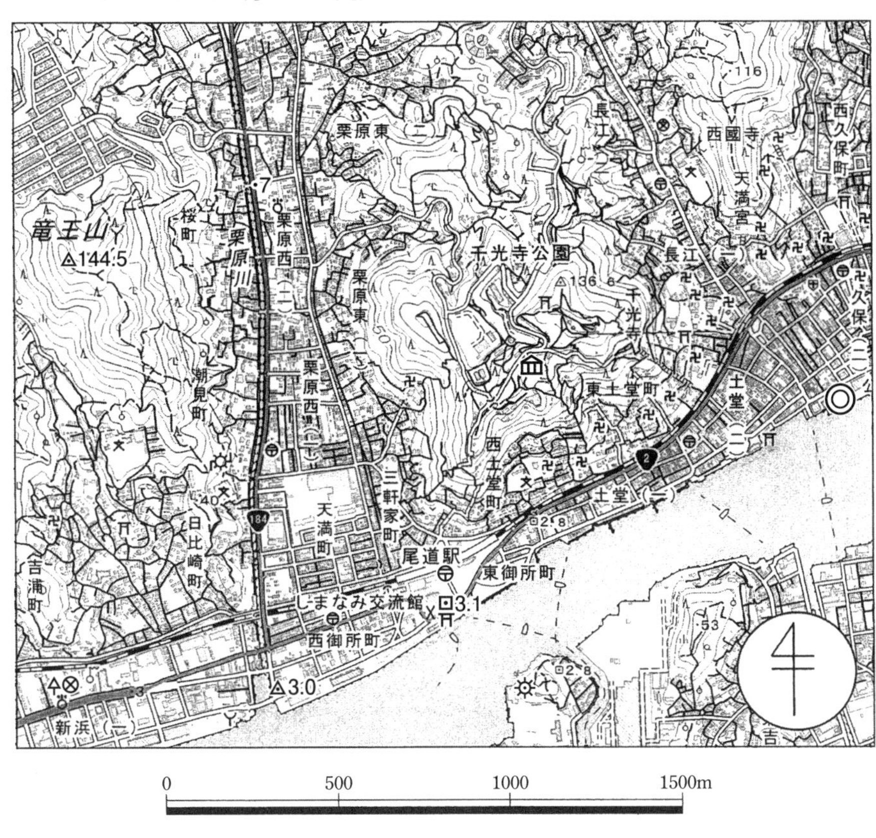

1.　尾道駅前にある郵便局の南東に灯台がある。
2.　市役所と博物館の水平距離は850 m以上である。
3.　栗原川は北から南へ流れている。
4.　竜王山の山頂と尾道駅の標高差は130 m以下である。
5.　裁判所と警察署が隣接している。

本問は，地形図に表現されている内容を問う問題である。ここでは，地形図上の標高を正確に読めるようにしておく。

解説

1. **正しい**　地形図中央下部の尾道駅前の郵便局（ 〒 ）の南東方向に灯台（ ☼ ）がある。
2. **正しい**　市役所（ ◎ ）と博物館（ 🏛 ）の水平距離は850 m以上である。地形図下の縮尺目盛から，0～1000 mの距離は，46 mmである。

   よって，地形図上における市役所と博物館の水平距離は，42 mmであるので，実距離にすると，$\frac{42\ \text{mm}}{46\ \text{mm}} \times 1000\ \text{m} = 913\ \text{m}$となる。
3. **正しい**　地形図は，等高線，三角点（ △ ），水準点（ ⊡ ），標高点（ ・123 ）などから，標高を読むことができる。ここでは，川沿いの官公署（ ♁ ）付近の標高点より7 m，河口付近の三角点より3 mと読むことができる。したがって，栗原川は地形図上部（北）から下部（南）に向かって流れていることがわかる。
4. **間違い**　竜王山山頂付近と尾道駅付近の標高は，竜王山山頂付近の三角点より144.5 m，尾道駅付近の水準点より3.1 mと読むことができる。したがって，標高差は**140 m以上**あることがわかる。
5. **正しい**　地形図左下の新浜1丁目付近では，裁判所（ 个 ），警察署（ ⊗ ）が隣接している。

よって，明らかに間違っているのは4. である。

解答　4.

基本問題　**6年**　5年　4年　3年　2年　元年　30年　29年

問題　目標物の経緯度の計算

難易度　**普**

頻出度　低 ■■■■■■■□□ 高

12 図は，国土地理院がインターネットで提供している二次元の地図「地理院地図」の一部（縮尺を変更，一部を改変）である。この図にある裁判所の経緯度で**最も近いもの**を次の１～５の中から選べ。

ただし，表に示す数値は，図の中にある税務署及び保健所の経緯度を地理院地図で読み取った値である。

なお，関数の値が必要な場合は，巻末の関数表を使用すること。

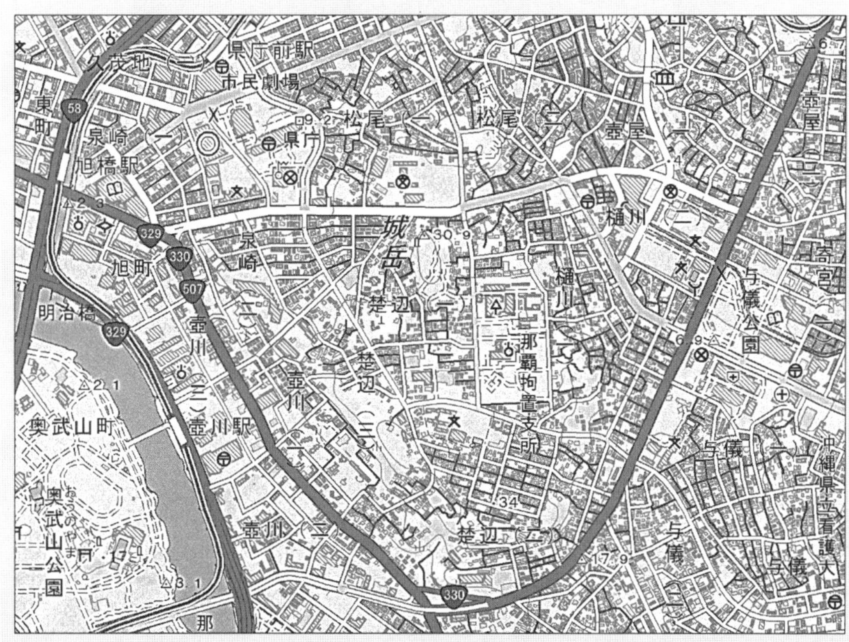

図

表

	緯度	経度
税務署	北緯 26° 12′ 38″	東経 127° 40′ 35″
保健所	北緯 26° 12′ 24″	東経 127° 41′ 38″

1. 北緯 26° 12′ 17″　東経 127° 42′ 05″
2. 北緯 26° 12′ 29″　東経 127° 41′ 02″
3. 北緯 26° 12′ 30″　東経 127° 41′ 14″
4. 北緯 26° 12′ 31″　東経 127° 41′ 11″
5. 北緯 26° 12′ 51″　東経 127° 41′ 31″

本問は，地形図における目標物の緯度・緯度を求める問題である。ここでは，与えられた経緯度から目標物である裁判所の経緯度を，地形図上の距離の比で求められるようにしておく。☞要点6参照

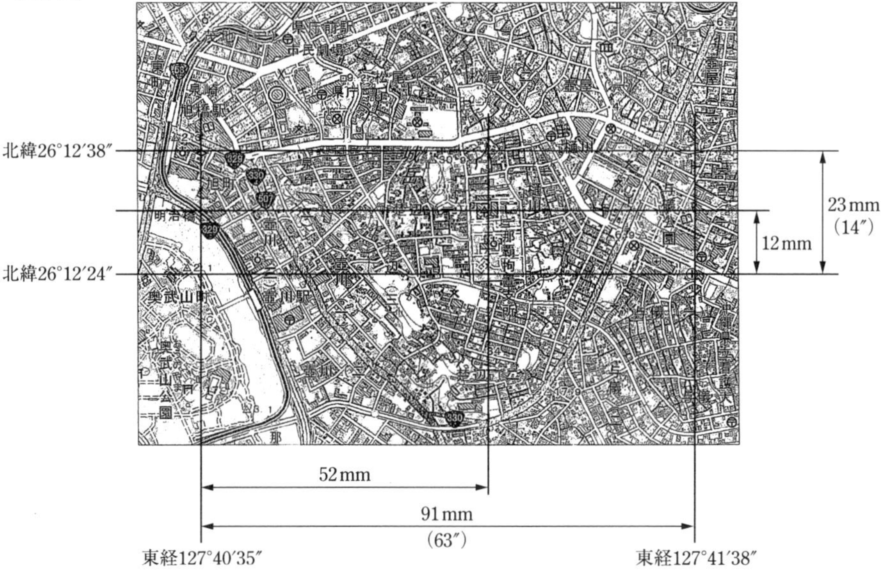

図 1（問題図の 55%）

問題に示された税務署（ ◇ ），保健所（ ⊕ ）の経度・緯度を表すと図 1 のようになる。税務署と保健所の経度・緯度から裁判所（ ⍋ ）の経度・緯度を図上距離の比で求める。

図上において，経度方向の税務署と保健所の実測距離は 91 mm，経度差は 63″，税務署から裁判所までの実測距離は 52 mm であるので，

$$\text{裁判所の経度} = 127°\,40'\,35'' + \frac{52\text{ mm}}{91\text{ mm}} \times 63'' = 127°\,40'\,35'' + 36'' = 127°\,41'\,11''$$

図上において，緯度方向の税務署と保健所の実測距離は 23 mm，緯度差は

14″，保健所から裁判所までの実測距離は12 mmであるので，

$$\text{裁判所の緯度} = 26°\ 12'\ 24'' + \frac{12\,\text{mm}}{23\,\text{mm}} \times 14'' = 26°\ 12'\ 24'' + 7'' = 26°\ 12'\ 31''$$

よって，東経127° 41′ 11″，北緯26° 12′ 31″となり，最も近いのは4. である。

解答　**4.**

問題　目標物の経緯度の計算

難易度　やや難

頻出度　低 ■■■■■■■□□ 高

13 図は，国土地理院がインターネットで公開しているウェブ地図「地理院地図」の一部（縮尺を変更，一部を改変）である。この図にある自然災害伝承碑の経緯度で**最も近いもの**を次のページの中から選べ。

ただし，表に示す数値は，図の中にある裁判所及び税務署の経緯度を表す。

なお，関数の値が必要な場合は，巻末の関数表を使用すること。

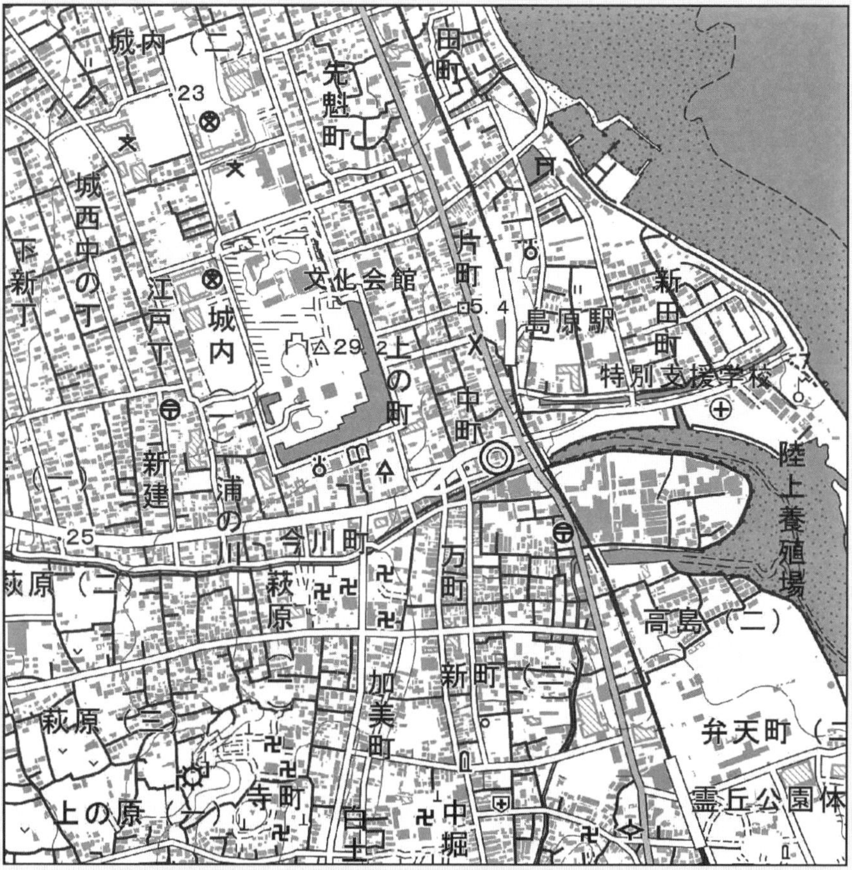

図

表

	緯度	経度
裁判所	北緯 32° 47′ 16″	東経 130° 22′ 06″
税務署	北緯 32° 46′ 56″	東経 130° 22′ 23″

1.　北緯 32° 46′ 54″　　東経 130° 22′ 34″
2.　北緯 32° 46′ 57″　　東経 130° 22′ 15″
3.　北緯 32° 46′ 59″　　東経 130° 22′ 12″
4.　北緯 32° 47′ 21″　　東経 130° 22′ 35″
5.　北緯 32° 47′ 23″　　東経 130° 22′ 00″

本問は，地形図における目標物の経度・緯度を求める問題である。ここでは，与えられた経緯度から目標物である自然災害伝承碑の経緯度を，地形図上の距離の比を用いて求められるようにしておく。
☞ 要点6 参照

解説

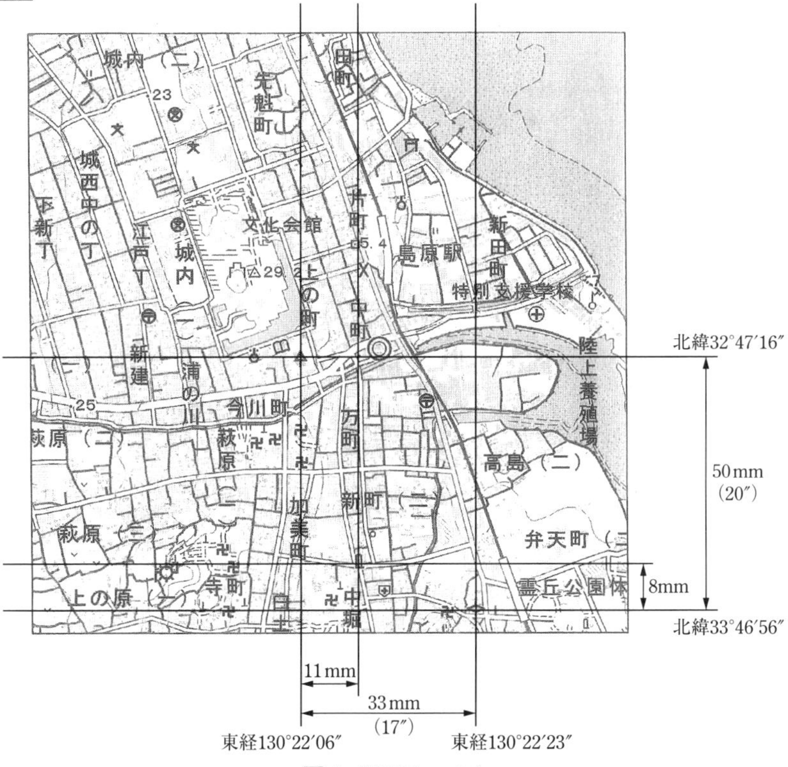

図１（問題図の 54%）

問題に示された裁判所（ ⚲ ），税務署（ ⟡ ）の経度・緯度を表すと図1のようになる。裁判所と税務署の経度・緯度から自然災害伝承碑（ ⎍ ）の経度・緯度を図上距離の比で求める。

図上において，経度方向の裁判所と税務署の実測距離は33 mm，経度差は17″，裁判所から自然災害伝承碑までの実測距離は11 mmであるので，

$$\text{自然災害伝承碑の経度} = 130°\ 22'\ 06'' + \frac{11\ \text{mm}}{33\ \text{mm}} \times 17'' = 130°\ 22'\ 12''$$

図上において，緯度方向の裁判所と税務署の実測距離は50 mm，経度差は20″，裁判所から自然災害伝承碑までの実測距離は8 mmであるので，

$$\text{自然災害伝承碑の経度} = 32°\ 46'\ 56'' + \frac{8\ \text{mm}}{50\ \text{mm}} \times 20'' = 32°\ 46'\ 59''$$

よって，最も近いのは3. である。

解答 3.

基本問題　**6年**　5年　4年　3年　2年　元年　30年　29年

問題　基盤地図情報の特徴

難易度　普

頻出度　低 ■■■■□□□□ 高

14　次の１～５の文は，地理空間情報活用推進基本法（平成 19 年法律第 63 号）における基盤地図情報について述べたものである。**明らかに間違っているもの**はどれか。次の１～５の中から選べ。

1.　基盤地図情報は，原則としてインターネットにより無償で提供される。
2.　基盤地図情報には，行政区画の境界線などの無形線は含まれない。
3.　基盤地図情報には，海岸線，道路縁，建築物の外周線を含む 13 項目が定められている。
4.　都市計画区域における基盤地図情報はシームレスに整備されているため，隣接市町村にまたがる図面でも調整なしに接合することができる。
5.　基盤地図情報に市から提供された防災施設の位置情報を重ね合わせることにより，地域の防災マップを作成することができる。

本問は，地理空間情報活用推進基本法における基盤地図情報の特徴を問う問題である。ここでは，基盤地図情報の整備項目，円滑な流通，相互活用などを理解しておく。☞ 要点7 参照

解説

1.　**正しい**　国は，基盤地図情報を原則としてインターネットを利用して，無償で提供しなければならない。

2.　**間違い**　基盤地図情報の整備項目には，**行政区画の境界線などの無形線も含まれている。**

3.　**正しい**　基盤地図情報の整備項目には，①測量の基準点，②海岸線，③公共施設の境界線（道路区域界），④公共施設の境界線（河川区域界），⑤行政区画の境界線及び代表点，⑥道路縁，⑦河川堤防の表法肩の法線，⑧軌道の中心線，⑨標高点，⑩水涯線，⑪建築物の外周線，⑫市町村の町若しくは字の境界線及び代表点，⑬街区の境界線及び代表点の 13 項目が定められている。

4.　**正しい**　都市計画区域における基盤地図情報は，継目なく結合された情報で整備されているため，隣接市町村にまたがる図面でも調整なしに接合することができる。

5.　**正しい**　基盤地図情報に，市から提供された防災施設の位置情報を重ね合わせることにより，地域の防災マップを作成することができる。

よって，明らかに間違っているものは，2. である。

解答 2.

基本問題 6年 5年 **4年** 3年 2年 元年 30年 29年

問題　地理空間情報の防災における利用

難易度 やや難

頻出度 低 ■■■■□□□□ 高

15 地理空間情報の防災における利用について，次の問いに答えよ。

地形と自然災害の発生リスクには，密接な関係がある。例えば，山地や崖・段丘崖の下方にあり，崖崩れや土石流などによって土砂が堆積してできた「山麓堆積地形」においては，大雨による土石流災害のリスクがあり，地盤が不安定なため大雨や地震による崖崩れにも注意が必要である。

身のまわりの地形が示すその土地の成り立ちと，その土地が本来持っている自然災害リスクについて，誰もが簡単に確認できるようにする目的で，国土地理院のウェブ地図「地理院地図」から「地形分類」を示す地図を公開しており，災害の種類ごとの「指定緊急避難場所」を重ね合せ表示することで事前に避難ルートを調べることができる。

表は，地形分類，土地の成り立ち及び地形から見た自然災害リスクを説明したものである。

［ア］～［エ］に入る「地形から見た自然災害リスク」を説明した次のペ

表

地形分類	土地の成り立ち	地形から見た自然災害リスク
扇状地	山地の谷の出口から扇状に広がる緩やかな斜面。谷口からの氾濫によって運ばれた土砂が堆積してできる。	［ア］
自然堤防	現在や昔の河川に沿って細長く分布し，周囲より 0.5～数メートル高い土地。河川が氾濫した場所に土砂が堆積してできる。	［イ］
凹地・浅い谷	台地や扇状地，砂丘などの中にあり，周辺と比べてわずかに低い土地。小規模な流水の働きや，周辺部に砂礫が堆積して相対的に低くなる等でできる。	［ウ］
氾濫平野	起伏が小さく，低くて平坦な土地。洪水で運ばれた砂や泥などが河川周辺に堆積したり，過去の海底が干上がったりしてできる。	［エ］

ージのａ～ｄの文の組合せとして**最も適当なもの**はどれか。次の中から選べ。

a.　洪水に対しては比較的安全だが，大規模な洪水では浸水することがある。縁辺部では液状化のリスクがある。

b.　大雨の際に一時的に雨水が集まりやすく，浸水のおそれがある。地盤は周囲（台地・段丘など）より軟弱な場合があり，特に周辺が砂州・砂丘の場所では液状化のリスクがある。

c.　河川の氾濫に注意が必要である。地盤は海岸に近いほど軟弱で，地震の際にやや揺れやすい。液状化のリスクがある。沿岸部では高潮に注意が必要である。

d.　山地からの出水による浸水や，谷口に近い場所では土石流のリスクがある。比較的地盤は良いため，地震の際には揺れにくい。下流部では液状化のリスクがある。

	ア	イ	ウ	エ
1.	a	b	c	d
2.	b	a	d	c
3.	d	b	c	a
4.	b	a	c	d
5.	d	a	b	c

本問は，地形分類ごとの土地の成り立ちと，地形から見た自然災害リスクを問う問題である。ここでは，扇状地や自然堤防などの地形がもっている自然災害リスクを理解しておく。

解説

ア　扇状地は，山麓の谷の出口から扇状に広がる緩やかな斜面で，谷口からの氾濫によって運ばれた土砂が堆積してできる土地である。谷口に近い場所では土石流のリスクがあり，下流部では液状化のリスクがある。このことより，扇状地の自然災害リスクを説明したものは，d. である。

イ　自然堤防は，現在や昔の河川に沿って細長く分布し，周囲より0.5～数メートル高く，河川が氾濫した場所に土砂が堆積してできる土地である。洪水に対しては比較的安全だが，大規模な洪水では浸水することがある。このことより，自然堤防の自然災害リスクを説明したものは，a. である。

ウ　凹地・浅い谷は，台地や扇状地，砂丘などの中にあり，周辺と比べてわずかに低く，小規模な流水の働きや，周辺部に砂礫が堆積して相対的に低くなる土地である。大雨の際に，一時的に雨水が集まりやすく，浸水のおそれがある。周辺が砂州・砂丘の場所では液状化のリスクがある。このことより，凹地・浅い谷の自然災害リスクを説明したものは，b. である。

エ　氾濫平野は，起伏が小さく，低くて平坦で，洪水で運ばれた砂や泥などが河川周辺に堆積したり，過去の海底が干上がったりしてできる土地である。河川の氾濫に注意が必要で，地震の際にやや揺れやすく，液状化のリスクがある。このことより，氾濫平野の自然災害リスクを説明したものは，c. である。

よって，ア：d，イ：a，ウ：b，エ：c となり，5. が最も適当である。

解答　5.

基本問題 6年 5年 4年 3年 2年 **元年** 30年 29年

問題　GIS（地理情報システム）の利用

難易度 普

頻出度 低 ■■■■□□□□ 高

16 次の文は，地理空間情報を用いたGIS（地理情報システム）での利用について述べたものである。**明らかに間違っているもの**はどれか。次の中から選べ。

1. 50 m メッシュ間隔の人口メッシュデータと避難所の点データを用いて，避難所から半径1 km に含まれるおおよその人口を計算した。
2. ネットワーク化された道路中心線データを利用し，消防署から火災現場までの最短ルートを表示した。
3. 航空レーザ測量で得た数値地形モデル（DTM）と基盤地図情報の建築物の外周線データを用いて，建物の高さ15 m 以上の津波避難ビルの選定を行った。
4. 公共施設の点データに含まれる種別属性と建物の面データを用いて，公共施設である建物面データを種別ごとに色分け表示した。
5. 浸水が想定される区域の面データと地図情報レベル2500の建物の面データを用いて，浸水被害が予想される概略の家屋数を集計した。

本問は，GIS（地理情報システム）の利用について問う問題である。ここでは，GISを利用してできること，できないことを理解しておく。

☞ 要点7，要点8 参照

解説

1. **正しい**　50 m メッシュ間隔の人口メッシュデータと避難所の点データを用いて，避難所から半径1 km に含まれるおおよその人口を計算することはできる。
2. **正しい**　GISは，ネットワーク化された道路中心線データと火災現場の位置座標を入力することにより，最短ルートを検索できる。
3. **間違い**　数値地形モデル（DTM）は，デジタル化された地形データのことで，植生や建築物などを取り除いた地表そのもののモデルであるため，**建物の高さ検索に活用するのには適さない**。
4. **正しい**　公共施設の点データに含まれる種別属性と建物の面データを用いて，公共施設である建物面データを種別ごとに色分け表示することはできる。

5.　**正しい**　浸水が想定される区域の面データと地図情報レベル 2500 の建物の面データを用いて，浸水被害が予想される概略の家屋数を集計することはできる。

よって，明らかに間違っているものは，3 である。

解答　**3.**

基本問題 6年 5年 4年 3年 2年 元年 30年 **29年**

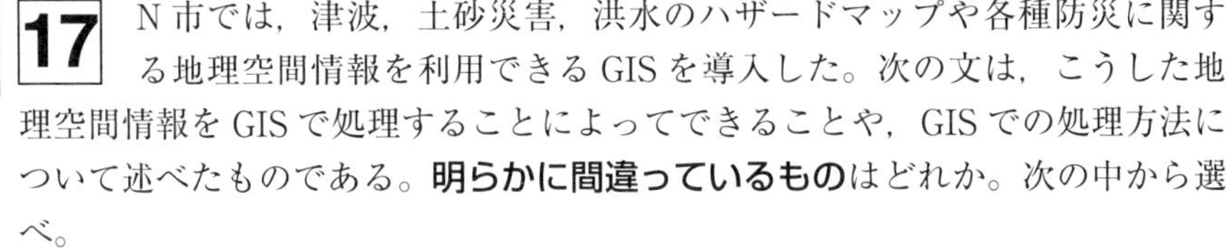

17 N市では，津波，土砂災害，洪水のハザードマップや各種防災に関する地理空間情報を利用できるGISを導入した。次の文は，こうした地理空間情報をGISで処理することによってできることや，GISでの処理方法について述べたものである。**明らかに間違っているもの**はどれか。次の中から選べ。

1. 河川流域の地形の特徴を表した地形分類図に，過去の洪水災害の発生箇所に関する情報を重ねて表示すると，過去の洪水で堤防が決壊した場所が旧河道に当たる場所であることがわかった。
2. 津波ハザードマップと土砂災害ハザードマップを重ねて表示すると，津波が発生した際の緊急避難場所の中に，土砂災害の危険性が高い箇所があることがわかった。
3. 住民への説明会用に，航空レーザ測量で得た数値表層モデル（DSM）を用いて，洪水で水位が上昇した場合の被害のシミュレーション画像を作成した。
4. 標高の段彩図を作成する際，平地の微細な起伏を表すため，同じ色で示す標高の幅を，傾斜の急な山地に比べ平地では広くした。
5. 災害時に災害の危険から身を守るための緊急避難場所と，一時的に滞在するための施設となる避難所との違いを明確にするため，別の記号を表示するようにした。

本問は，さまざまな地理空間情報とGISを組み合わせることによってできることや，GISの処理方法を問う問題である。地理空間情報をGISで処理することによって，どのようなことができるか理解しておく。

解説

1. **正しい**　地形の特徴を表した地形分類図と過去の洪水災害の発生箇所の情報を重ねることによって，過去の洪水で堤防が決壊した場所が旧河道に当たる場所であることが理解できる。
2. **正しい**　2種類の違う内容のハザードマップを重ねて表示することによって，より安全な緊急避難場所を把握することができる。

3. **正しい**　航空レーザ測量で得た数値表層モデル（DSM）を用いて，洪水で水位が上昇した場合の被害シミュレーション画像を作成することができる。
4. **間違い**　標高の段彩図を作成する際，平地の微細な起伏を表すため，同じ色で示す標高の幅を傾斜の急な山地に比べ平地では，**狭くする**。
5. **正しい**　災害時に身を守るための緊急避難場所と，一時的に滞在するための施設との違いを明確にするため，別の記号で表示した。

よって，明らかに間違っているものは4. である。

解答　**4.**

基本問題 | 6年 | **5年** | 4年 | 3年 | 2年 | 元年 | 30年 | 29年

問題 GISにおける地理空間情報の利用

難易度 普

頻出度 低 ■■■■□□□□ 高

18 次の文は，GISについて述べたものである。[ア]～[ウ]に入る語句の組合せとして**最も適当なもの**はどれか。次の中から選べ。

GISは，様々な地理空間情報とそれを加工・分析・表示するソフトウェアで構成される。GISでは，複数の地理空間情報について，[ア]ごとに分けて重ね合わせることができる。また，情報を重ね合わせるだけでなく，新たに建物や道路などの情報を追加することも可能である。この建物や道路などの情報のように，座標値を持った点又は点列によって線や面を表現する図形データを[イ]データといい，名称などの属性情報を併せ持つことができる。

GISの応用分野は幅広く，特に自然災害に対する防災分野においては1995年の阪神・淡路大震災を契機にその有用性が認められ，国・地方公共団体などで広く利用されている。防災分野における具体的な利用方法としては，ネットワーク化された道路中心線データを利用して学校から避難所までの最短ルートを導き出すことや，[ウ]を使い山地斜面の傾斜を求め，土砂災害が発生しやすい箇所を推定することなどが挙げられる。

	ア	イ	ウ
1.	レイヤ	ベクタ	数値表層モデル（DSM）
2.	レベル	ラスタ	数値表層モデル（DSM）
3.	レベル	ラスタ	数値地形モデル（DTM）
4.	レイヤ	ラスタ	数値表層モデル（DSM）
5.	レイヤ	ベクタ	数値地形モデル（DTM）

本問は，地理空間情報の利用を問う問題である。ここでは，ベクタデータとラスタデータ，数値地形モデル（DTM）と数値表層モデル（DSM）の違いを理解しておく。

解説

① GISは，様々な地理空間情報とそれを加工・分析・表示するソフトウェアで構成される。GISでは，複数の地理空間情報について，[ア **レイヤ**]ごとに分けて重ね合わせることができる。

② GISでは，情報を重ね合わせるだけでなく，新たに建物や道路などの情報を追加することも可能である。この建物や道路などの情報のように，座標値

を持った点又は点列によって線や面を表現する図形データを［イ　ベクタ］データといい，名称などの属性情報を併せ持つことができる。

③　ラスタデータは，行と列に並べられた画素の配列によって構成される画像データをいう。衛星画像データやスキャナを用いて取得したデータは，ラスタデータである。

④　GIS の応用分野は幅広く，特に自然災害に対する防災分野においては，1995 年の阪神・淡路大震災を契機にその有用性が認められ，国・地方公共団体などで広く利用されている。防災分野における GIS の具体的な利用方法としては，ネットワーク化された道路中心線データを利用して学校から避難所までの最短ルートを導き出すことや，［ウ　数値地形モデル（DTM）］を使い山地斜面の傾斜を求め，土砂災害が発生しやすい箇所を推定することなどが挙げられる。数値地形モデルは，一般的に植生や建築物など取り除いた地表そのもののモデルである。

⑤　数値表層モデルは，人工構造物や樹木などの高さを含む地表面の標高を表した三次元データのモデルである。

よって，ア：レイヤ，イ：ベクタ，ウ：数値地形モデル（DTM）となり，5. が最も適当である。

解答　**5.**

問題 GISにおけるデータ形式と機能

難易度 **難**

頻出度 低 ■■■■□□□□ 高

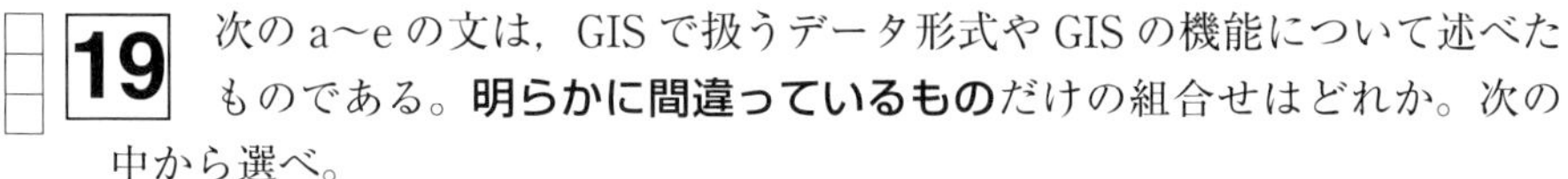

19 次のa～eの文は，GISで扱うデータ形式やGISの機能について述べたものである。**明らかに間違っているもの**だけの組合せはどれか。次の中から選べ。

a.　GISでよく利用されるデータにはベクタデータとラスタデータがあり，ベクタデータのファイル形式としては，GML，KML，TIFFなどがある。

b.　居住地区の明治期の地図に位置情報を付与できれば，GISを用いてその位置精度に応じた縮尺の現在の地図と重ね合わせて表示できる。

c.　国土地理院の基盤地図情報ダウンロードページから入手した水涯線データに対して，GISを用いて標高別に色分けすることにより，浸水が想定される範囲の確認が可能な地図を作成できる。

d.　数値標高モデル（DEM）から，斜度が一定の角度以上となる範囲を抽出し，その範囲を任意の色で着色することにより，雪崩危険箇所を表示することができる。

e.　地震発生前と地震発生後の数値表層モデル（DSM）を比較することによって，倒壊建物がどの程度発生したのかを推定し，被災状況を概観する地図を作成することが可能である。

1.　a，b
2.　a，c
3.　b，d
4.　c，e
5.　d，e

本問は，GISで扱うデータ形式とGISの機能を問う問題である。ここでは，ラスタデータ・ベクタデータの特徴や地理情報データの利用などを理解しておく。☞要点6参照

解説

a.　**間違い**　GISでよく利用されるデータには，ベクタデータとラスタデータがある。ベクタデータファイル形式には，GML，KMLなどがある。ラスタデータファイル形式には，JPG，GIF，TIFF，PNG，BMP，PDFなどがある。よって，**TIFFはラスタデー**

タである。

b.　**正しい**　居住地区の明治期の地図に位置情報を付与することができれば，GIS を用いてその位置精度に応じた縮尺の現在の地図と重ね合わせて表示できる。

c.　**間違い**　「基盤地図情報」とは，地理空間情報のうち，電子地図上における地理空間情報の位置を定めるための基準となる測量の基準点，海岸線，行政区間の境界線および代表点，水涯線，建築物の外周線などである。

よって，**基盤地図情報は，作成できない**。

DEM（数値標高モデル）と組み合わせることにより，標高別に色分けし，浸水が想定される範囲の地図の作成が可能となる。

d.　**正しい**　DEM（数値標高モデル）データは，地表面を等間隔の正方形に区切りそれぞれの正方形に中心点の標高値をもたせたデータで，斜度が一定の角度以上となる範囲に着色し，雪崩危険箇所を表示することができる。

e.　**正しい**　航空レーザー測量で得られるオリジナルデータの数値表層モデル DSM（Digital Surface Model）は，地震発生前後の DSM データを比較し，建物倒壊による高さの変化を求めることで，倒壊家屋の特定作業が可能である。

よって，明らかに間違っているものは2. である。

解答　**2.**

基本問題 6年 5年 4年 3年 **2年** 元年 30年 29年

問題 GISにおけるデータ形式と機能

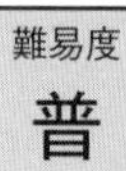

難易度 普

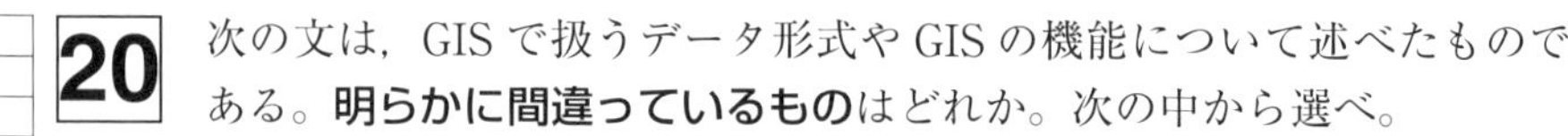

頻出度 低 ■■■■□□□□ 高

20 次の文は，GISで扱うデータ形式やGISの機能について述べたものである。**明らかに間違っているもの**はどれか。次の中から選べ。

1. ラスタデータは，地図や画像などを微小な格子状の画素（ピクセル）に分割し，画素ごとに輝度や濃淡などの情報を与えて表現するデータである。
2. ベクタデータは，図形や線分を，座標値を持った点又は点列で表現したデータであり，線分の長さや面積を求める幾何学的処理が容易にできる。
3. ベクタデータで構成されている地物に対して，その地物から一定の距離内にある範囲を抽出し，その面積を求めることができる。
4. ネットワーク構造化されていない道路中心線データに，車両等の最大移動速度の属性を与えることで，ある地点から指定時間内で到達できる範囲がわかる。
5. GISを用いると，ベクタデータに付属する属性情報をそのデータの近くに表示することができる。

本問は，GISで扱うデータ形式とGISの機能を問う問題である。ここでは，ラスタデータ・ベクタデータの特徴や地理情報データの検索・計測などを理解しておく。☞要点8参照

解説

1. **正しい**　ラスタデータは，地図などを規則正しく並べられた格子状の画素（ピクセルまたはセル）に分割し，画素ごとに輝度や濃淡などの情報を与えて，地物の位置や形状を表現する画像データである。画像の最小単位の格子を画素（ピクセルまたはセル）といい，画素のサイズが小さいほど，画像の精度は上昇し，地物情報を詳細に読み取ることができる。
2. **正しい**　ベクタデータは，座標値をもった点または点列で表現される図形データである。ベクタデータは，道路や河川といった属性を付加することができ，線分の長さや面積を求める幾何学的処理が容易にできる。
3. **正しい**　GISを用いると，個々のベクタデータから一定の距離内にある範囲を抽出し，その面積を求めることができる。

4.　**間違い**　ネットワーク構造化されていない道路中心線データに，車両等の最大移動速度の属性を与えても，**ある地点から指定時間内で到達できる範囲が求まらない**。ベクタデータをネットワーク構造化することにより，道路上の2点間の経路検索や最短経路検索を行うことができる。

5.　**正しい**　GISを用いると，ベクタデータに付属する属性情報をそのデータの近くに文字で表示することができる。

よって，明らかに間違っているものは，4. である。

解答　**4.**

基本問題 6年 5年 4年 3年 2年 元年 **30年** 29年

地理空間情報に利用するデータの特性

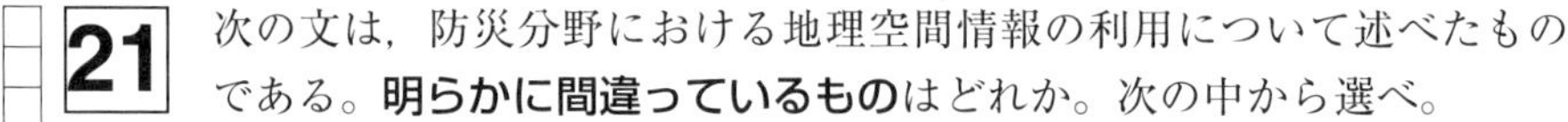

21 次の文は，防災分野における地理空間情報の利用について述べたものである。**明らかに間違っているもの**はどれか。次の中から選べ。

1. 災害対策の基本計画を立案するため，緊急避難場所データを利用することとしたが，緊急避難場所は，地震や洪水など，あらゆる種別の災害に対応しているとは限らないことから，対応する災害種別が属性情報として含まれるデータを入手した。
2. 最短の避難経路の検討を行うため，道路データを入手したが，ネットワーク化された道路中心線データでは経路検索が行えないので，ラスタデータに変換して利用した。
3. 洪水による浸水範囲の高精度なシミュレーションを行うため，航空レーザ測量により作成されたデータを入手したが，建物の高さが取り除かれた数値標高モデル（DEM）だったことから，三次元建物データをあわせて利用した。
4. 地震や洪水などの災害による被害を受けやすい箇所を推定するため，過去の土地の履歴を調べる目的で，過去の地図や空中写真のほか，土地の成り立ちを示した地形分類データをあわせて利用した。
5. 土砂災害や雪崩などの危険箇所を推定するため，数値標高モデル（DEM）を利用して地形の傾斜を求めた。

本問は，防災分野の地理空間情報に利用するデータの特性を問う問題である。ここでは，ラスタデータとベクタデータの違い，数値標高モデル（DEM）を理解しておく。☞要点8参照

解説

1. **正しい**　緊急避難場所データを利用する場合，地震や洪水などあらゆる種別の災害に対応する属性情報が含まれるデータを合わせて利用する必要がある。
2. **間違い**　ネットワーク解析による最短経路検索には，ラスタデータより**ベクタデータのほうが適している**。
3. **正しい**　洪水による浸水範囲の高精度なシミュレーションを行う場合，より正確な水の流れを知るために地形データである数値標高モデル（DEM）と建物データを合わせて利用する必要がある。

4.　**正しい**　地震や洪水などの災害による被害を受けやすい箇所を推定するため，過去の地図，空中写真，土地の成り立ちを示した地形分類データ等を合わせて利用することが大切である。

5.　**正しい**　土砂災害や雪崩などの危険箇所を推定するため，数値標高モデル（DEM）を利用して地形の傾斜を求めることができる。

よって，明らかに間違っているものは，2. である。

解答　2.

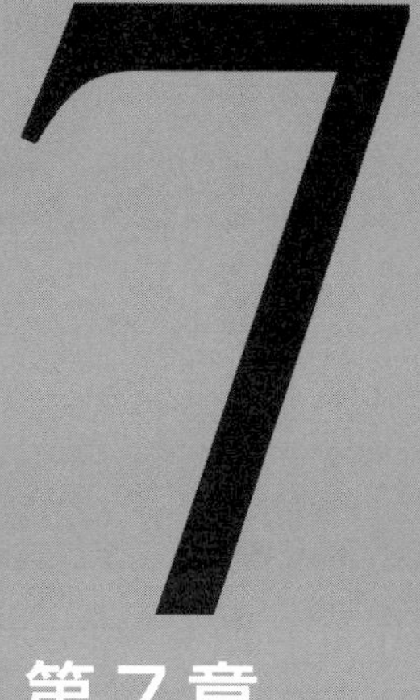

第7章
応用測量

「応用測量」の概要

応用測量とは，先に学んだ水準測量・多角測量などを用いて，道路，河川，公園等の計画，調査，実施設計，用地，管理等に用いられる測量のことで，路線測量・河川測量・用地測量などがある。

●応用測量　最新８年間の出題状況●

No.	出題内容＼年度	基本問題	令和6	5	4	3	2	元	平成30	29
1	接線長・曲線長・半径・弦長の計算		1	2	3	□	4	□	5	□
2	路線測量の作業	8	6	7	□	□				□
3	路線測量の縦横断測量における標高の計算	9 10								
4	河川測量の作業		11	12	13	□	□	□	□	□
5	河川横断面の平均河床高，仮設点高さの計算	14								
6	用地測量の作業	15								
7	体積・面積の計算，境界線の座標計算		16	17	18	19	20 □	21	22	□

注）□は，その年度に出題された問題で，番号は，本書に掲載された問題番号を示す。

◆応用測量　令和６年度出題の特徴◆

関連 No.	形　式	具体的な出題内容（特徴）	難易度
1	計　算	単心曲線における曲線長の計算	易
2	文　章	路線測量の作業工程	普
4	文　章	河川測量における作業内容	易
7	計　算	土地の面積計算	やや難
		合　計	4 問

出題の要点

要点1　単心曲線設置における要素

道路では，路線に打つ中心杭の間隔は，直線部でも曲線部でも一般に20 mをとる。直線と円の接合部では，曲線の始まりと終わりを示す杭を，この20 mの間隔の間に打つ必要がある。

単心曲線を設置するときは，一般に，直線区間の延長線の交点D（IP）の交角$I°$と，単心曲線の円弧の半径Rが与えられて，単心曲線設置のための各要素を計算する必要がある。

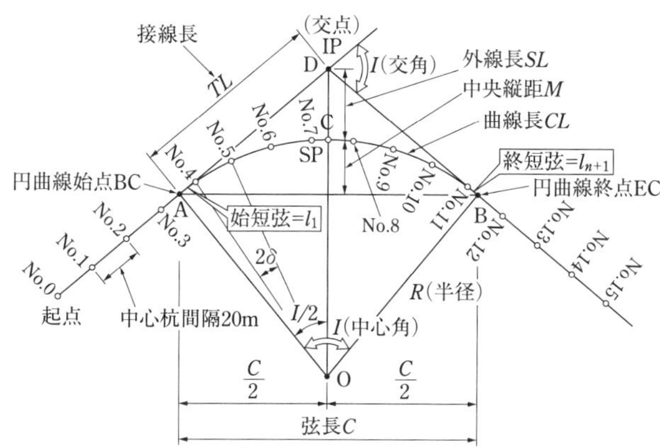

接線長　$TL=R\tan\dfrac{I}{2}$　　曲線長　$CL=\dfrac{\pi RI}{180°}$（$=RI$（ラジアン））

外線長　$SL=R\left(\sec\dfrac{I}{2}-1\right)$　　中央縦距　$M=R\left(1-\cos\dfrac{I}{2}\right)$

弦長　$C=2R\sin\dfrac{I}{2}$　　偏角　$\delta=\dfrac{l}{2R}\cdot\dfrac{180°}{\pi}\left(=\dfrac{l}{2R}\right)$

要点2　路線測量

路線測量とは，道路，鉄道，河川のように，細長い線形の位置関係の調査等に用いられる測量のことである。公共測量作業規程の準則や曲線設置の計算を理解する。

(1) 路線測量の作業工程

① **作業計画**とは，路線測量に必要な状況を把握し，路線測量の細分ごとに計画書を作成することをいう。

② **線形決定**とは，路線選定の結果に基づき，地形図上の交点 IP の位置を座標として定め，線形図データファイルを作成する作業をいう。

③ **IP の設置**とは，線形決定によって決定した地形図上の座標をもつ IP の位置を現地に測設することをいう。線形決定により定められた座標値をもつ IP は，近傍の 4 級基準点以上の基準点に基づき，放射法等により設置する。

④ **中心線測量**とは，主要点および中心点を現地に設置し，線形地形図データファイルを作成する作業をいう。中心点の設置は，近傍の 4 級基準点以上の基準点，IP および主要点に基づき，放射法等により設置する。

⑤ **仮 BM 設置測量**とは，縦断測量および横断測量に必要な水準点（仮 BM）を現地に設置し，標高を求める作業をいう。平地においては 3 級，山地においては 4 級水準測量により行う。仮 BM を設置する間隔は，500 m を標準とする。

⑥ **縦断測量**とは，中心杭等の標高を定め，縦断面図データファイルを作成する作業をいう。中心杭高および中心点並びに中心線上の地形変化点の地盤高を，平地においては 4 級水準測量，山地においては簡易水準測量により行う。縦断面図データファイルを図紙に出力する場合は，縦断面図の距離を表す横の縮尺は線形地形図の縮尺と同一とし，高さを表す縦の縮尺は線形地形図の縮尺の 5 倍から 10 倍までを標準とする。

⑦ **横断測量**とは，中心杭等を基準にして地形の変化点等の距離および地盤高を定め，横断面図データファイルを作成する作業をいう。中心杭等を基準にして，中心点における中心線の接線に対して直角方向の線上にある地形の変化点および地物について，中心点からの距離および地盤高を測定する。横断面図データファイルを図紙に出力する場合は，横断面図の縮尺は縦断面図の縦の縮尺と同一のものを標準とする。

⑧ **詳細測量**とは，主要な構造物の設計に必要な詳細平面図データファイル，縦断面図データファイルおよび横断面図データファイルを作成する作業をいう。詳細平面図データの地図情報レベルは 250 を標準とする。

⑨ **用地幅杭設置測量**とは，取得等に係る用地の範囲を示すため，所定の位置に用地幅杭を設置する作業をいう。

(2)　路線測量の成果

路線測量における各測量の成果等の種類には，次に示すものがある。

表

成果等の種類	該当する測量の種類								
	線形決定	条件点の観測	IP設置測量	中心線測量	仮BM設置測量	縦断測量	横断測量	詳細測量	用地幅杭設置測量
観測手簿		○			○	○	○	○	
計算簿	○	○	○	○					○
成果表		○			○	○		○	
線形図データファイル	○								
線形地形図データファイル				○					
縦横断面図データファイル						○	○	○	
詳細平面図データファイル								○	
引照点図				○					
精度管理表		○	○	○	○	○	○	○	○
品質評価表					○	○		○	○
メタデータ					○	○		○	○

（注）　観測手簿と成果表を併用する様式のものを使用する場合には，成果表は不要とする。

路線測量の作業工程

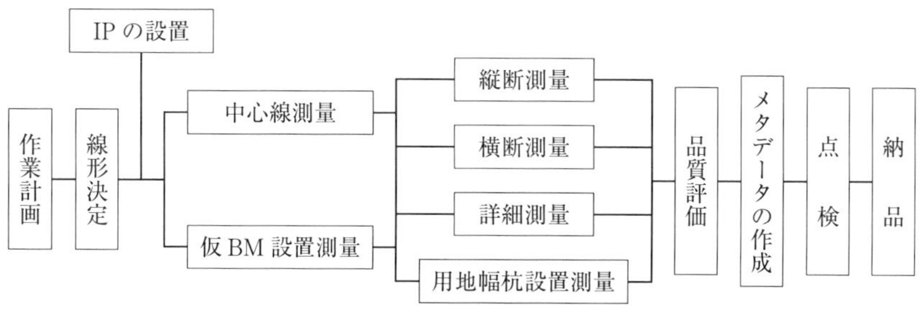

要点4 河川測量

河川測量とは，河川，海岸等の調査および河川の維持管理等に用いる測量をいう。

(1) 河川測量の作業工程

① **作業計画**とは，測量を実施する河川，海岸等の状況を把握し，河川測量の細分ごとに作成する計画のことをいう。

② **距離標設置測量**とは，河心線の接線に対して直角方向の両岸の堤防法肩または法面等に距離標を設置する作業をいう。あらかじめ地形図上で位置を選定し，その座標値に基づいて，近傍の3級基準点等から放射法等により設置する。距離標設置間隔は，河川の河口または幹川への合流点に設けた起点から，河心に沿って200 m を標準とする。

③ **水準基標測量**とは，定期縦断測量の基準となる水準基標の標高を定める作業をいう。水準基標測量は，2級水準測量により行う。

④ **定期縦断測量**とは，定期的に距離標等の縦断測量を実施して縦断面図データファイルを作成する作業をいう。定期縦横断測量は，左右両岸の距離標の標高並びに堤防の変化点の地盤および主要な構造物について，距離標からの距離および標高を測定する。

⑤ **定期横断測量**とは，定期的に左右距離標の視通線上の横断測量を実施して横断面図データファイルを作成する作業をいう。定期横断測量は，水際杭を境にして陸部と水部に分け，陸部については堤内地20 m～50 m の範囲で横断測量を，水部については深浅測量を行う。

⑥ **深浅測量**とは，河川，貯水池，湖沼または海岸において，水底部の地形を明らかにするため，水深，測深位置または船位，水位または潮位を測定し，横断面図データファイルを作成する作業をいう。

⑦ **法線測量**とは，計画資料に基づき河川または海岸において，築造物の新設または改修等を行う場合に，現地の法線上に杭を設置し線形図データファイルを作成する作業をいう。

⑧ **海浜測量および汀線測量**

海浜測量とは，前浜と後浜（海浜）を含む範囲の等高・等深線図データファイルを作成する作業をいう。

汀線測量とは，最低水面と海浜との交線（汀線）を定め，汀線図データファイルを作成する作業をいう。

(2)　河川測量の成果

成果等の整理	該当する測量の種類							
	距離標設置測量	水準基標測量	定期縦断測量	定期横断測量	深浅測量	法線測量	海浜測量	汀線測量
観測手簿	○	○	○	○	○	○	○	○
記録紙					○			
計算簿	○	○				○	○	○
成果表	○	○	○					
縦断面図データファイル			○					
横断面図データファイル				○	○			
線形図データファイル						○		
等高・等深線図データファイル							○	
汀線図データファイル								○
点の記	○	○						
精度管理表	○	○	○	○		○	○	
品質評価表	○	○	○			○	○	○
メタデータ	○	○	○			○	○	○

前項の表に定めるもののほか，別に作成した資料がある場合には，その他の資料として整理するものとする。また，観測手簿と成果表を併用する様式を使用することができる。

要点5　定期横断測量の方法

平水位に設置した水際杭を境にして陸部と水部に分け，陸部については堤内地 20 m〜50 m を含む範囲で横断測量，水部については深浅測量を行う。

河床部とは，左岸堤防表法尻から右岸堤防表法尻までをいう。

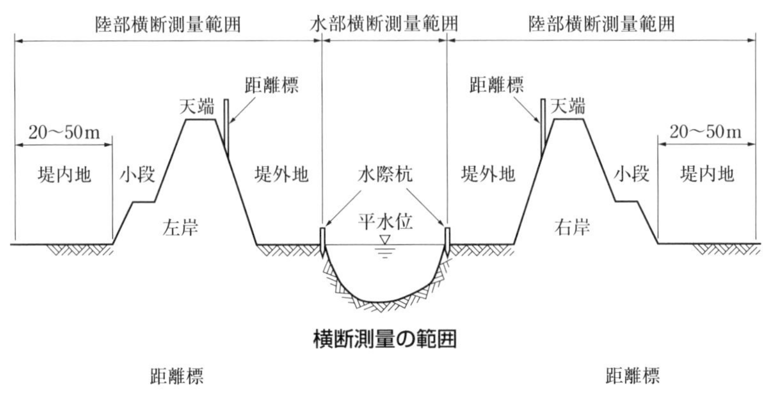

横断測量の範囲

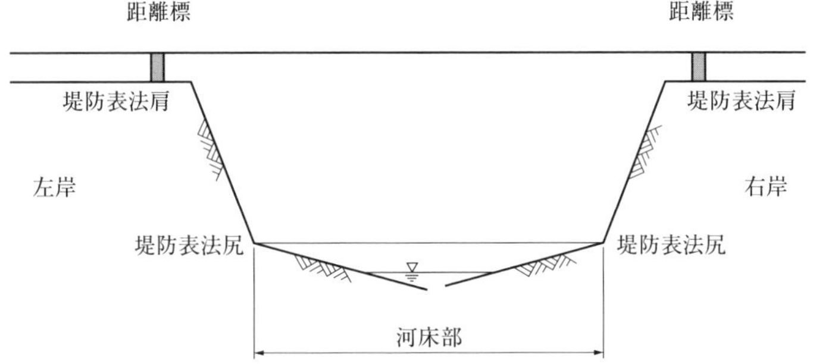

要点6　流速計による流量測定

流量は，流速計によって測定する。流速計は，水の流れにより回転子が回転し，単位時間内の回転数によって流速を測定する器械である。

測定方法は，河川を横断して目盛りの表示が付いたワイヤロープを張り，そのワイヤロープに沿って船を移動させて，流速計を船の上流側の求めたい水深に沈めて測定する。

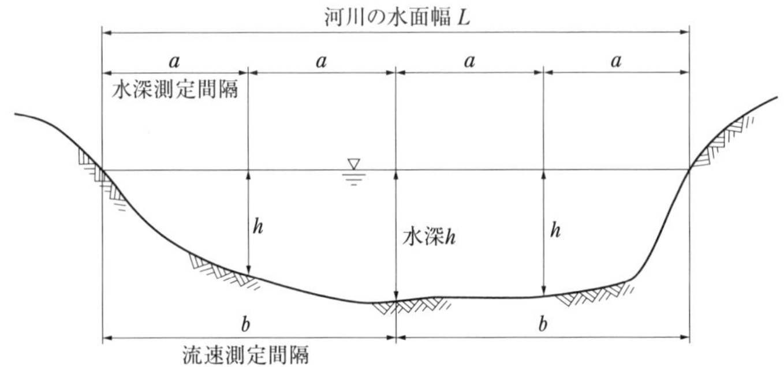

流速測定の位置（間隔）と水深測定の位置（間隔）は，次表のように，河川の水面幅によって異なる。流速測定は各測定点で２回測定し，水深測定は往復して同じ点を２回測定する。

測定間隔

水面幅〔m〕	水深測定間隔〔m〕	流速測定間隔〔m〕
10 以下	水面幅の 10～15% 程度	
10 ～ 20	1	2
20 ～ 40	2	4
40 ～ 60	3	6
60 ～ 80	4	8
80 ～ 100	5	10
100 ～ 150	6	12
150 ～ 200	10	20
200 以上	15	30

要点7　用地測量

（1）　用地測量の作業

用地測量とは，道路，河川，ダム，水路，公園等の新設，改修，拡幅等にあたり，土地および境界等について調査し，用地取得等のために必要な資料および図面を作成する作業をいう。

① **作業計画**とは，測量を実施する区域の地形，土地の利用状況，植生の状況等を把握し，用地測量の細分ごとに作成する計画のことをいう。

② **資料調査**とは，土地の取得等に係る土地について，用地測量に必要な資料等を整理および作成する作業をいう。

③ **復元測量**とは，境界確認に先立ち，地積測量図等に基づき境界杭の位置を確認し，亡失等がある場合は復元するべき位置に仮杭を設置する作業をいう。

④ **境界確認**とは，現地において一筆ごとに土地の境界を確認する作業をいう。

⑤ **境界測量**とは，現地において境界点を測定し，その座標値を求める作業をいう。境界測量は，近傍の４級基準点以上の基準点に基づき，放射法等により行う。

⑥ **境界点間測量**とは，境界測量等において隣接する境界点間の距離を TS 等を用いて測定し，精度を確認する作業をいう。境界点間測量は，「境界測量」「用地境界仮杭設置」「用地境界杭設置」のいずれかの測量の終了した時点で行う。

⑦ **面積計算**とは，境界測量の成果に基づき，各筆等の取得用地および残地の面積を算出し，面積計算書を作成する作業をいう。面積計算は，原則として座標法により行う。

⑧ **用地実測図データファイルの作成**とは，用地測量の各測量の結果に基づき，用地実測図データを作成する作業をいう。データファイルは，境界点の座標値等を用いて作成する。

⑨ **用地平面図データファイルの作成**とは，用地測量の各測量の結果に基づき，用地平面図データを作成する作業をいう。

(2) 用地測量の成果

成果等の整理	該当する測量の種類						
	資料調査	境界確認	境界測量	境界点間測量	面積計算	用地実測図データファイルの作成	用地平面図データファイルの作成
公図等転写図	○						
公図等転写連続図	○						
土地調査表	○						
建物の登記記録等調査表	○						
権利者調査表	○						
土地境界確認書		○					
観測手簿			○	○			
測量計算簿等			○				
用地実測図データファイル						○	
用地平面図データファイル							○
面積計算書					○		
精度管理表				○		○	○
品質評価表						○	○
メタデータ						○	○

要点8　用地測量の作業工程

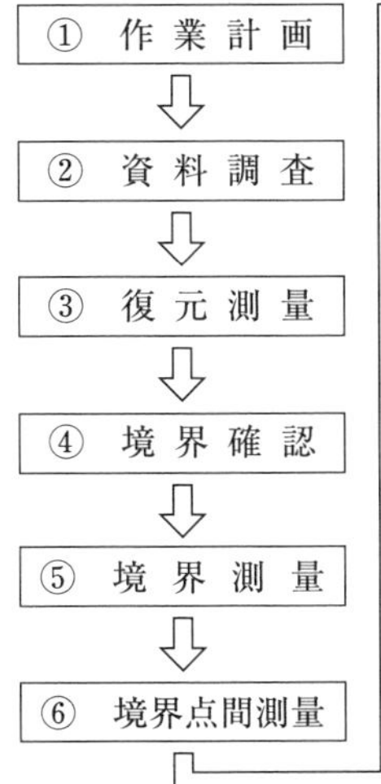

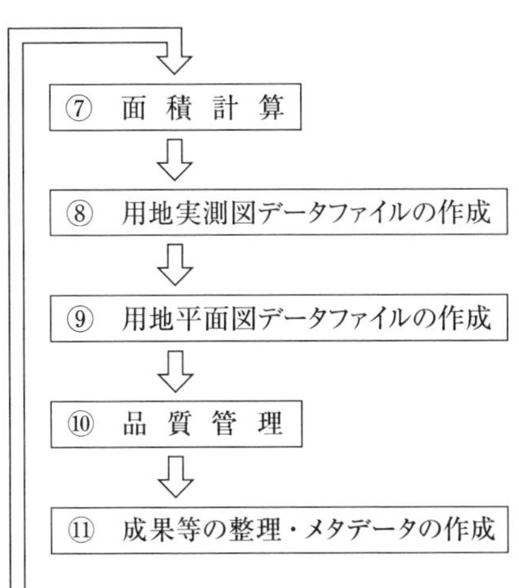

要点9　面積と体積

面積・体積の計算は，土地の広さや土木工事などの土工量の算出，ダムの貯水量の計算など広く用いられる。土地の面積は，その土地を囲む境界線を水平面上に投影したときの広さをいう。面積・体積それぞれの測定方法・算出方法を理解しておくことが大切である。

(1)　代表的な面積の測定方法

代表的な面積の測定方法には，三角区分法，座標法，倍横距法などがある。ここでは，座標法による面積測定の方法を示す。

座標法

台形を用いた面積計算

S =（台形 AA′D′D）+（台形 DD′C′C）

−（台形 AA′B′B）−（台形 BB′C′C）

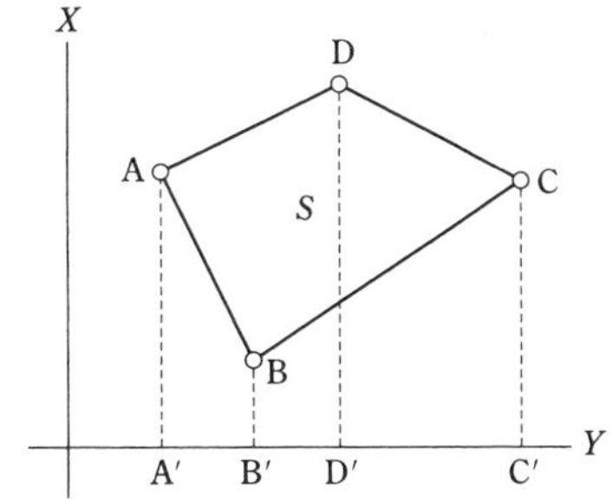

三角形を用いた面積計算

$S=$（四角形 EFGH）

$\quad -$（三角形①＋②＋③＋④）

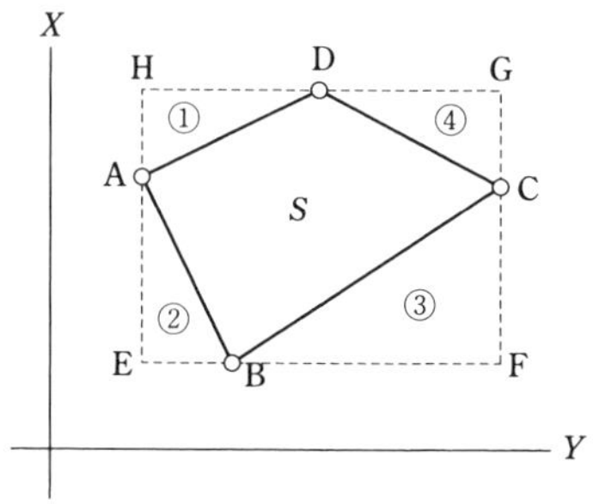

（2）　体積の計算

体積の計算方法には，両端断面平均法，点高法などがある。

①　両端断面平均法

体積　$V=\dfrac{S_1+S_2}{2}L$

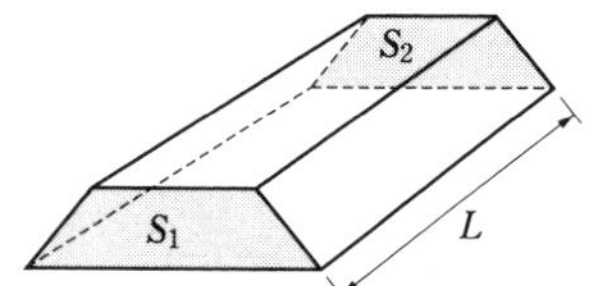

②　点高法（長方形に区分した場合）

1つの長方形からなる土地の体積計算

体積　$V=\dfrac{S}{4}(h_a+h_b+h_c+h_d)$

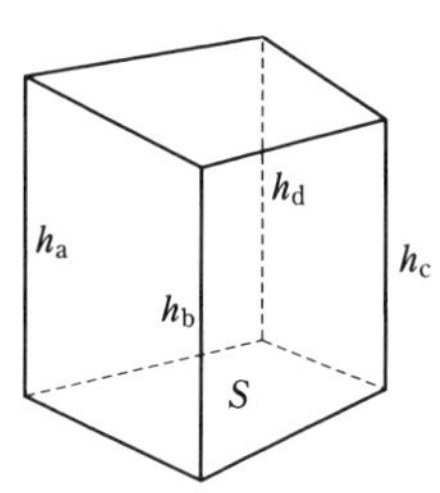

複数の長方形からなる土地の体積計算

体積　$V=\dfrac{S}{4}(\Sigma h_1+2\Sigma h_2+3\Sigma h_3+4\Sigma h_4)$

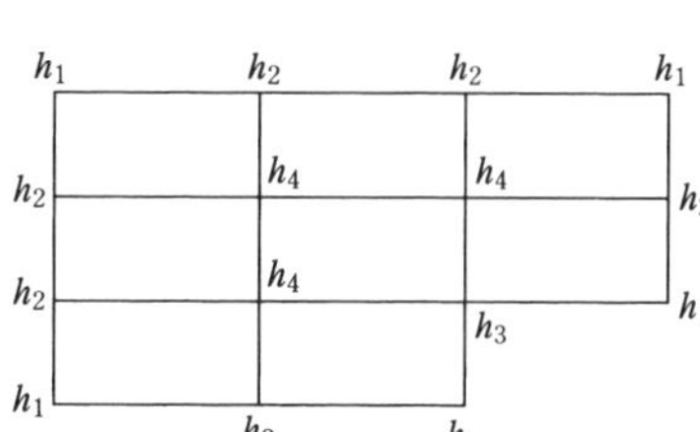

S：1個の長方形の面積

Σh_1：1個の長方形に関係する点の地盤高の和

Σh_2：2個の長方形に関係する点の地盤高の和

Σh_3：3個の長方形に関係する点の地盤高の和

Σh_4：4個の長方形に関係する点の地盤高の和

③　点高法（三角形に区分した場合）

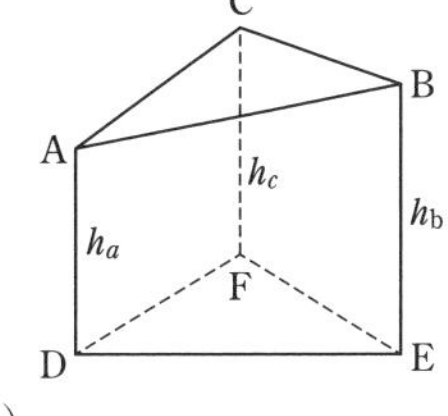

1つの三角形からなる土地の体積計算

体積　$V=\dfrac{S}{3}\ (h_a+h_b+h_c)$

複数の三角形からなる土地の体積計算

体積　$V=\dfrac{S}{3}\ (\Sigma h_1+2\Sigma h_2+3\Sigma h_3+5\Sigma h_5+6\Sigma h_6)$

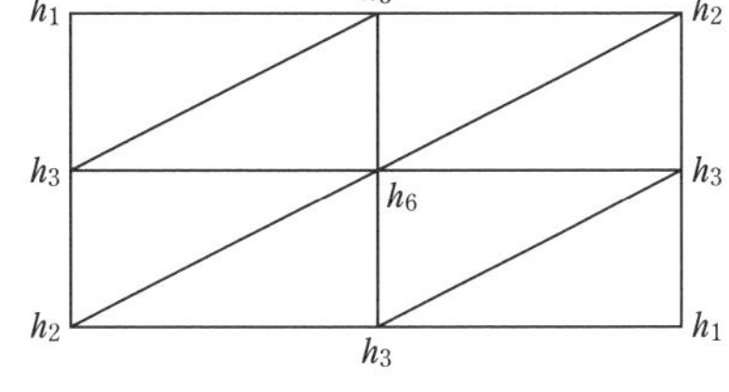

S：1個の三角形の面積

Σh_1：1個の三角形に関係する点の地盤高の和

Σh_2：2個の三角形に関係する点の地盤高の和

Σh_3：3個の三角形に関係する点の地盤高の和

Σh_4：4個の三角形に関係する点の地盤高の和

Σh_5：5個の三角形に関係する点の地盤高の和

Σh_6：6個の三角形に関係する点の地盤高の和

基本問題 **6年** 5年 4年 3年 2年 元年 30年 29年

問題 単心曲線における曲線長の計算

難易度 易

頻出度 低 ■■■■■■■■ 高

1 図に示すように，起点 BP，円曲線始点 BC，円曲線終点 EC 及び終点 EP からなる直線と円曲線の道路を組み合わせた新しい道路を建設することとなった。BP と交点 IP との距離が 280 m，EC ～ EP の距離が 206 m，円曲線の曲線半径 $R = 200$ m，交角 $I = 60°$ としたとき，建設する道路の路線長 BP ～ EP は幾らか。**最も近いもの**を次の 1 ～ 5 の中から選べ。

ただし，円周率 $\pi = 3.14$ とする。

なお，関数の値が必要な場合は，巻末の関数表を使用すること。

1. 476 m
2. 481 m
3. 580 m
4. 595 m
5. 606 m

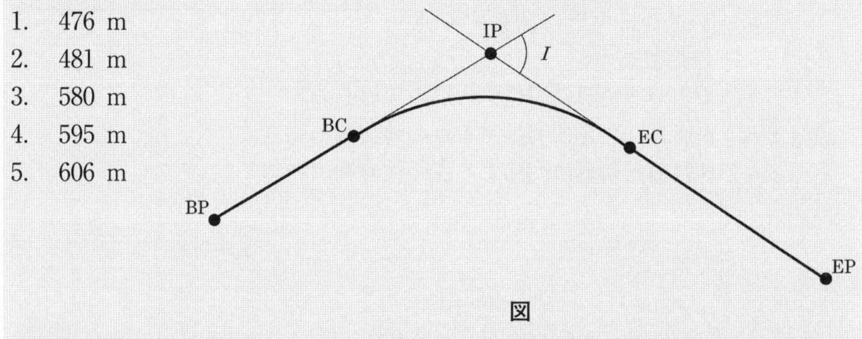

図

本問は，単心曲線における BP ～ EP までの距離を求める問題である。ここでは，接線長 *TL* の公式より BP ～ BC の直線距離，曲線長 *CL* の公式により路線長（BC～EC）を求められるようにしておく。

☞ 要点1 参照

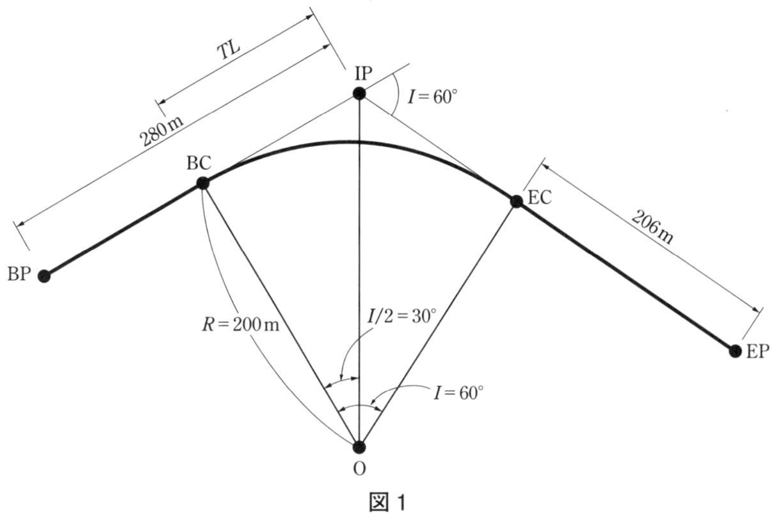

図１

解説

①　新道路の接線長 TL を求める。

$TL = R \times \tan(I/2)$ の公式より，

ここで，交角 $I = 60°$，曲線半径 $R = 200$ m

$$TL = 200 \times \tan(60°/2) = 200 \times \tan 30° = 200 \times 0.57735 = 115.47 \text{ m}$$

②　新道路の BP ～ BC の直線距離を求める。

$$\text{BP} \sim \text{BC} = (\text{BP} \sim \text{IP}) - TL$$

ここで，BP ～ IP＝280 m，$TL = 115.47$ m

$$\text{BP} \sim \text{BC} = 280 - 115.47 = 164.53 \text{ m}$$

③　新道路の BC ～ EC の路線長 CL を求める。

$CL = \dfrac{\pi \times R \times I}{180°}$ の公式より

ここで，$\pi = 3.14$，曲率半径 $R = 200$ m，交角 $I = 60°$

$$CL = \frac{3.14 \times 200 \times 60°}{180°} = \frac{3.14 \times 200}{3} = \frac{628}{3} = 209.33 \text{ m}$$

④　単心曲線における BP ～ EP までの距離を求める。

$$\text{BP} \sim \text{EP} = (\text{BP} \sim \text{BC}) + (\text{BC} \sim \text{EC}) + (\text{EC} \sim \text{EP})$$
$$= 164.53 + 209.33 + 206 = 579.86 \fallingdotseq 580 \text{ m}$$

よって，最も近いものは 3．である。

解答　3.

基本問題 | 6年 | **5年** | 4年 | 3年 | 2年 | 元年 | 30年 | 29年

問題　路線長の計算

難易度　**普**

頻出度　低 ■■■■■■■■ 高

2 図は，平たんな土地における，円曲線始点A，円曲線終点Bからなる円曲線の道路建設の計画を模式的に示したものである。交点IPの位置に川が流れており，杭を設置できないため，点Aと交点IPを結ぶ接線上に補助点C，点Bと交点IPを結ぶ接線上に補助点Dをそれぞれ設置し観測を行ったところ，$\alpha=170°$，$\beta=110°$であった。曲線半径$R=300$ mとするとき，円曲線始点Aから円曲線終点Bまでの路線長は幾らか。**最も近いもの**を次の中から選べ。

なお，円周率$\pi=3.14$とし，関数の値が必要な場合は，巻末の関数表を使用すること。

1. 382 m
2. 419 m
3. 471 m
4. 524 m
5. 576 m

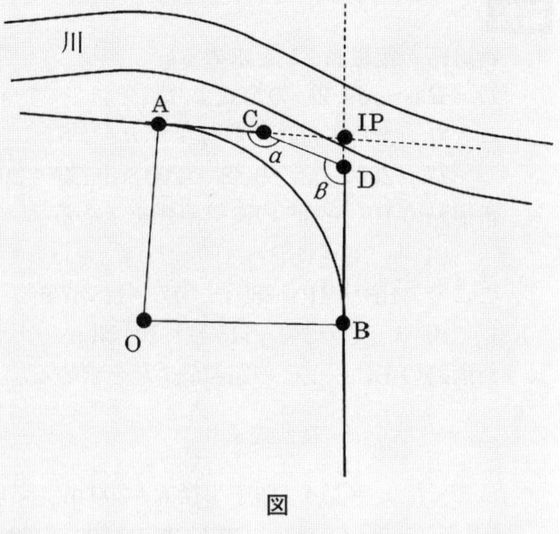

図

本問は，路線測量の単心曲線設置における路線長（曲線長）を求める問題である。ここでは，交角Iを求めて，曲線長CLの公式により路線長ABを求められるようにしておく。☞要点1参照

解説

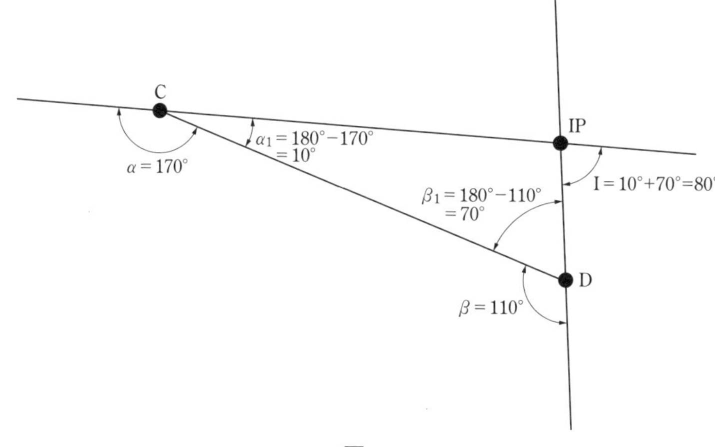

図１

① 交角 I を求める。

$I = 10° + 70° = 80°$

② 路線長 AB を求める。

$CL = \dfrac{\pi \times R \times I}{180°}$ より，

ここで，$\pi = 3.14$，曲率半径 $R = 300$ m，交角 $I = 80°$ を代入すると，

路線長 $AB = \dfrac{\pi \times R \times I}{180°} = \dfrac{3.14 \times 300 \times 80°}{180°}$

$= 418.666 \text{ m} \fallingdotseq 419 \text{ m}$

よって，最も近いものは 2. である。

解答　2.

問題 路線長の計算

難易度 普

頻出度 低 ■■■■■■■■■ 高

3 図に示すように，曲線半径 $R = 420$ m，交角 $\alpha = 90°$ で設置されている，点 O を中心とする円曲線から成る現在の道路（以下「現道路」という。）を改良し，点 O′ を中心とする円曲線から成る新しい道路（以下「新道路」という。）を建設することとなった。

新道路の交角 $\beta = 60°$ としたとき，新道路 BC〜EC′ の路線長は幾らか。**最も近いもの**を次の中から選べ。

ただし，新道路の起点 BC 及び交点 IP の位置は，現道路と変わらないものとし，円周率 $\pi = 3.14$ とする。

なお，関数の値が必要な場合は，巻末の関数表を使用すること。

1. 440 m
2. 659 m
3. 727 m
4. 743 m
5. 761 m

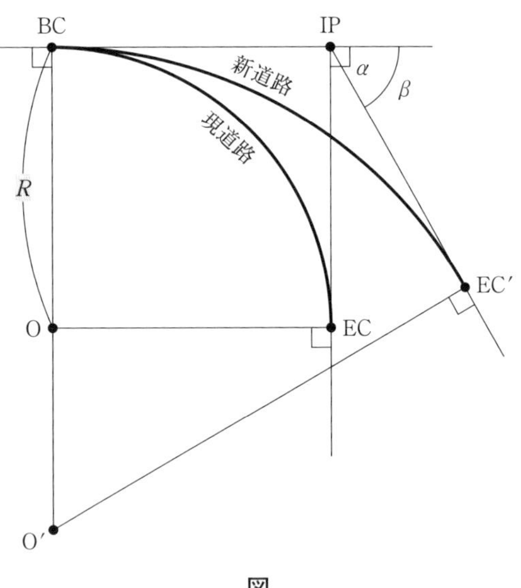

図

本問は，点 O を中心とする円曲線からなる現道路を改良し，点 O′ を中心とする円曲線からなる新道路を建設するときの BC 〜 EC′ の路線長を求める問題である。ここでは，接線長 *TL* の公式より逆算して新道路の曲線半径を求められるようにしておく。☞ 要点1 参照

解説

①　現道路の接線長 TL を求める。

図１より　$TL = 420$ m

または，$TL = R \times \tan(I/2)$ の公式より，

ここで，交角 $I = 90°$，曲線半径 $R = 420$ m

$$TL = 420 \times \tan(90°/2) = 420 \times \tan 45°$$

$$= 420 \times 1.00000 \text{（関数表より）}$$

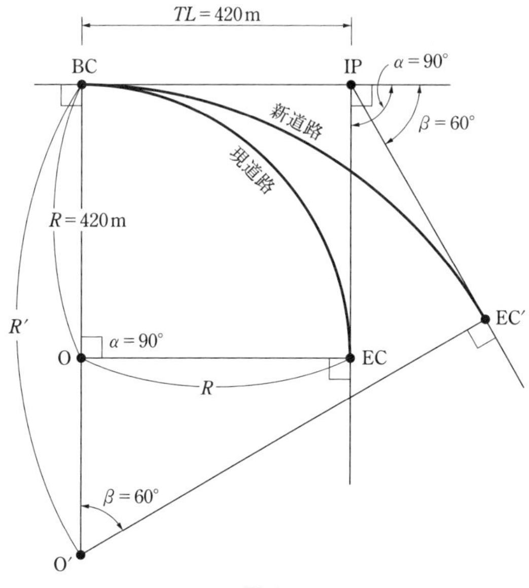

図１

②　新道路の曲線半径 R' を求める。

$TL = R \times \tan(I/2)$ の公式より

$$R = \frac{TL}{\tan(I/2)}$$

ここで，交角 $I = 60°$，接線長 $TL = 420$ m

$$R = \frac{420}{\tan 30°} = \frac{420}{1/\sqrt{3}} = 420\sqrt{3} \text{ m}$$

③　新道路 BC～EC′ の路線長 CL' を求める。

$$CL' = \frac{\pi RI}{180°} = \frac{3.14 \times 420\sqrt{3} \times 60°}{180°}$$

$$= 3.14 \times 140\sqrt{3} = 3.14 \times 140 \times 1.73 = 760.5 \fallingdotseq 761 \text{ m}$$

よって，最も近いものは５．である。

解答　**５.**

問題 単心曲線における弦長の計算

難易度 **易**

頻出度 低 ■■■■■■■■ 高

4 図に示すように，点Aを始点，点Bを終点とする円曲線の道路の建設を計画している。

曲線半径 $R=200$m，交角 $I=112°$ としたとき，建設する道路の点Aから円曲線の中点Cまでの弦長は幾らか。**最も近いもの**を次の中から選べ。

なお，関数の値が必要な場合は，巻末の関数表を使用すること。

1. 152 m
2. 172 m
3. 188 m
4. 195 m
5. 202 m

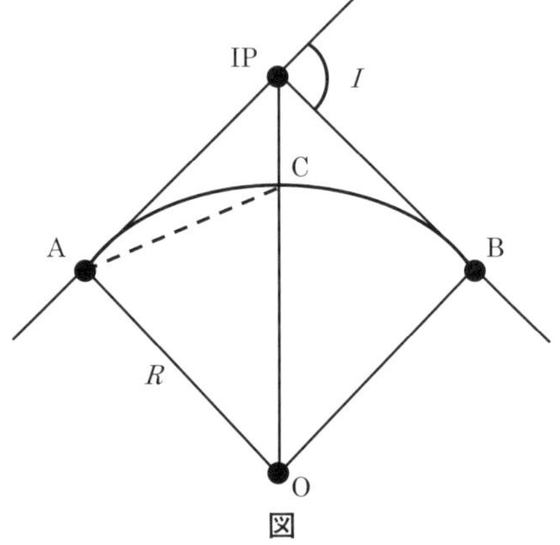

図

本問は，単心曲線におけるAC間の距離（弦長 C）を求める問題である。弦長の計算には，弦長を求める公式を用いて解く方法と，正弦定理を用いて解く方法がある。☞ 要点1 参照

解説

(1)　弦長を求める公式を用いて解く方法

弦長を求める公式は，交角 I の場合の円曲線始点Aから円曲線終点Bまでの弦長 C である。問題は，円曲線始点BCから曲線の中点Cまでの弦長ACであるので，公式中の交角が $\frac{I}{2}$ となる。

$$\overline{\mathrm{AC}}=2R\sin\frac{\left(\frac{I}{2}\right)}{2}=2R\sin\frac{I}{4}=2\times200\times\sin28°$$

$$=2\times200\times0.46947\text{（関数表より）}=187.788\fallingdotseq188\text{ m}$$

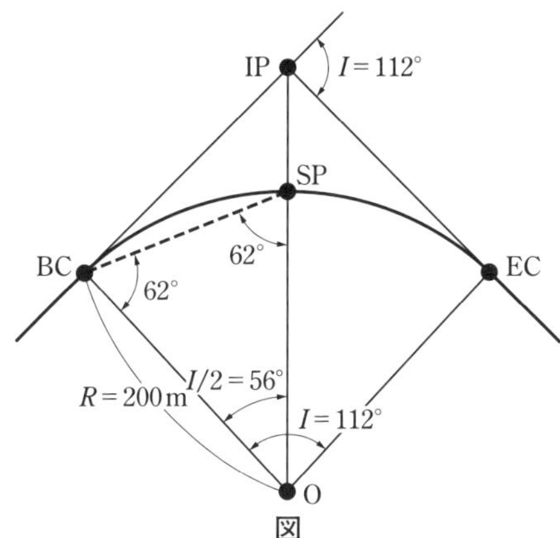

図

(2) 正弦定理を用いて解く方法

$$\frac{200}{\sin 62^\circ} = \frac{\overline{\mathrm{AC}}}{\sin 56^\circ}$$

$$\overline{\mathrm{AC}} = \frac{200}{\sin 62^\circ} \times \sin 56^\circ$$

$$\overline{\mathrm{AC}} = \frac{200}{0.88295} \times 0.82904 \text{（関数表より）}$$

$$= 187.788 \fallingdotseq 188 \text{ m}$$

どちらの方法でも弦長は 188 m である。
よって，最も近いものは 3. である。

解答　3.

正弦定理

$$\frac{a}{\sin A} = \frac{b}{\sin B} = \frac{c}{\sin C}$$

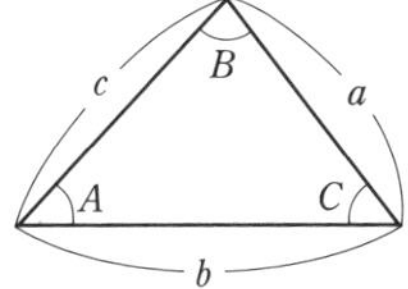

問題 路線長の計算

難易度 やや難

頻出度 低 ■■■■■■■■ 高

5 図1に示すように，点Oから五つの方向に直線道路が延びている。直線AOの距離は400 m，点Aにおける点Oの方位角は120°であり，直線BOの距離は300 m，点Bにおける点Oの方位角は190°である。点Oの交差点を図2に示すように環状交差点に変更することを計画している。環状の道路を点Oを中心とする半径$R=20$ mの円曲線とする場合，直線AC，最短部分の円曲線CD，直線BDを合わせた路線長は幾らか。**最も近いもの**を次の中から選べ。

ただし，円周率$\pi=3.142$とする。

なお，関数の値が必要な場合は，巻末の関数表を使用すること。

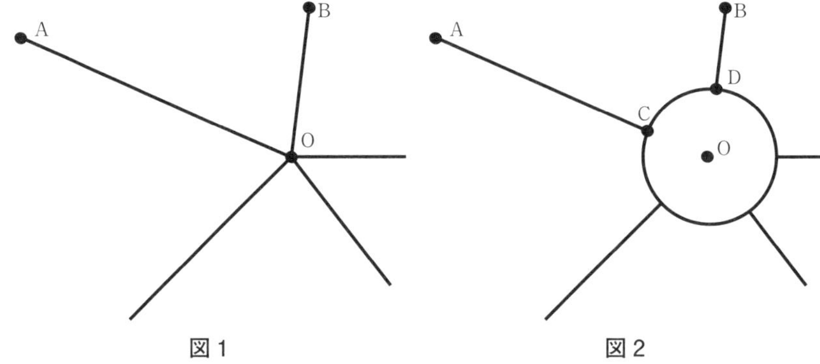

図1　　図2

1. 584.4 m
2. 677.5 m
3. 684.4 m
4. 686.2 m
5. 724.4 m

本問は，路線測量の単心曲線設置における路線長（曲線長）を求める問題である。ここでは，問題に与えられている方位角，距離から曲線長を求められるようにしておく。☞ 要点1 参照

解説

問題より，∠AOBと方位角の関係は，図3のようになる。

よって，∠AOB は，$60° + 10° = 70°$　となる。

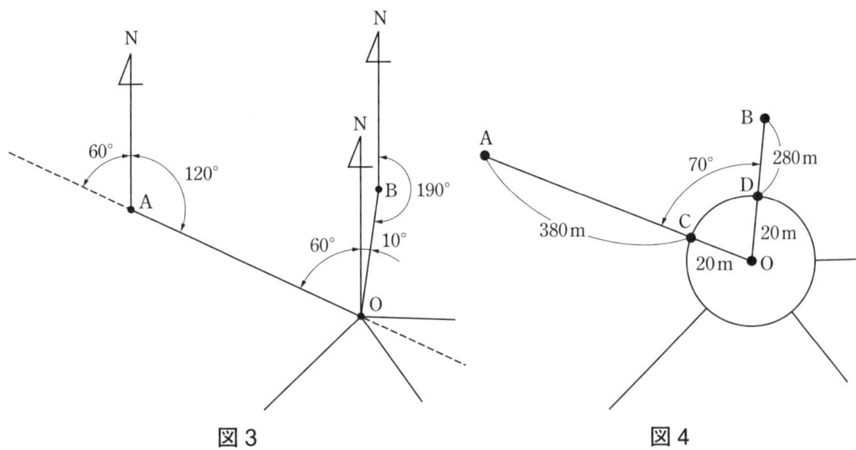

図３　　図４

問題より，直線 AC，直線 CO，直線 OD，直線 DB，曲線 CD の関係は，図4のようになる。

求める路線長は，直線 AC + 曲線 CD + 直線 DB で

直線 $AC = 400\ m - 20\ m = 380\ m$

曲線長　$CD = \dfrac{\pi \times R \times I}{180°} = \dfrac{3.142 \times 20 \times 70°}{180°} = 24.4\ m$

直線 $DB = 300\ m - 20\ m = 280\ m$

路線長 $= 380 + 24.4 + 280 = 684.4\ m$

よって，最も近いものは，3．となる。

解答　3.

基本問題 **6年** 5年 4年 3年 2年 元年 30年 29年

問題 路線測量の作業工程

難易度 普

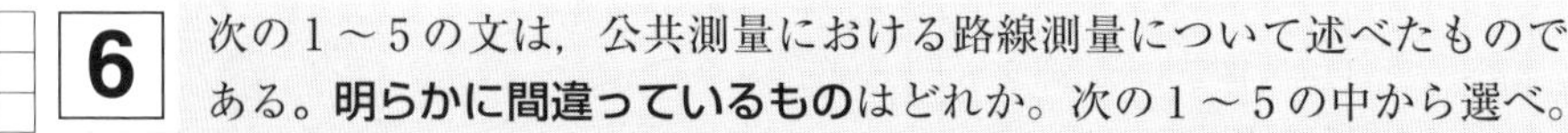

頻出度 低 ■■■■■■□□ 高

6 次の1～5の文は，公共測量における路線測量について述べたものである。**明らかに間違っているもの**はどれか。次の1～5の中から選べ。

1. 線形決定では，主要点及び中心点を現地に設置し，それらの座標値を地形図データに追加して線形地形図データファイルを作成する。
2. 仮BM設置測量では，縦断測量及び横断測量に必要な水準点（以下「仮BM」という。）を現地に設置し，標高を求める。仮BMの標杭は，0.5 km間隔で設置することを標準とする。観測は平地においては3級水準測量により行い，山地においては4級水準測量により行う。
3. 縦断測量では，中心杭等の標高を定め，縦断面図データファイルを作成する。縦断面図データファイルを図紙に出力する場合，高さを表す縦の縮尺は，線形地形図の縮尺の5倍から10倍までを標準とする。
4. 横断測量では，中心杭等を基準にして，地形の変化点等の距離及び地盤高を定め，横断面図データファイルを作成する。横断方向には，原則として見通杭を設置する。横断面図データファイルを図紙に出力する場合，横断面図の高さを表す縦の縮尺は，縦断面図の縦の縮尺と同一のものを標準とする。
5. 詳細測量では，主要な構造物の設計に必要な地形，地物等を測定し，詳細平面図データファイルを作成する。また，詳細平面図データファイルのほかに，縦断面図データファイル及び横断面図データファイルも作成する。

本問は，公共測量における路線測量の作業工程について問う問題である。ここでは，線形決定，仮BM設置測量，縦断測量，横断測量，詳細測量の作業内容を理解しておく。☞要点2参照

解説

1. **間違い**　線形決定は，**地形図上で平面線形が幾何平面線形になるように調整を行い**，曲線諸元の数値を決定し，線形図データファイルを作成する作業である。
2. **正しい**　仮BM設置測量は，縦断測量および横断測量に必要な水準点（仮BM）を現地に設置し，標高を求める作業である。仮BMの標杭は0.5 km間隔で設置し，観測は平地においては3級，山地においては4級水準測量により行う。

3.　**正しい**　縦断測量は，中心杭等の標高を定め，縦断面図データファイルを作成する作業である。縦断面図データファイルを図紙に出力するときは，縦断面図の距離を表す横の縮尺は線形地形図の縮尺と同一とし，高さを表す縦の縮尺は線形地形図の縮尺の５倍から 10 倍までを標準とする。

4.　**正しい**　横断測量は，中心杭等を基準にして地形の変化点等の距離および地盤高を定め，横断面図データファイルを作成する作業である。横断方向には，見通杭として横断測量終点付近に末端見通杭を中心杭等の左右に設置する。横断面図データファイルを図紙に出力するときは，横断面図の縮尺は縦断面図の縦の縮尺と同一のものを標準とする。

5.　**正しい**　詳細測量は，主要な構造物の設計に必要な詳細平面図データファイル，縦断面図データファイルおよび横断面図データファイルを作成する作業である。詳細平面図データの地図情報レベルは，250 を標準とする。

よって，明らかに間違っているものは，1. である。

解答　**1.**

基本問題 6年 **5年** 4年 3年 2年 元年 30年 29年

問題 路線測量の作業工程

難易度 普

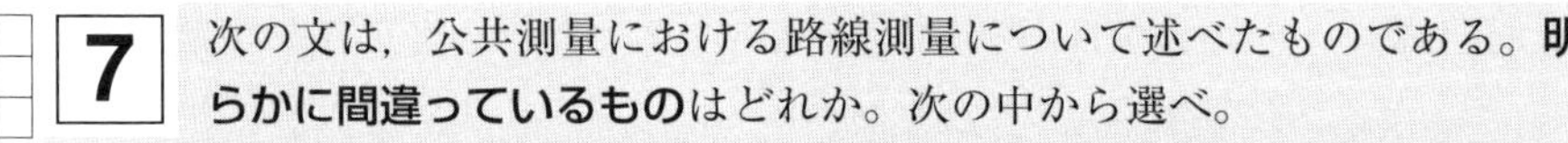

頻出度 低 ■■■■■■□□ 高

7 次の文は，公共測量における路線測量について述べたものである。**明らかに間違っているもの**はどれか。次の中から選べ。

1. 中心線測量とは，路線の主要点及び中心点を現地に設置し，線形地形図データファイルを作成する作業をいう。道路の実施設計において中心点を設置する間隔は，20 m を標準とする。
2. 仮 BM 設置測量とは，縦断測量及び横断測量に必要な水準点（以下「仮 BM」という。）を現地に設置し，標高を定める作業をいう。仮 BM を設置する間隔は，0.5 km を標準とする。
3. 縦断測量とは，中心杭等の標高を定め，縦断面図データファイルを作成する作業をいう。縦断面図データファイルを図紙に出力する場合，高さを表す縦の縮尺は，距離を表す横の縮尺の 2 倍から 5 倍までを標準とする。
4. 横断測量とは，中心杭等を基準にして地形の変化点等の距離及び地盤高を定め，横断面図データファイルを作成する作業をいう。横断方向には，原則として見通杭を設置する。
5. 用地幅杭設置測量とは，取得等に係る用地の範囲を示すため用地幅杭を設置する作業をいう。用地幅杭は，用地幅杭点座標値を計算し，近傍の 4 級基準点以上の基準点，主要点，中心点等から放射法等により設置する。

本問は，公共測量における路線測量の作業工程について問う問題である。ここでは，中心線測量，仮 BM 設置測量，縦断測量，横断測量，用地幅杭設置測量などの作業内容を理解しておく。☞要点2参照

解説

1. **正しい**　中心線測量は，路線の主要点及び中心点を現地に設置し，線形地形図データファイルを作成する作業である。主要点には役杭を設置し，中心点には中心杭を設置する。道路の実施設計において中心点を設置する間隔は，20 m を標準とする。

種　別		設置間隔
道　路	計画調査	100 m 又は 50 m
	実施設計	20 m
河　川	計画調査	100 m 又は 50 m
	実施設計	20 m 又は 50 m
海　岸	実施設計	20 m 又は 50 m

2.　**正しい**　仮BM設置測量は，縦断測量及び横断測量に必要な水準点（仮BM）を現地に設置し，標高を定める作業である。仮BMは，通常，路線測量の始点および終点の地盤堅固な場所に設置し，設置する間隔は，0.5 km を標準とする。

3.　**間違い**　縦断測量は，中心杭等の標高を定め，縦断面図データファイルを作成する作業である。縦断図データファイルを図紙に出力するときは，縦断面図の距離を表す横の縮尺は線形地形図の縮尺と同一とし，高さを表す縦の縮尺は線形地形図の縮尺の**5倍から10倍まで**を標準とする。

4.　**正しい**　横断測量は，中心杭等を基準にして地形の変化点等の距離及び地盤高を定め，横断面図データファイルを作成する作業である。横断方向が決定したら，観測に先立ち，横断方向の見通杭として横断測量終点付近に末端見通杭を中心杭等の左右に設置する。

5.　**正しい**　用地幅杭設置測量は，取得等に係る用地の範囲を示すため，用地幅杭を設置する作業である。用地幅杭は，中心点等から中心線に対して直角方向の用地幅杭点座標値を計算し，近傍の4級基準点以上の基準点，主要点，中心点等から放射法等により設置する。

よって，明らかに間違っているものは，3. である。

解答　3.

基本問題 6年 5年 4年 3年 2年 元年 30年 29年

問題 路線測量の作業工程

難易度 易

頻出度 低 ■■■■■■□□ 高

8 図は，公共測量における路線測量の標準的な作業工程を示したものである。［ア］～［オ］に入る測量等の名称の組合せとして，**最も適当なもの**はどれか。次の中から選べ。

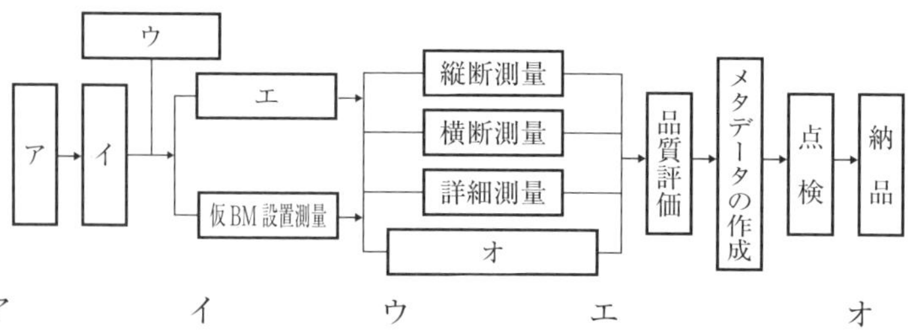

	ア	イ	ウ	エ	オ
1.	作業計画	線形決定	中心線測量	IPの設置	法線測量
2.	作業計画	線形決定	IPの設置	中心線測量	用地幅杭設置測量
3.	線形決定	作業計画	IPの設置	中心線測量	法線測量
4.	作業計画	線形決定	中心線測量	IPの設置	用地幅杭設置測量
5.	線形決定	作業計画	IPの設置	中心線測量	用地幅杭設置測量

本問は，路線測量における標準的な作業工程を問う問題である。ここでは，作業名称，作業内容および作業手順を理解しておく。

解説

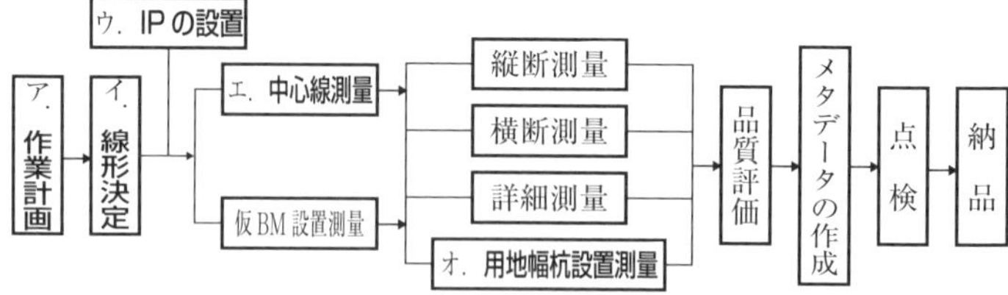

IPの設置は，必ずしも現地に設置する必要はない。よって，工程の流れの中になく独立した場所にあるので注意する。

以上から，ア．作業計画　イ．線形決定　ウ．IPの設置　エ．中心線測量　オ．用地幅杭設置測量となる。

よって，最も適当な組合せは2. である。

解答 2.

基本問題　6年　5年　4年　3年　2年　元年　30年　29年

縦断測量における標高の計算

難易度 普

頻出度 低 ■■□□□□□□ 高

9 下表は，ある公共測量における縦断測量の観測手簿の一部である。観測は，器高式による直接水準測量で行っており，BM1，BM2 を既知点として観測値との閉合差を補正して標高及び器械高を決定している。表中の［ア］～［ウ］に当てはまる値はそれぞれ何か。次の中から**正しい組合せ**を選べ。

表　縦断測量観測手簿

地点	距離 (m)	後視 (m)	器械高 (m)	前視 (m)	補正量 (mm)	決定標高 (m)
BM1		1.308	81.583			80.275
	25.00					
No. 1		0.841	［ア］	1.043	［イ］	［ウ］
No. 1 GH				0.854		80.527
	20.00					
No. 2				1.438		79.943
No. 2 GH				1.452		79.929
	5.00					
No. 2＋5 m		1.329	81.126	1.585	＋1	79.797
No. 2＋5 m　GH				1.350		79.776
	15.00					
No. 3				1.040		80.086
No. 3 GH				1.056		80.070
	20.00					
No. 4		1.042	81.523	0.646	＋1	80.481
No. 4 GH				1.055		80.468
	35.00					
BM2				1.539	＋1	79.985

（GH は各中心杭の地盤高の観測点）

	ア	イ	ウ
1.	81.381	0	80.540
2.	81.381	＋1	80.540
3.	81.381	＋1	80.541
4.	81.382	0	80.541
5.	81.382	＋1	80.541

本問は，縦断測量の観測手簿を基に，未知点の標高を求める問題である。ここでは，器高式による標高計算，標高の補正計算を理解しておく。

解説

縦断測量観測手簿（水準測量，器高式）の地盤高の計算は，次式で求めることができる。

器械高＝既知点の標高＋後視

未知点の標高＝器械高－前視

地点	距離(m)	後視(m)	器械高(m)	前視(m)	補正量(mm)	標高(m)
BM1	25	1.308	81.583			80.275
No. 1		0.841	ア	1.043	イ	ウ
No. 1 GH	20			0.854		80.527
No. 2				1.438		79.943
No. 2 GH	5			1.452		79.929
No. 2＋5 m		1.329	81.126	1.585	＋1	79.797
No. 2＋5 m GH	15			1.350		79.776
No. 3				1.040		80.086
No. 3 GH	20			1.056		80.070
No. 4		1.042	81.523	0.646	＋1	80.481
No. 4 GH	35			1.055		80.468
BM2				1.539	＋1	79.985

BM1の器械高は，BM1の標高に後視をプラスして求める。

BM1器機高＝80.275 m＋1.308 m＝81.583 m

No. 1の標高は，BM1の器械高からNo. 1の前視を減じて求める。

No. 1の標高＝81.583 m－1.043 m＝ ウ **80.540 m**

No. 1の器械高は，No. 1の標高に後視をプラスして求める。

No. 1器械高＝80.540 m＋0.841 m＝ ア **81.381 m**

BM1の標高を基に，BM2の標高を求める。

BM2の標高＝ BMの標高＋（後視の合計－前視（もりかえ点）の合計）

後視の合計＝1.308＋0.841＋1.329＋1.042＝4.520 m

前視（もりかえ点）の合計＝1.043＋1.585＋0.646＋1.539＝4.813 m

BM2 の標高＝80.275＋4.520－4.813＝79.982 m

BM1 の標高と BM2 の標高の閉合差＝79.985 m－79.982 m＝0.003 m＝3 mm

よって，水準測量の補正量の計算は，路線全長に 3 mm 加算しなければならない。

BM1～No. 1 の区間における補正量は，［イ　0 mm］

それぞれの区間における補正量は，以下のようになる。

区　間	補正量の計算
BM1～No. 1	$0.003\text{ m}\times\frac{25\text{ m}}{120\text{ m}}=0.0006\text{ m}\fallingdotseq 0\text{ mm}$
No. 1～No. 2＋5 m	$0.003\text{ m}\times\frac{25\text{ m}}{120\text{ m}}=0.0006\text{ m}\fallingdotseq 1\text{ mm}$
No. 2＋5 m～No. 4	$0.003\text{ m}\times\frac{35\text{ m}}{120\text{ m}}=0.0008\text{ m}\fallingdotseq 1\text{ mm}$
No. 4～BM2	$0.003\text{ m}\times\frac{35\text{ m}}{120\text{ m}}=0.0008\text{ m}\fallingdotseq 1\text{ mm}$
合　計	3mm

よって，ア：81.381，イ：0，ウ：80.540　となり，正しい組合せは 1. である。

解答　1.

基本問題 6年 5年 4年 3年 2年 元年 30年 29年

問題 横断測量における標高の計算

難易度 難

頻出度 低 ■■□□□□□□ 高

10 公共測量における路線測量の横断測量を，図に示すように間接水準測量の一つであるトータルステーションによる単観測昇降式で行い，表の観測結果を得た。点Aの標高 H_1 を 35.500 m とした場合，点Bの標高 H_2 は幾らか。**最も近いもの**を次に中から選べ。

ただし，点Aの f_1 及び点Bの f_2 は目標高，器械点において点A方向の高低角を α_1，斜距離を D_1，点B方向の高低角を α_2，斜距離を D_2 とする。

なお，関数の数値が必要な場合は，巻末の関数表を使用すること。

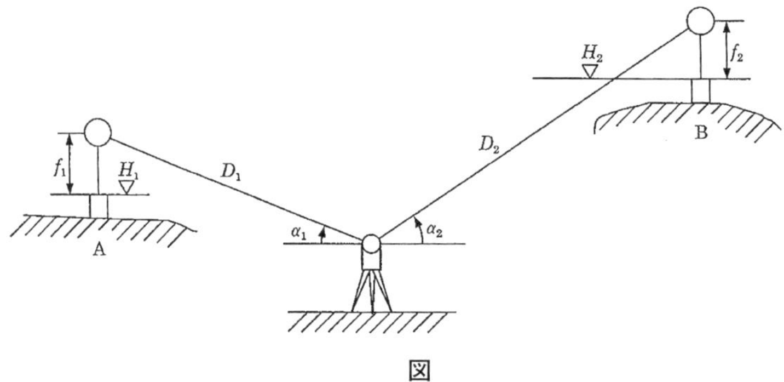

図

1. 40.444 m
2. 40.644 m
3. 47.456 m
4. 53.256 m
5. 53.456 m

表

観測結果	
f_1	1.500 m
f_2	1.400 m
D_1	35.000 m
D_2	50.000 m
α_1	30° 00′00″
α_2	45° 00′00″

本問は，横断測量の観測結果を基に，未知点の標高を求める問題である。ここでは，トータルステーションを用いた間接水準測量による標高計算を理解しておく。

解説

はじめに，トータルステーションの左側にD_1を斜辺とする直角三角形と，右側にD_2を斜辺とする直角三角形をつくる。次に，トータルステーションから点 A，点 B のターゲット（目標）までの高低差x_1，x_2を求める。

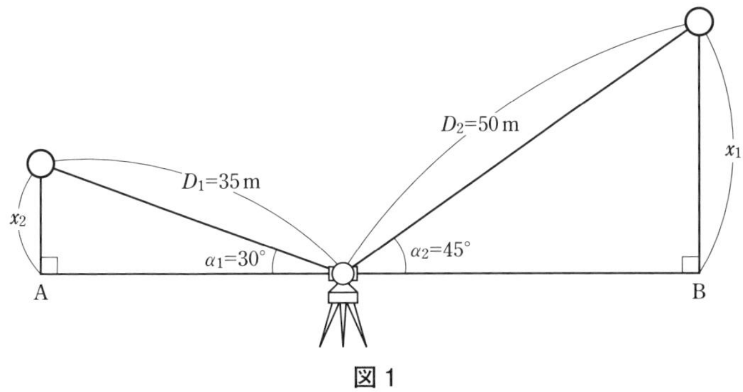

図１

解き方１

それぞれの直角三角形のx_1，x_2を次のような三角比を利用して求める。

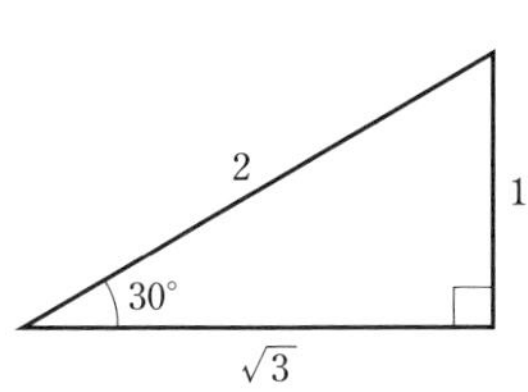

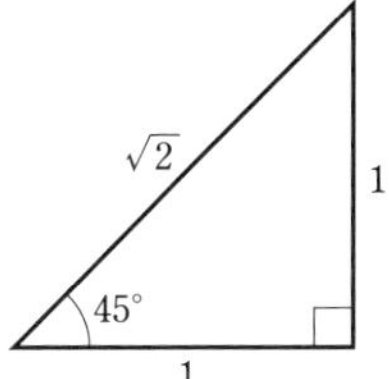

図１の左側の直角三角形は$\alpha_1 = 30°$，右側の直角三角形は$\alpha_2 = 45°$であるので，対応する辺x_1，x_2を上の三角比で求める。

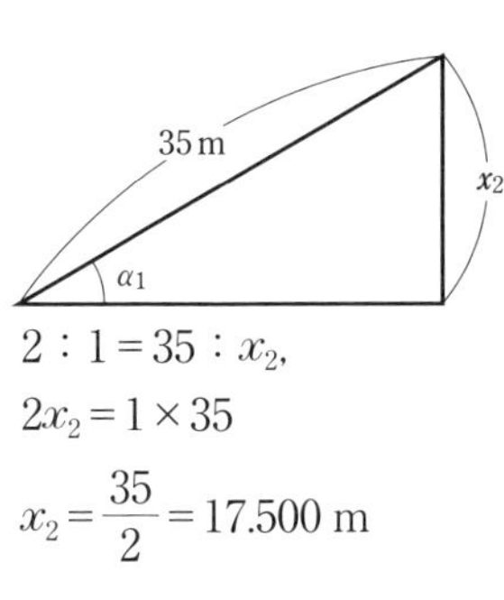

$2 : 1 = 35 : x_2$,

$2x_2 = 1 \times 35$

$x_2 = \dfrac{35}{2} = 17.500\ \text{m}$

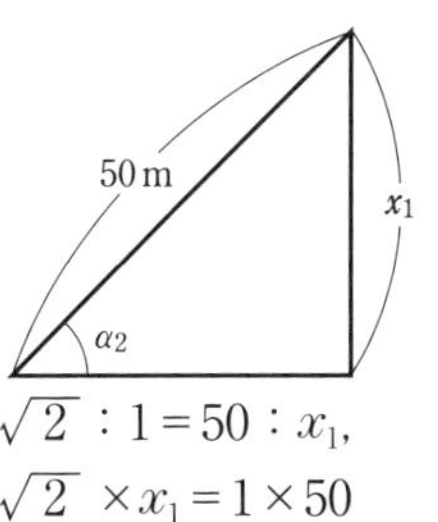

$\sqrt{2} : 1 = 50 : x_1$,

$\sqrt{2} \times x_1 = 1 \times 50$

$x_1 = \dfrac{50}{\sqrt{2}}$

$= 50/1.41421$（巻末の関数表より）

$= 35.356\ \text{m}$

解き方２

それぞれの直角三角形の x_1，x_2 を三角関数により求める。

$x_1 = \sin 45° \times D_2 = 0.70711$（関数表より）$\times 50 = 35.356$ m

$x_2 = \sin 30° \times D_1 = 0.50000$（関数表より）$\times 35 = 17.500$ m

H_1 の標高が 35.500 m であるので，それぞれの高低差を計算し，H_2 を求める。

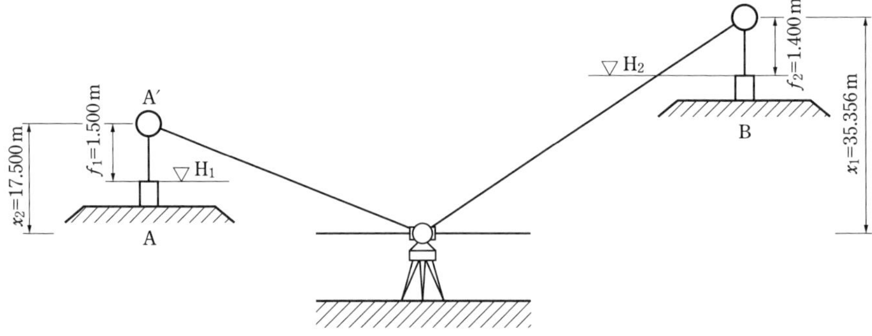

$$
\begin{aligned}
H_2 &= H_1 + f_1 - x_2 + x_1 - f_2 \\
&= 35.500 + 1.500 - 17.500 + 35.356 - 1.400 \\
&= 53.456 \text{ m}
\end{aligned}
$$

よって，最も近いものは５．である。

解答　**5.**

基本問題　6年　5年　4年　3年　2年　元年　30年　29年

問題　河川測量における作業内容

難易度　易

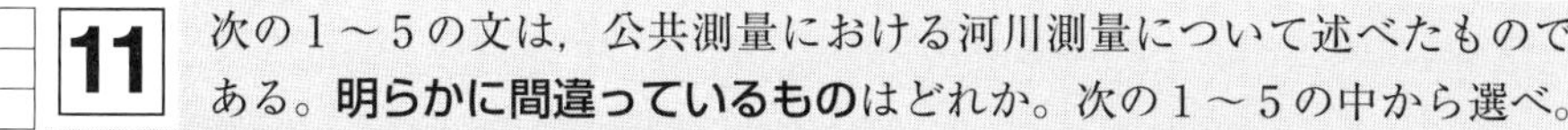

頻出度　低 ■■■■■■■■ 高

11 次の１～５の文は，公共測量における河川測量について述べたものである。**明らかに間違っているもの**はどれか。次の１～５の中から選べ。

1. 河川測量とは，河川，海岸等の調査及び河川の維持管理等に用いる測量をいう。
2. 水準基標は，水位標に近接した位置に設置するものとし，設置間隔は，1 km から 2 km までを標準とする。
3. 定期横断測量とは，定期的に左右距離標の視通線上の横断測量を実施して横断図面データファイルを作成する作業をいう。
4 深浅測量における船位の測定は，ワイヤーロープやトータルステーション，GNSS 測量機を用いて行う。
5. 法線測量とは，河川又は海岸において，築造物の新設又は改修等を行う場合に現地の法線上に杭を設置し線形図データファイルを作成する作業をいう。

本問は，河川測量における作業内容と方法を問う問題である。ここでは，水準基標測量，定期横断測量，深浅測量，法線測量などの作業内容を理解しておく。☞ 要点4 参照

解説

1. **正しい**　河川測量は，河川，海岸等の調査および河川の維持管理などに用いる測量である。
2. **間違い**　水準基標は，水位標に近接した位置に設置し，設置間隔は，**5 km から 20 km までを標準**とする。
3. **正しい**　定期横断測量は，定期的に左右距離標の視通線上の横断測量を実施して，横断面図データファイルを作成する作業である。
4. **正しい**　深浅測量における船位の測定は，ワイヤーロープやトータルステーション，GNSS 測量機を用いて行う。測定間隔は，ワイヤーロープを用いた場合は 5 m，トータルステーションや GNSS 測量機を用いた場合は 10 m ～ 100 m である。
5. **正しい**　法線測量は，河川または海岸において，築造物の新設または改修などを行う場合に，現地の法線上に杭を設置して，線形図データファイルを作成する作業である。

よって，明らかに間違っているものは2. である。

 2.

基本問題　6年　**5年**　4年　3年　2年　元年　30年　29年

問題　河川測量における作業内容

難易度 **易**

頻出度 低 ■■■■■■■■ 高

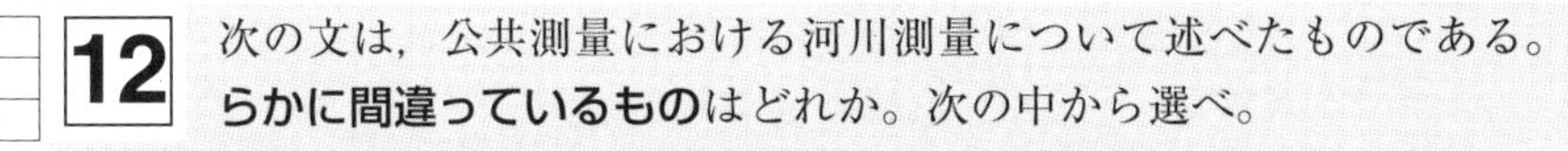

12 次の文は，公共測量における河川測量について述べたものである。**明らかに間違っているもの**はどれか。次の中から選べ。

1.　距離標は，堤防の法面及び法肩以外の箇所に設置するものとする。
2.　水準基標測量は，２級水準測量により行うものとする。
3.　定期縦断測量は，平地においては３級水準測量により行い，山地においては４級水準測量により行うものとする。
4.　定期横断測量とは，定期的に左右距離標の視通線上の横断測量を実施して横断面図データファイルを作成する作業をいう。
5.　深浅測量における水深の測定は，音響測深機を用いて行うものとする。ただし，水深が浅い場合は，ロッド又はレッドを用い直接測定により行うものとする。

本問は，河川測量における作業内容とその方法を問う問題である。ここでは，水準基標測量，定期縦断測量，定期横断測量，深浅測量などの作業内容を理解しておく。☞ 要点4 参照

解説

1.　**間違い**　距離標は，河心線の一定の距離ごとに**直角方向の両岸の堤防の法肩又は法面に設置**する。堤防がない場合は，河岸の適切な位置に設置する。

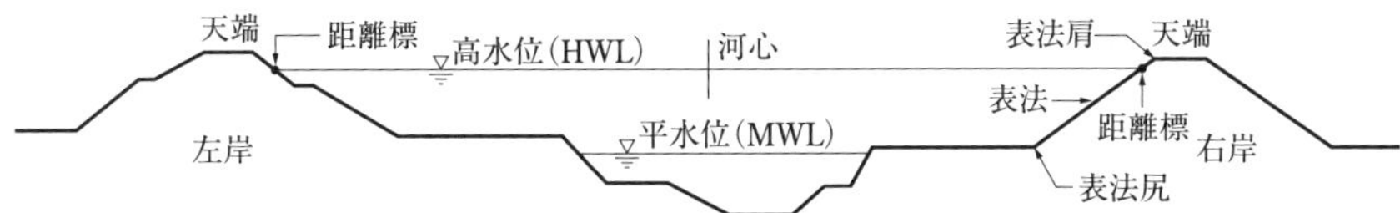

2.　**正しい**　水準基標測量は，定期縦断測量の基準となる水準基標の標高を定める作業であり，２級水準測量により行う。

3.　**正しい**　定期縦断測量は，定期的に距離標等の縦断測量を実施して，縦断面図データファイルを作成する作業である。定期縦断測量は，平地では３級水準測量により行い，山地では４級水準測量により行う。

4. **正しい**　定期横断測量は，定期的に左右距離標の視通線上の横断測量を実施して，横断面図データファイルを作成する作業である。
5. **正しい**　深浅測量は，河川・貯水池・湖沼・海岸において，水底部の地形を明らかにするため，水深・測深位置・水位などを測定して，横断面図データファイルを作成する作業である。水深の測定は，音響測深機を用いて行う。ただし，水深が浅い場合は，ロッド又はレッドを用い直接測定により行う。

よって，明らかに間違っているものは，1. である。

解答　**1.**

基本問題 | 6年 | 5年 | **4年** | 3年 | 2年 | 元年 | 30年 | 29年

問題　河川測量における作業内容

難易度 **普**

頻出度 低 ■■■■■■■■ 高

13 次のa〜eの文は，公共測量における河川測量について述べたものである。**明らかに間違っているもの**だけの組合せはどれか。次の中から選べ。

a.　河川測量とは，河川，海岸等の調査及び河川の維持管理等に用いる測量をいう。

b.　距離標は，河心線の接線に対して直角方向の両岸の堤防法肩又は法面等に設置する。

c.　水準基標測量とは，定期縦断測量の基準となる水準基標の標高を定める作業をいう。

d.　水準基標測量は2級水準測量により行い，水準基標は水位標から離れた位置に設置する。

e.　深浅測量とは，河川，貯水池，湖沼又は海岸において，水底部の地形を明らかにするため，水深，測深位置又は船位，水位又は潮位を測定し，縦断面図データファイルを作成する作業をいう。

1.　a，b
2.　a，e
3.　b，c
4.　c，d
5.　d，e

本問は，河川測量における作業内容と方法を問う問題である。ここでは，河川測量における各測量の作業内容を理解しておく。☞要点4参照

解説

a.　**正しい**　河川測量とは，河川，海岸等の調査および河川の維持管理等に用いる測量をいう。

b.　**正しい**　距離標は，河心線の接線に対して，一定の距離ごとに，直角方向の両岸の堤防法肩又は法面等に設置する。

c.　**正しい**　水準基標測量とは，定期縦断測量の基準となる水準基標の標高

を定める作業をいう。標高は，東京湾平均海面（T.P.）を基準として表示しなければならないが，水系の固有の特殊基準面がある場合にはそれを基準とすることがある。

d. **間違い** 水準基標測量は，2級水準測量により行い，既知点より出発し，最寄りの水準基標を順次経由して他の既知点に結合する。水準基標は，**水位標に近接した位置に設置**し，設置間隔は，5 km～20 km までを標準とする。

e. **間違い** 深浅測量とは，河川，貯水池，湖沼又は海岸において，水底部の地形を明らかにするため，水深，測深位置または船位，水位または潮位を測定し，縦断面図データファイルではなく**横断面図データファイルを作成**する作業をいう。

よって，明らかに間違っているものは，dとeであり，5. の組合せが正しい。

解答 5.

基本問題　6年　5年　4年　3年　2年　元年　30年　29年

問題　河川横断面の平均河床高の計算

難易度　やや難

頻出度　低 ■□□□□□□□ 高

14 下表は，ある河川の横断測量を行った結果の一部である。図は横断面図で，この横断面における左岸及び右岸の距離標の標高は 20.7 m である。また，各測点間の勾配は一定である。この横断面の河床部における平均河床高の標高を m 単位で小数第１位まで求めたい。**最も近いもの**を次のページの中から選べ。なお，河床部とは，左岸堤防表法尻から右岸堤防表法尻までの区間とする。

1. 14.3 m
2. 14.5 m
3. 14.9 m
4. 15.4 m
5. 15.8 m

表　横断測量結果

測点	距離（m）	左岸距離標からの比高（m）	測点の説明
1	0.0	0.0	左岸距離標上面の高さ
	0.0	−0.2	左岸距離標地盤の高さ
2	1.0	−0.2	左岸堤防表法肩
3	3.0	−4.7	左岸堤防表法尻
4	6.0	−6.2	水面
5	8.0	−6.7	
6	10.0	−6.2	水面
7	13.0	−4.7	右岸堤防表法尻
8	15.0	−0.2	右岸堤防表法肩
9	16.0	−0.2	右岸距離標地盤の高さ
	16.0	0.0	右岸距離標上面の高さ

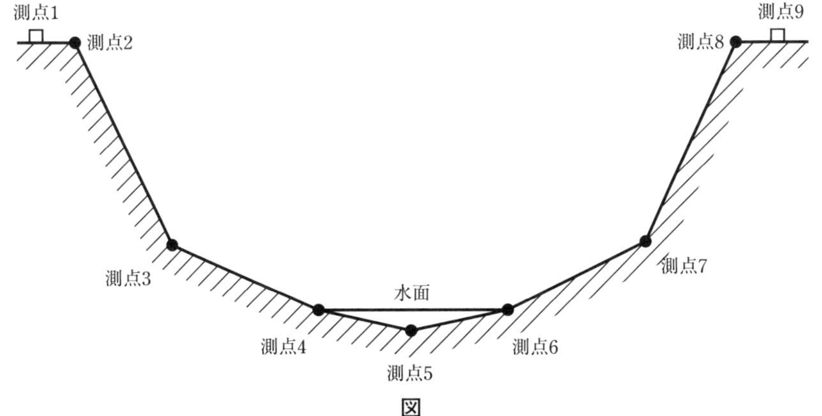

図

本問は，河川における横断面の平均河床高を求める問題である。ここでは，河床部の意味を理解し，横断測量の結果から，図のように河川の断面図をイメージできるようにしておく。☞ 要点5 参照

解説

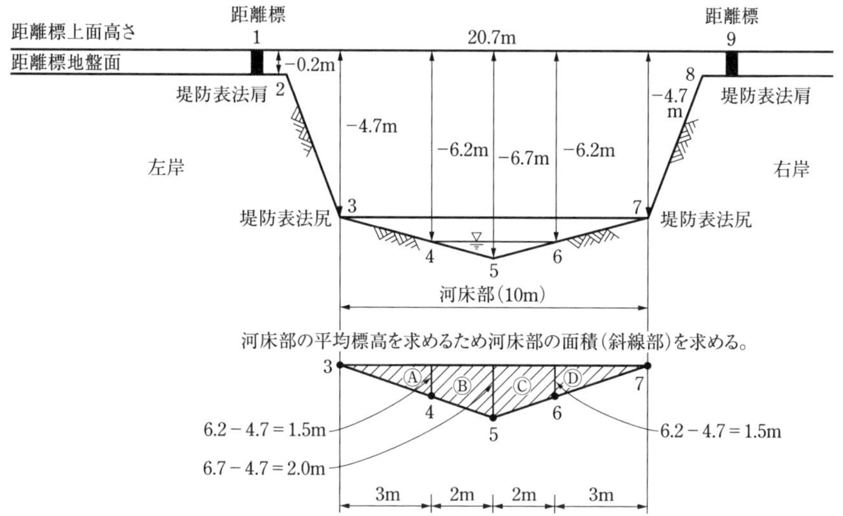

図に示した斜線部の２つの三角形，２つの台形からなる河床部の面積を求める。

Ⓐ $= 3.0 \times 1.5 \times 0.5 = 2.25\ \mathrm{m}^2$

Ⓑ $= (1.5 + 2.0) \times 2.0 \times 0.5 = 3.50\ \mathrm{m}^2$

Ⓒ $= (1.5 + 2.0) \times 2.0 \times 0.5 = 3.50\ \mathrm{m}^2$

Ⓓ $= 3.0 \times 1.5 \times 0.5 = 2.25\ \mathrm{m}^2$

Ⓐ + Ⓑ + Ⓒ + Ⓓ $= 11.5\ \mathrm{m}^2$

河床部の平均高 $= 11.5\ \mathrm{m}^2/10\ \mathrm{m} = 1.15\ \mathrm{m}$

よって，河床部の平均標高は，$20.7\ \mathrm{m} - (4.7\ \mathrm{m} + 1.15\ \mathrm{m}) = 14.85\ \mathrm{m}$ となり，最も近いものは 3. となる。

解答 3.

基本問題　6年　5年　4年　3年　2年　元年　30年　29年

問題　用地測量の作業順序

難易度　易

頻出度　低 ■□□□□□□□ 高

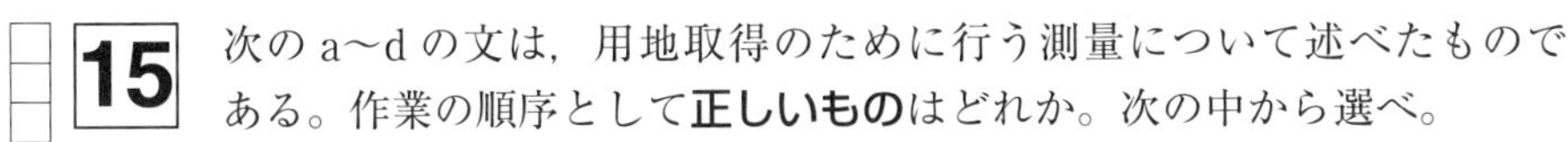

15　次のa〜dの文は，用地取得のために行う測量について述べたものである。作業の順序として**正しいもの**はどれか。次の中から選べ。

a.　土地の取得等に係る土地について，用地測量に必要な資料等を整理及び作成する資料調査

b.　現地において一筆ごとに土地の境界を確認する境界確認

c.　取得用地等の面積を算出し，面積計算書を作成する面積計算

d.　現地において境界点を測定し，その座標値を求める境界測量

1.　a → c → d → b
2.　d → b → c → a
3.　b → a → d → c
4.　c → a → d → b
5.　a → b → d → c

本問は，用地測量の作業順序を問う問題である。ここでは，用地測量の各作業内容と作業順序を理解しておく。☞要点8参照

解説

用地測量の作業順序は次のとおりである。

①　作業計画
②　資料調査（a：用地測量に必要な資料等を整理および作成する。）
③　復元測量
④　境界確認（b：土地の境界を確認する。）
⑤　境界測量（d：境界点を測定し，座標値を求める。）
⑥　境界点間測量
⑦　面積計算（c：用地等の面積を算出し，面積計算書を作成する。）
⑧　用地実測図データファイルの作成
⑨　用地平面図データファイルの作成

したがって，正しい作業順序は，a → b → d → c　となる。

よって，正しいものは5. である。　**解答　5.**

基本問題 **6年** 5年 4年 3年 2年 元年 30年 29年

問題 土地の面積計算

難易度 やや難

頻出度 低 ■■■■■■■■ 高

16 図は，境界点 A，B，C，D の 4 点で囲まれた四角形の土地を表したもので，各境界点の平面直角座標系（平成 14 年国土交通省告示第 9 号）における座標値は表に示すとおりである。

この度，計画道路の建設に伴い四角形の土地 ABCD を長方形の土地 AEFD に整えることとなった。長方形 AEFD の面積を四角形 ABCD の面積の 70% とするとき，点 F の X 座標値は幾らか。**最も近いもの**を次の 1 ～ 5 の中から選べ。

なお，関数の値が必要な場合は，巻末の関数表を使用すること。

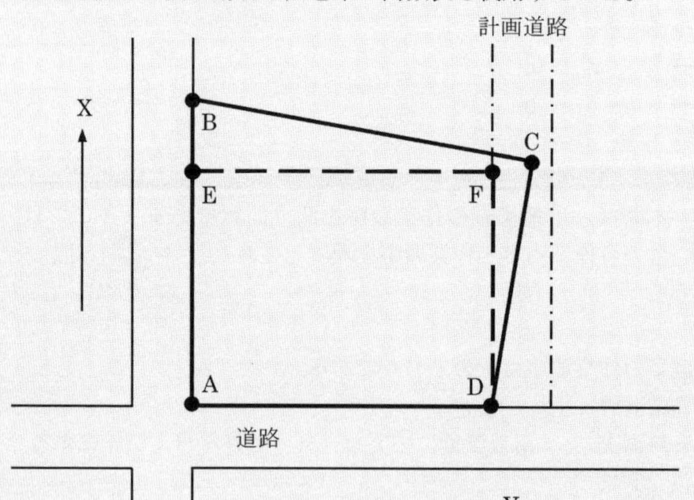

図

1. +7.840 m
2. +9.382 m
3. +10.640 m
4. +13.740 m
5. +22.943 m

表

境界点	X 座標値（m）	Y 座標値（m）
A	−22.260	+6.000
B	+24.740	+6.000
C	+16.740	+76.000
D	−22.260	+70.000

本問は，与えられた座標値より土地ABCDの面積を求め，その面積の70％となる四角形AEFDとするための辺FDの長さを基に，点FのX座標値を求める問題である。ここでは，図1のように，点Aと点Dを結ぶ直線と，点Cから下した垂線との交点を点Gとし，台形ABCGの面積から三角形DCGの面積を減じて，土地ABCDの面積を求めることを理解しておく。☞要点9参照

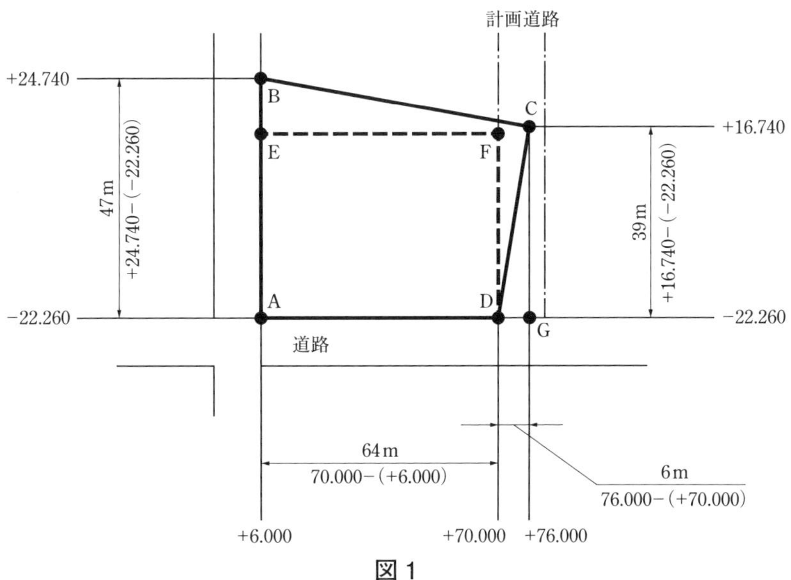

図１

解説

① 土地ABCDの面積S_1を求める。

S_1＝台形ABCGの面積S_2－三角形DCGの面積S_3

$$=\frac{1}{2}\times(\text{上底}+\text{下底})\times\text{高さ}-\frac{1}{2}\times\text{底辺}\times\text{高さ}$$

$$=\frac{1}{2}\times(39+47)\times70-\frac{1}{2}\times6\times39=3{,}010-117=2{,}893\ \mathrm{m}^2$$

② 土地ABCDの面積S_1における70％の面積S_1'を求める。

$S_1'=S_1\times0.7=2{,}893\times0.7=2{,}025.1\ \mathrm{m}^2$

③ 辺FDの長さを求める。

土地ABCDの面積S_1における70％の面積S_1'と，四角形AEFDの面積は等しい関係にあるので，S_1'＝辺AD×辺FDとなる。

2,025.1＝64×辺 FD

辺 FD＝2,025.1÷64＝31.642 m

④　点 F の X 座標値を求める。

点 F の X 座標値＝点 D の X 座標値＋31.640

＝－22.260＋31.642＝＋9.382 m

よって，最も近いものは 2. である。

解答　2.

基本問題 | 6年 | 5年 | 4年 | 3年 | 2年 | 元年 | 30年 | 29年

問題　土地の面積計算

難易度　やや難

頻出度　低 ■■■■■■■■ 高

17 図は，境界点 A，B，C，D で囲まれた四角形の土地を表したもので，境界点 A 及び境界点 B は道路①との境界となっている。また，土地を構成する各境界点の平面直角座標系（平成 14 年国土交通省告示第 9 号）に基づく座標値は表のとおりである。

道路①が拡幅されることになり，新たな境界線 PQ が引かれることとなった。直線 AB と直線 PQ が平行であり，拡幅の幅が 2.000 m である場合，点 P，Q，C，D で囲まれた四角形の土地の面積は幾らか。**最も近いもの**を次の中から選べ。

なお，関数の値が必要な場合は，巻末の関数表を使用すること。

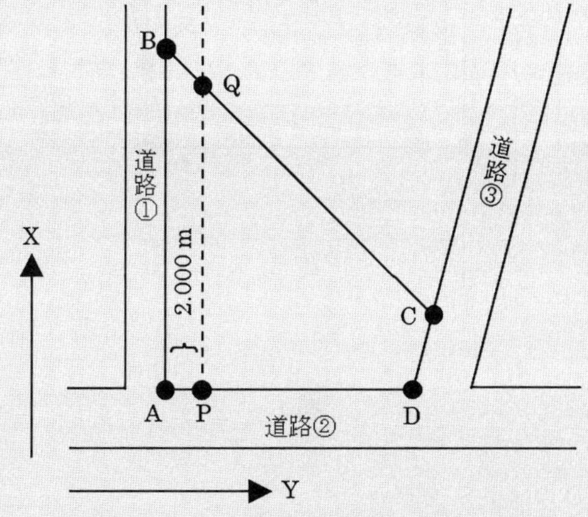

図

1. 368 m²
2. 382 m²
3. 440 m²
4. 476 m²
5. 502 m²

表

境界点	X 座標値（m）	Y 座標値（m）
A	−25.000	−10.000
B	＋5.000	−10.000
C	−21.000	＋16.000
D	−25.000	＋15.000

本問は，四角形 ABCD の土地に，道路が拡幅されることにより，残された土地 PQCD の面積を求める問題である。ここでは，図 1 に示すように，境界点間における X 方向の距離および Y 方向の距離から，三角形 BEC が直角二等辺三角形になることを理解しておく。☞要点9参照

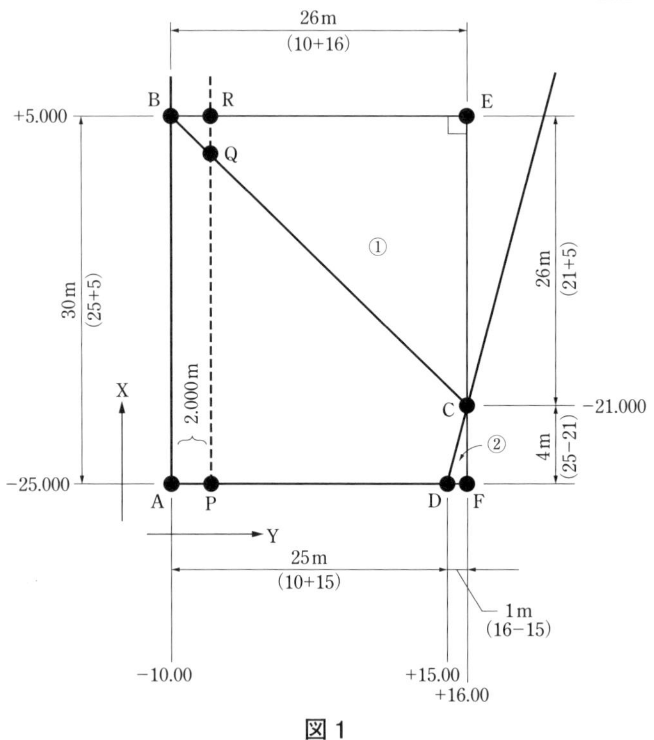

図 1

解説

① 土地 ABCD の面積 S_1 を求める。

S_1 = 四角形 ABEF の面積 S_2 − 三角形 BCE の面積 S_3 − 三角形 CDF の面積 S_4

$$S_2 = 30 \times 26 = 780\ \mathrm{m}^2$$

$$S_3 = \frac{1}{2} \times 26 \times 26 = 338\ \mathrm{m}^2$$

$$S_4 = \frac{1}{2} \times 4 \times 1 = 2\ \mathrm{m}^2$$

$$S_1 = 780 - 338 - 2 = 440\ \mathrm{m}^2$$

② 土地 ABQP の面積 S_5 を求める。

三角形 BEC は直角二等辺三角形であり，三角形 BEC と三角形 BRQ は相似になるので，線分 BR と線分 RQ の長さは等しく，$\overline{BR}=\overline{RQ}=2.000$ m，$\overline{QP}=30-2=28$ m となる。

したがって，$S_5=\frac{1}{2}\times$(上底＋下底)×高さ$=\frac{1}{2}\times(28+30)\times 2=58\ m^2$

③ 土地 PQCD の面積 S_6 を求める。

S_6＝四角形 ABCD の面積 S_1－四角形 ABQP の面積 S_5

$=440-58=382\ m^2$

よって，最も近いものは 2. である。

解答 2.

別解

① 倍面積法を用いて，土地 ABCD の面積 S_1 を求める。例えば，図 2 のように，X 座標に＋20，Y 座標に＋50 した場合，座標値に同じ値だけプラス（マイナス）すれば，面積は変わらない。ここでは，計算ミスを少なくするために，X 座標に＋25，Y 座標に＋10 をする。

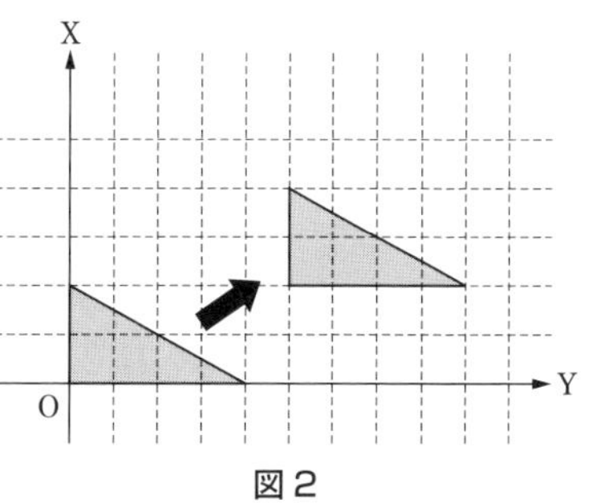

図 2

境界点	X 座標 X_n (m)	Y 座標 Y_n (m)	座標の変換	X 座標 X_n (m)	Y 座標 Y_n (m)
A	−25.000	−10.000	⟶	0.000	0.000
B	+5.000	−10.000		+30.000	0.000
C	−21.000	+16.000		+4.000	+26.000
D	−25.000	+15.000		0.000	+25.000

境界点	X座標 X_n (m)	Y座標 Y_n (m)	Y_{n-1} (m)	Y_{n+1} (m)	Y_{n-1} $-Y_{n+1}$ (m)	倍面積（m^2） X_n（$Y_{n-1}-Y_{n+1}$）
A	0.000	0.000	+25.000	0.000	+25.000	0.000
B	+30.000	0.000	0.000	+26.000	−26.000	−780.000
C	+4.000	+26.000	0.000	+25.000	−25.000	−100.000
D	0.000	+25.000	+26.000	0.000	+26.000	00.000
計						−880.000
					総倍面積	880（m^2）
					面　積	440（m^2）

よって，土地ABCDの面積S_1は440 m^2となる。

② 土地ABQPの面積S_5を求める。

$$S_5=\frac{1}{2}\times(\text{上底}+\text{下底})\times\text{高さ}=\frac{1}{2}\times(28+30)\times2=58\ m^2$$

③ 土地PQCDの面積S_6を求める。

S_6＝四角形ABCDの面積S_1－四角形ABQPの面積S_5

$=440-58=382\ m^2$

よって，最も近いものは2. である。

解答 2.

基本問題　6年　5年　**4年**　3年　2年　元年　30年　29年

問題　土地の面積計算

難易度　やや難

頻出度　低 ■■■■■■■■ 高

18　地点 A，B，C で囲まれた三角形 ABC の土地の面積を算出するため，公共測量で設置された 4 級基準点から，トータルステーションを使用して測量を実施した。4 級基準点から三角形の頂点にあたる地点 A，B，C を観測した結果は表のとおりである。この土地の面積は幾らか。**最も近いもの**を次の中から選べ。

なお，関数の値が必要な場合は，巻末の関数表を使用すること。

1.　945 m^2
2.　1,006 m^2
3.　1,067 m^2
4.　1,128 m^2
5.　1,189 m^2

表

地点	方向角	平面距離
A	45° 00′00″	50.000 m
B	90° 00′00″	20.000 m
C	330° 00′00″	50.000 m

解く

本問は，4 級基準点から三角形の頂点にあたる地点 A，B，C までの方向角と平面距離を基に，三角形 ABC の土地の面積を求める問題である。ここでは，図 1 のように，4 級基準点（O 点）と地点 A，B，C の位置関係を図示できるようにしておく。また，四角形 ABOC の面積から三角形 BOC の面積を減じて，三角形 ABC の面積を求める。☞要点9参照

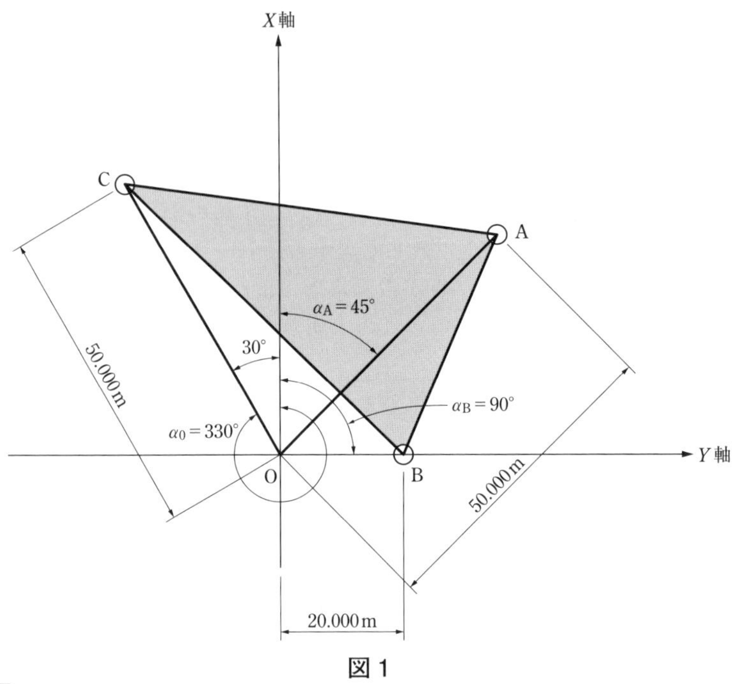

図 1

解説

方向角とは，平面直角座標系の X 軸方向から時計回りに目標まで測定した水平角である。

① 四角形 ABOC の面積 S_1 を求める。

S_1＝三角形 AOC の面積 S_2＋三角形 ABO の面積 S_3

$$S_2 = \frac{1}{2}ab\sin\theta = \frac{1}{2}\overline{\mathrm{AO}}\cdot\overline{\mathrm{CO}}\cdot\sin(30° + 45°)$$

$$= \frac{1}{2}\times 50\times 50\times 0.966 = 1207.5\ \mathrm{m}^2$$

$$S_3 = \frac{1}{2}ab\sin\theta = \frac{1}{2}\overline{\mathrm{AO}}\cdot\overline{\mathrm{BO}}\cdot\sin 45°$$

$$= \frac{1}{2}\times 50\times 20\times 0.707 = 353.5\ \mathrm{m}^2$$

$$S_1 = 1207.5 + 353.5 = 1{,}561\ \mathrm{m}^2$$

② 三角形 BOC の面積 S_4 を求める。

$$S_4=\frac{1}{2}ab\sin\theta=\frac{1}{2}\overline{\mathrm{BO}}\cdot\overline{\mathrm{CO}}\cdot\sin(30°+90°)$$

ここで，

$$\sin 120°=\sin(180°-120°)=\sin 60°=0.866$$

$$=\frac{1}{2}\times 20\times 50\times 0.866=433\ \mathrm{m}^2$$

③ 三角形 ABC の面積 S_5 を求める。

S_5＝四角形 ABOC の面積 S_1－三角形 BOC の面積 S_4

$=1{,}561-433=1{,}128\ \mathrm{m}^2$

よって，最も近いものは 4. である。

解答 4.

三角形の面積

三角形の２辺とその間の角がわかっていれば，面積を求めることができる。

三角形の面積＝底辺×高さ÷2

$S=a\times b\times\sin\theta\div 2$

$=\frac{1}{2}\times a\times b\times\sin\theta$

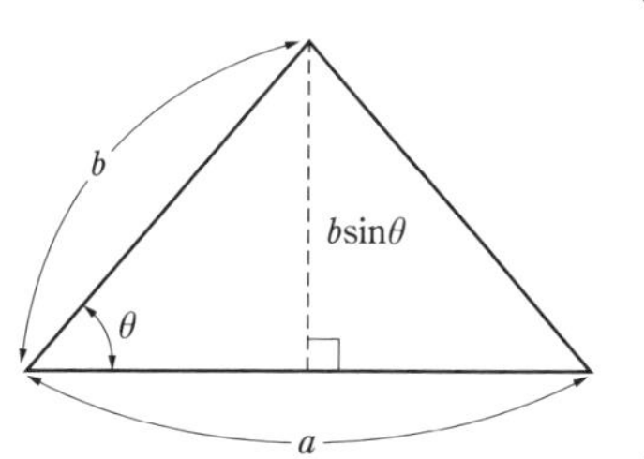

三角形の面積計算

難易度 やや難

頻出度 低 ■■■■■■■■ 高

19 表は，公共測量により設置された4級基準点から図のように三角形の頂点に当たる地点A，B，Cをトータルステーションにより測量した結果を示している。地点A，B，Cで囲まれた三角形の土地の面積は幾らか。**最も近いもの**を次の中から選べ。

なお，関数の値が必要な場合は，巻末の関数表を使用すること。

1. 55.904 m^2
2. 108.000 m^2
3. 138.440 m^2
4. 187.061 m^2
5. 200.000 m^2

表

地点	方向角	平面距離
A	75° 00′00″	48.000 m
B	105° 00′00″	32.000 m
C	105° 00′00″	23.000 m

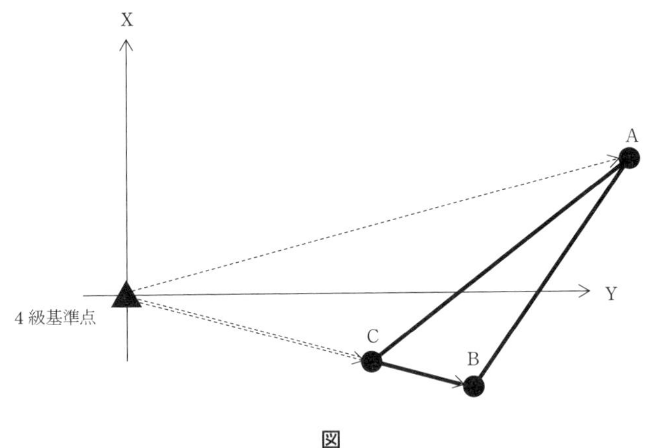

図

本問は，トータルステーションにより測量した結果を基に，三角形の土地の面積を求める問題である。ここでは，三角形の2辺a，bとその2つの辺で挟まれる角θにより，三角形の面積Sを求める。

$S=\frac{1}{2}ab\sin\theta$の公式を理解しておく。☞ 要点9 参照

解説

測量で得た結果を図に示すと次のようになる。

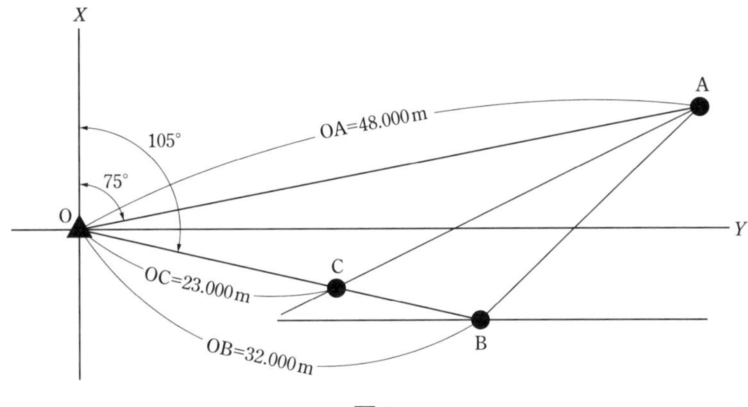

図１

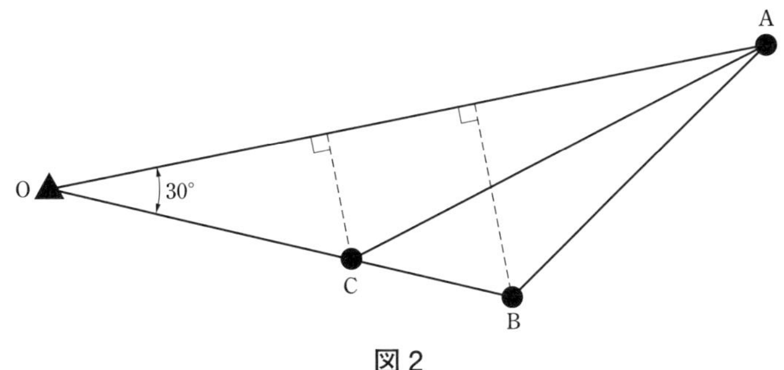

図２

三角形 OAB の面積から三角形 OAC の面積を減じて，三角形 ABC の面積を求める。

① 三角形 OAB の面積 S_1 を求める。

$$S_1 = \frac{1}{2}ab\sin\theta = \frac{1}{2}\overline{\mathrm{OA}}\cdot\overline{\mathrm{OB}}\cdot\sin 30^\circ$$

$$= \frac{1}{2}\times 48\times 32\times 0.500 = 384\ \mathrm{m}^2$$

② 三角形 OAC の面積 S_2 を求める。

$$S_2 = \frac{1}{2}ab\sin\theta = \frac{1}{2}\overline{\mathrm{OA}}\cdot\overline{\mathrm{OC}}\cdot\sin 30^\circ$$

$$= \frac{1}{2}\times 48\times 23\times 0.500 = 276\ \mathrm{m}^2$$

③　三角形ABCの面積Sを求める。

$$S = S_1 - S_2 = 384\ \mathrm{m}^2 - 276\ \mathrm{m}^2 = 108\ \mathrm{m}^2$$

よって，最も近いものは2. である。

解答　2.

三角形の面積

三角形の2辺とその間の角がわかっていれば，面積を求めることができる。

三角形の面積＝底辺×高さ÷2

$$S = a \times b \times \sin\theta \div 2$$

$$= \frac{1}{2} \times a \times b \times \sin\theta$$

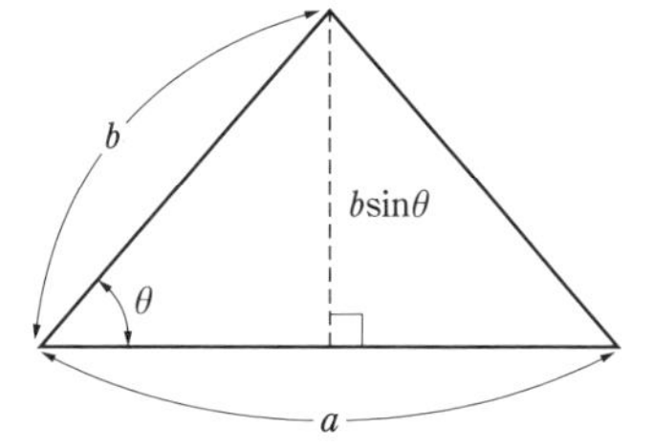

点高法による土量計算

難易度 普

頻出度 低 ■■■■■■■■ 高

20 10年前に水平に整地した図1の土地ABCDにおいて，先日，水準測量を行ったところ，地盤が不等沈下していたことが判明した。観測点の位置関係及び沈下量は，図1及び表に示すとおりである。盛土により，整地された元の地盤高に戻すには，どれだけの土量が必要か。図2の式①を用いて算出し，**最も近いもの**を次のページの中から選べ。

ただし，盛土による新たな沈下の発生は考えないものとする。

なお，関数の値が必要な場合は，巻末の関数表を使用すること。

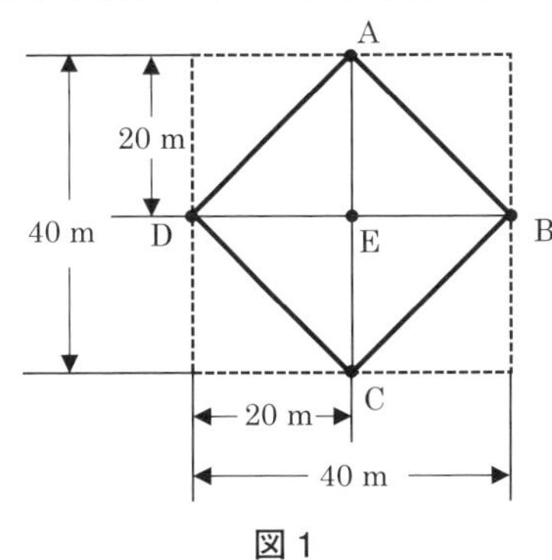

図１

表

観測点	沈下量（m）
A	0.3
B	0.2
C	0.3
D	0.2
E	0.1

下図はある三角柱で不等沈下が起きたときの模式図である。この図において，不等沈下後の区画△PQRは平面であり，不等沈下の変位は鉛直成分のみとすると，不等沈下によって失われた体積は，式①で表される。

$$V = \frac{(a+b+c)}{3}S \cdots\cdots\cdots 式①$$

V：不等沈下によって失われた体積
a，b，c：沈下量
S：三角柱の底面積（水平面積）

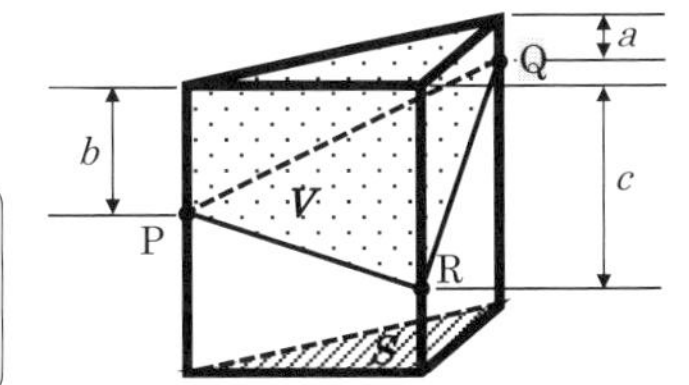

図２

1. 140 m^3
2. 160 m^3
3. 180 m^3
4. 200 m^3
5. 400 m^3

本問は，土地 ABCD における観測点の沈下量をもとに，不等沈下によって失われた体積を求める問題である。失われた体積 V は，土地 ABCD を 4 個の三角形（△DAE，△ABE，△BCE，△CDE）の区画に分割し，$V=\dfrac{(a+b+c)}{3}\times S$ の式により求める。ただし，a，b，c は沈下量，S は三角柱の底面積（水平面積）である。失われた土量は，盛土により，整地された元の地盤高に戻す土量と等しい。☞ 要点9 参照

解説

不等沈下後の区画は，△DAE，△ABE，△BCE，△CDE の 4 つに分けて，それぞれの不等沈下によって失われた体積を求める。

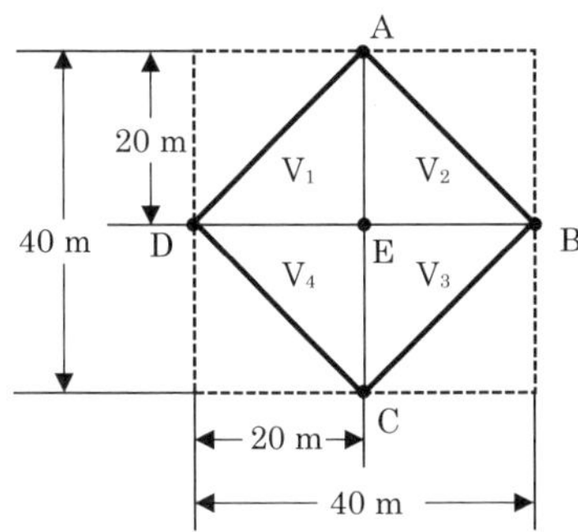

観測点	沈下量（m）
A	$a=0.3$
B	$b=0.2$
C	$c=0.3$
D	$d=0.2$
E	$e=0.1$

① 区画△DAE の失われた体積 V_1

$$V_1=\frac{(d+a+e)}{3}\times S=\frac{0.2+0.3+0.1}{3}\times\left(20\times20\times\frac{1}{2}\right)=0.2\times200=40\ \mathrm{m}^3$$

② 区画△ABE の失われた体積 V_2

$$V_2=\frac{(a+b+e)}{3}\times S=\frac{0.3+0.2+0.1}{3}\times\left(20\times20\times\frac{1}{2}\right)=0.2\times200=40\ \mathrm{m}^3$$

③ 区画△BCE の失われた体積 V_3

$$V_3=\frac{(b+c+e)}{3}\times S=\frac{0.2+0.3+0.1}{3}\times\left(20\times20\times\frac{1}{2}\right)=0.2\times200=40\ \mathrm{m}^3$$

④　区画△CDE の失われた体積 V_4

$$V_4=\frac{(c+d+e)}{3}\times S=\frac{0.3+0.2+0.1}{3}\times\left(20\times20\times\frac{1}{2}\right)=0.2\times200=40\ \mathrm{m}^3$$

整地された元の地盤高に戻すための土量 V は,

$$V=V_1+V_2+V_3+V_4=40+40+40+40=160\ \mathrm{m}^3$$

以上から，最も近いものは 2．である。

解答　2.

基本問題 6年 5年 4年 3年 2年 **元年** 30年 29年

問題 平均断面法による土量の計算

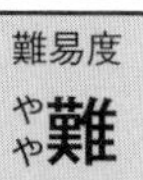

頻出度 低 ■■■■■■■■ 高

21 道路工事のため，ある路線の横断測量を行った。図1は得られた横断面図のうち，隣接するNo.5〜No.7の横断面図であり，その断面における切土部の断面積（C.A）及び盛土部の断面積（B.A）を示したものである。中心杭間の距離を20 mとすると，No.5〜No.7の区間における盛土量と切土量の差は幾らか。式に示した平均断面法により求め，**最も近いもの**を次の中から選べ。

ただし，図2は，式に示したS_1，S_2（両端の断面積）及びL（両端断面間の距離）を模式的に示したものである。

なお，関数の値が必要な場合は，巻末の関数表を使用すること。

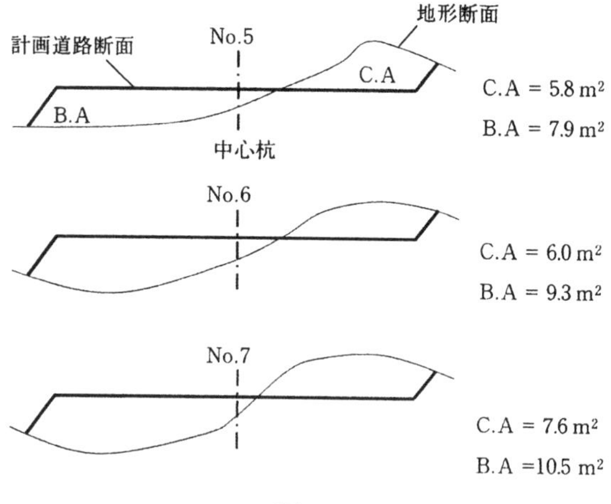

図1

$$V = \frac{S_1 + S_2}{2} \times L \cdots\cdots\cdots\cdots\cdots\cdots \text{式}$$

V：両端断面区間の体積

S_1，S_2：両端の断面積

L：両端断面間の距離

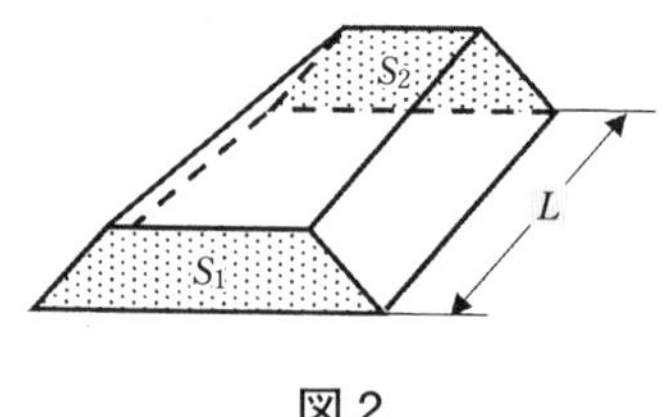

図2

1.　105 m^3
2.　116 m^3
3.　170 m^3
4.　178 m^3
5.　270 m^3

本問は，平均断面法により各測点区間の体積を計算し，No. 5～No. 7の区間における盛土量と切土量の差を求める問題である。ここでは，与えられた公式により，両端断面区間の体積を求められるようにしておく。☞要点9参照

解説

平均断面法の公式で各測点区間の体積（土量）を求める。

測点 No. 5～測点 No. 6 の区間において，

B.A（盛土体積）は，$V=\dfrac{7.9+9.3}{2}\times 20\text{m}=172\ \text{m}^3$　となる。

C.A（切土体積）は，$V=\dfrac{5.8+6.0}{2}\times 20\text{m}=118\ \text{m}^3$　となる。

測点 No. 6～測点 No. 7 の区間において，

B.A（盛土体積）は，$V=\dfrac{9.3+10.5}{2}\times 20\text{m}=198\ \text{m}^3$　となる。

C.A（切土体積）は，$V=\dfrac{6.0+7.6}{2}\times 20\text{m}=136\ \text{m}^3$　となる。

測　点	B.A 盛土面積	C.A 切土面積	距　離	B.A 盛土体積	C.A 切土体積
No. 5	7.9 m^2	5.8 m^2			
			20 m	172 m^3	118 m^3
No. 6	9.3 m^2	6.0 m^2			
			20 m	198 m^3	136 m^3
No. 7	10.5 m^2	7.6 m^2			

体積の合計	370 m^3	254 m^3
体積の差	370－254＝**116** m^3	

よって，最も近いものは2. である。

解答　2.

基本問題 | 6年 | 5年 | 4年 | 3年 | 2年 | 元年 | **30年** | 29年

問題 点高法による土量，地盤高計算

難易度 やや難

頻出度 低 ■■■■■■■■ 高

22 図に示すような宅地造成予定地を，切土量と盛土量を等しくして平坦な土地に地ならしする場合，地ならし後における土地の地盤高は幾らか。**最も近いもの**を次の中から選べ。

ただし，図のように宅地造成予定地を面積の等しい四つの三角形に区分して，点高法により求めるものとする。また，図に示す数値は，各点の地盤高である。

なお，関数の値が必要な場合は，巻末の関数表を使用すること。

1. 1.63 m
2. 1.73 m
3. 1.84 m
4. 1.92 m
5. 2.03 m

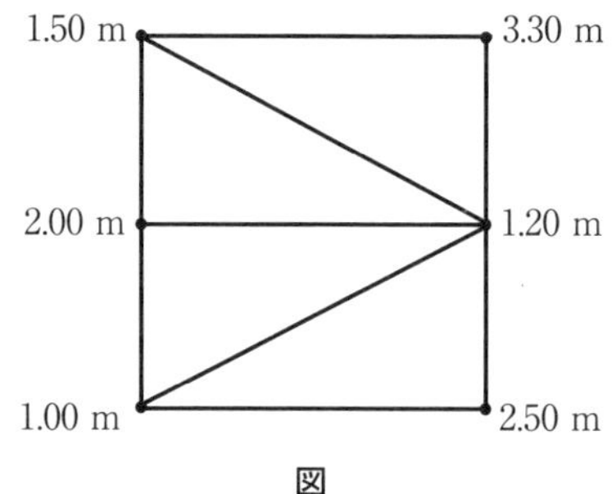

図

本問は，点高法による土量計算と地ならし後の土地の地盤高を求める問題である。ここでは，点高法の公式と土地を平らにするための地盤高の計算方法を理解しておく。☞ 要点9 参照

解説

三角形に区分した場合の点高法公式

$$V=\frac{S}{3}\ (\Sigma h_1+2\Sigma h_2+3\Sigma h_3+4\Sigma h_4+5\Sigma h_5+6\Sigma h_6)$$

V：土量，　S：1 個の三角形の面積

Σh_1：1 個の三角形だけに関係する点の地盤高の和

Σh_2：2 個の三角形だけに関係する点の地盤高の和

Σh_3：3 個の三角形だけに関係する点の地盤高の和

Σh_4：4 個の三角形だけに関係する点の地盤高の和

Σh_5：5 個の三角形だけに関係する点の地盤高の和

Σh_6：6 個の三角形だけに関係する点の地盤高の和

Σh_1：$3.30+2.50=5.80$

Σh_2：$1.50+2.00+1.00=4.5$

Σh_3：0

Σh_4：$=1.20$

$$V=\frac{S}{3}\ (\Sigma h_1+2\Sigma h_2+3\Sigma h_3+4\Sigma h_4+5\Sigma h_5+6\Sigma h_6)$$

$$V=\frac{S}{3}\ (5.8+(2\times 4.5)+(3\times 0)+(4\times 1.2))$$

$$V=6.53\times S$$

H：地盤高，S：三角形の面積

$$H=\frac{V}{S\times \text{三角形の数}}=\frac{6.53\times S}{S\times 4}=\frac{6.53}{4}$$

$$H=1.63\ \mathrm{m}$$

以上から，最も近いものは 1．である。

解答　1.

〔付録 1〕 測量士補に必要な数学の知識

要点1 単位の換算

計算問題を解くに当たっては，必ず単位を統一しておくことが大切である。長さや面積などの単位間の関係は，次のとおりである。

(1) 長さの単位

1 km＝1000 m，1 m＝100 cm，1 cm＝10 mm，1 mm＝1 000 μm（マイクロメートル）

(2) 面積の単位

$1\ \mathrm{mm}^2 = 1\ \mathrm{mm} \times 1\ \mathrm{mm}$，$1\ \mathrm{cm}^2 = 1\ \mathrm{cm} \times 1\ \mathrm{cm} = 10\ \mathrm{mm} \times 10\ \mathrm{mm} = 100\ \mathrm{mm}^2$

$1\ \mathrm{m}^2 = 1\ \mathrm{m} \times 1\ \mathrm{m} = 100\ \mathrm{cm} \times 100\ \mathrm{cm} = 10\,000\ \mathrm{cm}^2$

$1\ \mathrm{km}^2 = 1\ \mathrm{km} \times 1\ \mathrm{km} = 1\,000\ \mathrm{m} \times 1\,000\ \mathrm{m} = 1\,000\,000\ \mathrm{m}^2$

(3) 体積の単位

$1\ \mathrm{cm}^3 = 1\ \mathrm{cm} \times 1\ \mathrm{cm} \times 1\ \mathrm{cm}$,

$1\ \mathrm{m}^3 = 1\ \mathrm{m} \times 1\ \mathrm{m} \times 1\ \mathrm{m} = 100\ \mathrm{cm} \times 100\ \mathrm{cm} \times 100\ \mathrm{cm} = 1\,000\,000\ \mathrm{cm}^3$

(4) 時間の単位

1 時間（h）＝60 分（m），1 分＝60 秒（s），$1\ \mathrm{h} = 60 \times 60 = 3\,600\ \mathrm{s}$

(5) 角度の単位

1°（度）＝60′（分），1′＝60″（秒），$1° = 60 \times 60' = 3\,600''$

(6) 速さの単位

時速○キロメートル（km/h），秒速○メートル（m/s）

(7) 流量の単位

秒速○立法メートル（m^3/s）

例題

カメラの画素寸法 L＝9 μm を mm の単位に換算した値を求めなさい。

〔**解答**〕 1 mm＝1 000 μm より，$1\ \mu\mathrm{m} = \dfrac{1}{1\,000}\ \mathrm{mm}$

よって，$\mathrm{L} = 9 \times \dfrac{1}{1\,000} = \dfrac{9}{1\,000} = 0.009\ \mathrm{mm}$

例題

航空機の飛行速度 V＝180 km/h を m/s の単位に換算した値を求めなさい。

〔**解答**〕 $V = 180 \times \dfrac{1\,000\ \text{m}}{3\,600\ \text{s}} = 50\ \text{m/s}$

要点2 度とラジアンの関係

角を測定する方法には，度（°）を単位として角を表す**度数法**と，ラジアン（radian）という単位で角を表す**弧度法**がある。測量において，微小な角を測定する場合は，ラジアンを用いることがあるため，弧度法を理解する必要がある。

弧度法の１ラジアンとは，図１に示すように，円弧 $\overset{\frown}{\text{AP}}$ の長さ l が半径 r に等しいときの中心角 θ をいう。中心角 θ は，円弧の長さ l によって決定し，半径を r とすると，中心角 $\theta = \dfrac{\text{弧の長さ}\ l}{\text{半径}\ r}$（ラジアン）となる。

円周の長さの公式は $2\pi r$ であり，これを上式に代入すると，

$360° = \dfrac{2\pi r}{r}$ ラジアンより，

$360° = 2\pi$ ラジアン，$180° = \pi$ ラジアン

$1\ \text{ラジアン} = \dfrac{360°}{2\pi} = 57°\ 17'\ 45''$

$= 206\ 265''$

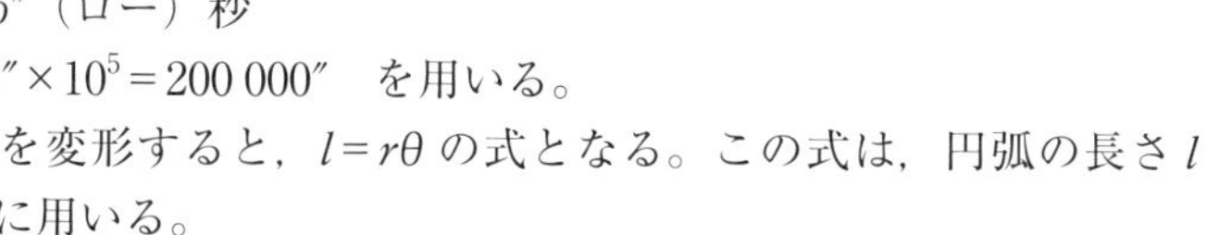

図１

測量では，１ラジアンの近似値として，

$1\ \text{ラジアン} = \rho''$（ロー）秒

$= 2'' \times 10^5 = 200\ 000''$ を用いる。

また，上式を変形すると，$l = r\theta$ の式となる。この式は，円弧の長さ l を求めるときに用いる。

例題

図２において，半径 $r = 1\ 000$ m，中心角 $40''$ のとき，円弧 $\overset{\frown}{\text{AP}}$ の長さ l を求めなさい。ただし，１ラジアン $= 200\ 000''$ とする。

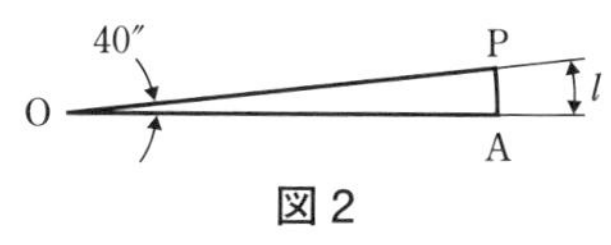

図２

〔解答〕

中心角 40″ をラジアン θ に変換すると，

$$\theta=\frac{40''}{200\,000''}=\frac{2}{10\,000}=0.000\,2\ \text{ラジアン}$$

$$l=r\theta=1\,000\times0.000\,2=0.2\ \text{m}=20\ \text{cm}$$

要点3　三角関数

(1)　sin *A*，cos *A*，tan *A*

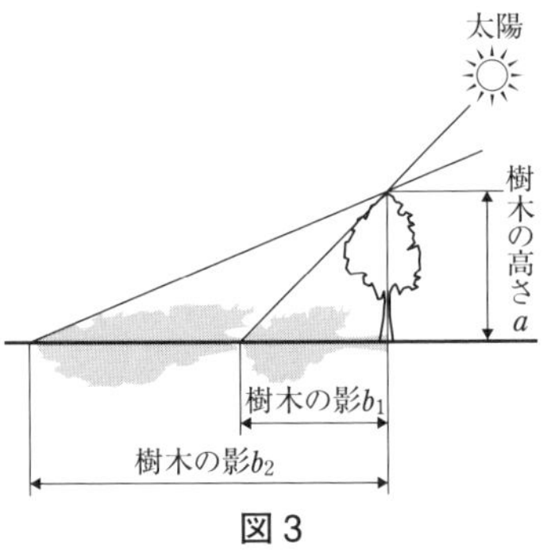

図3

図3に示すように，太陽高度が高くなるにつれ，樹木の影 b は短くなり，樹木の影（底辺）に対する樹木の高さの比（a/b）は大きくなる。この比をタンジェント（正接）という。

同様に，斜辺に対する樹木の高さの比（a/c）をサイン（正弦），斜辺に対する樹木の影の比（b/c）をコサイン（余弦）という。

あらゆる角度について，これらの比率（三角関数）を計算し，その結果をまとめたものを三角関数表という。直角三角形の一つの角度と，一辺の長さがわかりさえすれば，三角関数表を用いて，どんな直角三角形の高さも求めることができる。

$$\frac{\text{高さ}\ a}{\text{斜辺}\ c}=\sin A\ （\angle A\ \text{の正弦}）$$

$$\frac{\text{底辺}\ b}{\text{斜辺}\ c}=\cos A\ （\angle A\ \text{の余弦}）$$

$$\frac{\text{高さ}\ a}{\text{底辺}\ b}=\tan A\ （\angle A\ \text{の正接}）$$

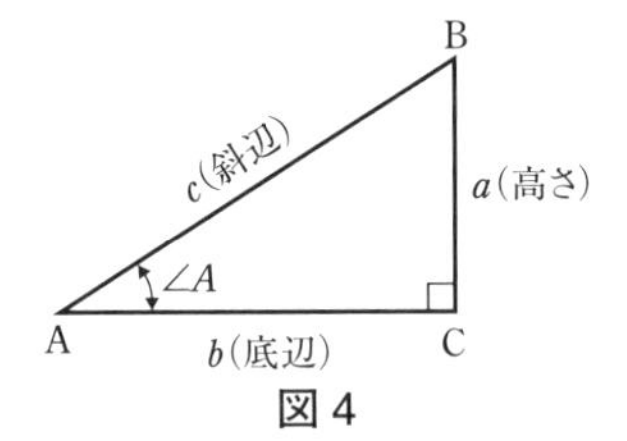

B
c(斜辺)
a(高さ)
$\angle A$
A
b(底辺)
C

図4

例題

図4において，斜辺 $c=1\,000$ m，$\angle\mathrm{A}=40°$ のとき，高さ a，底辺 b を求めなさい。ただし，$\sin40°=0.643$，$\cos40°=0.766$ とする。

〔解答〕

高さ $a=c\times\sin A=1\,000\ \text{m}\times\sin40°=1\,000\times0.643=643\ \text{m}$

底辺 $b=c\times\cos A=1\,000\ \text{m}\times\cos40°=1\,000\times0.766=766\ \text{m}$

(2) 三角関数の逆数

三角関数の sin*A*，cos*A*，tan*A* に対する逆数を，cosec*A*（コセカント），secA（セカント），cot*A*（コタンジェント）といい，次の式で求めることができる。

$$\text{cosec}\,A = \frac{1}{\sin A} = \frac{\text{斜辺}\ c}{\text{高さ}\ a}$$

$$\sec A = \frac{1}{\cos A} = \frac{\text{斜辺}\ c}{\text{底辺}\ b}$$

$$\cot A = \frac{1}{\tan A} = \frac{\text{底辺}\ b}{\text{高さ}\ a}$$

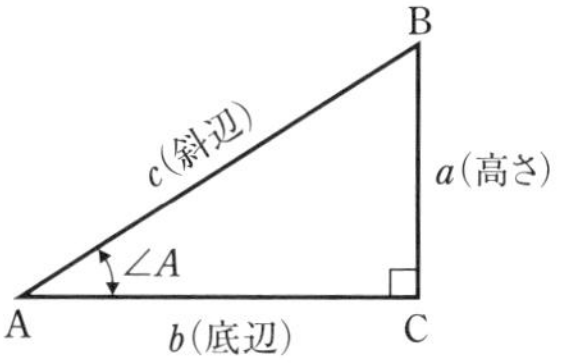

図 5

例題

図 5 において，∠A＝30° のとき，cosec*A*，sec*A*，cot*A* を求めなさい。

〔解答〕

$$\sin 30° = \frac{a}{c} = \frac{1}{2},\quad \cos 30° = \frac{b}{c} = \frac{\sqrt{3}}{2},$$

$$\tan 30° = \frac{a}{b} = \frac{1}{\sqrt{3}}\ \text{より，}$$

$$\text{cosec}30° = \frac{1}{\sin 30°} = \frac{1}{(1/2)} = 2$$

$$\sec 30° = \frac{1}{\cos 30°} = \frac{1}{(\sqrt{3}/2)} = \frac{2}{\sqrt{3}} = \frac{2\times\sqrt{3}}{\sqrt{3}\times\sqrt{3}} = \frac{2\sqrt{3}}{3}$$

$$\cot 30° = \frac{1}{\tan 30°} = \frac{1}{(1/\sqrt{3})} = \sqrt{3}$$

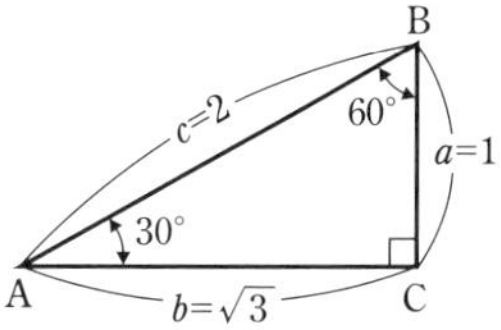

図 6

(3) 正弦定理

三角形 ABC において，角 *A*，*B*，*C* とそれぞれの角に向かい合う辺 *a*，*b*，*c* の間には，正弦定理という関係がある。三角形の一辺の長さと，その両端の角がわかりさえすれば，他の二辺の長さを求めることができる。

$$\frac{a}{\sin A} = \frac{b}{\sin B} = \frac{c}{\sin C}$$

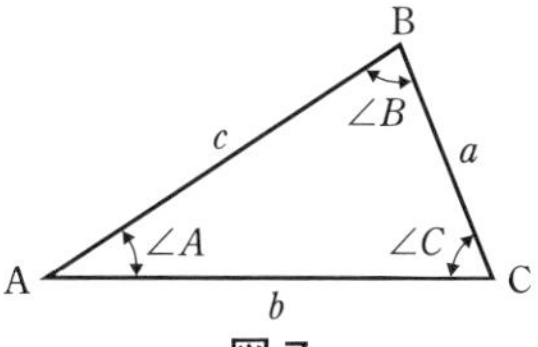

図 7

例題

図7において，$\angle A=45°$，$\angle B=60°$，$\angle C=75°$，$b=100.00$ m のとき，三角形の辺 a，c を求めなさい。ただし，$\sin 45°=0.707$，$\sin 60°=0.866$，$\sin 75°=0.966$ とする。

〔解答〕

正弦定理より，

$$\frac{a}{\sin 45°}=\frac{100}{\sin 60°}=\frac{c}{\sin 75°} \qquad \frac{a}{0.707}=\frac{100}{0.866}=\frac{C}{0.966}$$

$$a=\frac{100}{0.866}\times 0.707=81.64\text{ m} \qquad c=\frac{100}{0.866}\times 0.966=111.55\text{ m}$$

(4) 余弦定理

三角形 ABC において，角 A，B，C とそれぞれの角をはさむ二辺 bc，ca，ab の間には，余弦定理という関係がある。三角形の二辺の長さと，その二辺がはさむ角がわかりさえすれば，他の一辺の長さを求めることができる。

$$a^2=b^2+c^2-2bc\cos A$$
$$b^2=a^2+c^2-2ac\cos B$$
$$c^2=a^2+b^2-2ab\cos C$$

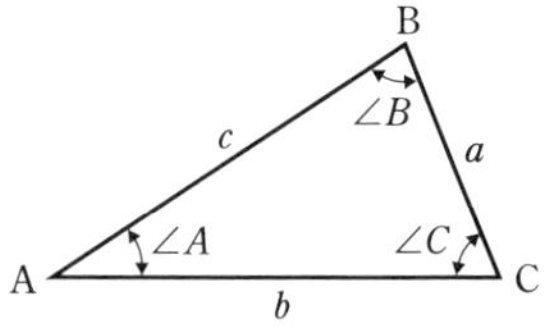

図8

例題

図8において，$\angle B=60°$，$a=100.00$ m，$c=900.00$ m のとき，三角形の辺 b を求めなさい。ただし，$\cos 60°=0.500$ とする。

〔解答〕

余弦定理より

$$b^2=100^2+900^2-2\times 100\times 900\times \cos 60°$$
$$=10000+810000-2\times 100\times 900\times 0.5$$
$$=820000-90000=730000$$
$$b=\sqrt{730000}=\sqrt{73\times 100\times 100}=\sqrt{73}\times 100$$

ここで，$\sqrt{73}$は巻末の平方根表より，$\sqrt{73}=8.54400$

$$b=8.54400\times 100=854.400\text{ m}$$

〔付録 2〕 主な地図記号

(1) 基準点記号

名　称	記　号	名　称	記　号
電子基準点		水準点	
三角点		標高点	

(2) 鉄道記号

名　称	記　号	名　称	記　号
JR線	単　線  複線以上 	JR線以外	単　線  複線以上 
索道（リフト等）			

(3) 建物記号

名　称	記　号	名　称	記　号
市役所 特別区の区役所		町村役場,政令都市の区役所	
官公署		小・中学校	
裁判所		高等学校	
税務署		病　院	
消防署		博物館	
保健所		図書館	
警察署		老人ホーム	
交　番		神　社	
郵便局		寺　院	

(4) 構造物記号

名　称	記　号	名　称	記　号
高　塔		灯　台	
煙　突		記念碑	
風　車		電波塔	
油井・ガス井		自然災害伝承碑	

(5) 特定地区

名　称	記　号	名　称	記　号
工　場		噴火口	
発電所		港（重要港）	⚓
温　泉	♨		

(6) 植生記号

名　称	記　号	名　称	記　号
田	‖	広葉樹林	
畑	∨	針葉樹林	Λ
茶　畑	∴	竹　林	
果樹園			

(7) 河川・湖沼

名　称	記　号	名　称	記　号
流水方向	→		

〔付録 3〕

関　　数　　表

平　方　根

	√		√
1	1.00000	51	7.14143
2	1.41421	52	7.21110
3	1.73205	53	7.28011
4	2.00000	54	7.34847
5	2.23607	55	7.41620
6	2.44949	56	7.48331
7	2.64575	57	7.54983
8	2.82843	58	7.61577
9	3.00000	59	7.68115
10	3.16228	60	7.74597
11	3.31662	61	7.81025
12	3.46410	62	7.87401
13	3.60555	63	7.93725
14	3.74166	64	8.00000
15	3.87298	65	8.06226
16	4.00000	66	8.12404
17	4.12311	67	8.18535
18	4.24264	68	8.24621
19	4.35890	69	8.30662
20	4.47214	70	8.36660
21	4.58258	71	8.42615
22	4.69042	72	8.48528
23	4.79583	73	8.54400
24	4.89898	74	8.60233
25	5.00000	75	8.66025
26	5.09902	76	8.71780
27	5.19615	77	8.77496
28	5.29150	78	8.83176
29	5.38516	79	8.88819
30	5.47723	80	8.94427
31	5.56776	81	9.00000
32	5.65685	82	9.05539
33	5.74456	83	9.11043
34	5.83095	84	9.16515
35	5.91608	85	9.21954
36	6.00000	86	9.27362
37	6.08276	87	9.32738
38	6.16441	88	9.38083
39	6.24500	89	9.43398
40	6.32456	90	9.48683
41	6.40312	91	9.53939
42	6.48074	92	9.59166
43	6.55744	93	9.64365
44	6.63325	94	9.69536
45	6.70820	95	9.74679
46	6.78233	96	9.79796
47	6.85565	97	9.84886
48	6.92820	98	9.89949
49	7.00000	99	9.94987
50	7.07107	100	10.00000

三　角　関　数

度	sin	cos	tan	度	sin	cos	tan
0	0.00000	1.00000	0.00000				
1	0.01745	0.99985	0.01746	46	0.71934	0.69466	1.03553
2	0.03490	0.99939	0.03492	47	0.73135	0.68200	1.07237
3	0.05234	0.99863	0.05241	48	0.74314	0.66913	1.11061
4	0.06976	0.99756	0.06993	49	0.75471	0.65606	1.15037
5	0.08716	0.99619	0.08749	50	0.76604	0.64279	1.19175
6	0.10453	0.99452	0.10510	51	0.77715	0.62932	1.23490
7	0.12187	0.99255	0.12278	52	0.78801	0.61566	1.27994
8	0.13917	0.99027	0.14054	53	0.79864	0.60182	1.32704
9	0.15643	0.98769	0.15838	54	0.80902	0.58779	1.37638
10	0.17365	0.98481	0.17633	55	0.81915	0.57358	1.42815
11	0.19081	0.98163	0.19438	56	0.82904	0.55919	1.48256
12	0.20791	0.97815	0.21256	57	0.83867	0.54464	1.53986
13	0.22495	0.97437	0.23087	58	0.84805	0.52992	1.60033
14	0.24192	0.97030	0.24933	59	0.85717	0.51504	1.66428
15	0.25882	0.96593	0.26795	60	0.86603	0.50000	1.73205
16	0.27564	0.96126	0.28675	61	0.87462	0.48481	1.80405
17	0.29237	0.95630	0.30573	62	0.88295	0.46947	1.88073
18	0.30902	0.95106	0.32492	63	0.89101	0.45399	1.96261
19	0.32557	0.94552	0.34433	64	0.89879	0.43837	2.05030
20	0.34202	0.93969	0.36397	65	0.90631	0.42262	2.14451
21	0.35837	0.93358	0.38386	66	0.91355	0.40674	2.24604
22	0.37461	0.92718	0.40403	67	0.92050	0.39073	2.35585
23	0.39073	0.92050	0.42447	68	0.92718	0.37461	2.47509
24	0.40674	0.91355	0.44523	69	0.93358	0.35837	2.60509
25	0.42262	0.90631	0.46631	70	0.93969	0.34202	2.74748
26	0.43837	0.89879	0.48773	71	0.94552	0.32557	2.90421
27	0.45399	0.89101	0.50953	72	0.95106	0.30902	3.07768
28	0.46947	0.88295	0.53171	73	0.95630	0.29237	3.27085
29	0.48481	0.87462	0.55431	74	0.96126	0.27564	3.48741
30	0.50000	0.86603	0.57735	75	0.96593	0.25882	3.73205
31	0.51504	0.85717	0.60086	76	0.97030	0.24192	4.01078
32	0.52992	0.84805	0.62487	77	0.97437	0.22495	4.33148
33	0.54464	0.83867	0.64941	78	0.97815	0.20791	4.70463
34	0.55919	0.82904	0.67451	79	0.98163	0.19081	5.14455
35	0.57358	0.81915	0.70021	80	0.98481	0.17365	5.67128
36	0.58779	0.80902	0.72654	81	0.98769	0.15643	6.31375
37	0.60182	0.79864	0.75355	82	0.99027	0.13917	7.11537
38	0.61566	0.78801	0.78129	83	0.99255	0.12187	8.14435
39	0.62932	0.77715	0.80978	84	0.99452	0.10453	9.51436
40	0.64279	0.76604	0.83910	85	0.99619	0.08716	11.43005
41	0.65606	0.75471	0.86929	86	0.99756	0.06976	14.30067
42	0.66913	0.74314	0.90040	87	0.99863	0.05234	19.08114
43	0.68200	0.73135	0.93252	88	0.99939	0.03490	28.63625
44	0.69466	0.71934	0.96569	89	0.99985	0.01745	57.28996
45	0.70711	0.70711	1.00000	90	1.00000	0.00000	*****

［編　　修］米川　誠次（東京都立蔵前工科高等学校教諭，測量士）
小栗　章義（東京都立田無工科高等学校教諭）

令和 7（2025）年度版
測量士補 問題解説集

2024 年 10 月 10 日　初版印刷
2024 年 11 月 25 日　初版発行

執筆者　米　川　誠　次
　　　　小　栗　章　義
発行者　澤　崎　明　治

（印刷・製本）大日本法令印刷
（トレース）丸山図芸社

発行所　株式会社　市ヶ谷出版社
東京都千代田区五番町 5
電話　03-3265-3711（代）
FAX　03-3265-4008
http://www.ichigayashuppan.co.jp

 ISBN 978-4-86797-381-3